用 电 安 全 基 础

主编　刘国政

黄河水利出版社

图书在版编目(CIP)数据

用电安全基础/刘国政主编.—郑州:黄河水利出版
社,2001.10(2009.3 重印)
　ISBN 7 - 80621 - 503 - 4

　Ⅰ.用…　Ⅱ.刘…　Ⅲ.用电管理－安全技术
Ⅳ.TM92

　中国版本图书馆 CIP 数据核字(2001)第 072001 号

出　版　社:黄河水利出版社
　　　　　地址:河南省郑州市顺河路黄委会综合楼 14 层;邮政编码:450003
发行单位:黄河水利出版社
　　　　　发行部电话及传真:0371 - 66022620
　　　　　E-mail:hhslcbs@126.com
承印单位:黄河水利委员会印刷厂
开本:850 mm × 1 168 mm　1/32
印张:13.5
字数:334 千字　　　　　　　　印数:4 001—7 000
版次:2001 年 10 月第 1 版　　　印次:2009 年 3 月第 2 次印刷
书号:ISBN 7 - 80621 - 503 - 4/TM・6　　　定价:23.00 元

狠抓基础管理

实现电量效益

二〇〇一年九月二十二日

河南省电力公司副总经理高航题词

前　言

　　如何提高基层电业局技术人员的理论水平和保证安全生产的技能,是电力系统十分重要的任务。

　　为了满足农村电网改造和广大技术人员、工人学习的迫切需要,以提高电力系统人员的业务素质,编写了《用电安全基础》一书。

　　本书内容紧密联系生产实际,完全符合国家现行规程和安全技术考核标准。

　　本书根据用电安全的工作实际要求与基层电力系统的工作现状,如电气工作人员的安全技术知识普遍比较欠缺,工作中因安全措施不当、管理不严、有章不循、思想松懈而导致的电气事故时有发生的情况,从基础理论方面进行了系统的论述,并对电气工作安全措施进行了详细的总结和归纳。为市、县电业局对职工进行安全教育和培训提供了一部很好的教材。

　　全书共分20章。刘国政编写第一章到第十章、第十八章到第二十章;周国安、茹秀敏编写第十一章到第十三章;侯战海编写第十四章到第十七章。全书由刘国政统稿。

　　刘国政担任本书主编。全书由华北水利水电学院张长富教授主审。

　　本书在编写过程中得到了新密市电业局和华北水利水电学院的大力支持,在此一并表示感谢。

　　由于编者水平有限,疏漏和错误之处难免,恳请广大读者批评指正。

编　者

2001 年 8 月

目　录

第一章　直流电路的基本概念

§1-1　电路的概念

所谓电路,是电流通过的路径。最简单的电路是由电源、负载和连接导线组成。电源是将其他形式的能量转换成电能的装置。随着电流的流动,电路中有将其他形式的能量转换成电能的负载。图 1-1 为电路图,电源用 E 表示,负载用 R 表示,连接导线电阻忽略。

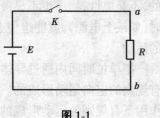

图 1-1

电路分外电路和内电路。从电源一端经过负载再回到电源另一端的电路,称为外电路。电源内部的通路称为内电路,如电池两极之间的电路就是内电路。

电路通常有 3 种状态:

(1)通路。即开关 K 闭合,构成闭合回路,电路中有电流流过。

(2)开路。开关 K 断开或电路一处断开,被切断的电路中没有电流流过。开路也称为断路。

(3)短路。若电路中 a、b 两点用导线直接接通,称为负载被短路。

电能在工农业生产、科研、国防和日常生活中有着广泛的应用。在计算机、自控、通讯等各个领域中,应用电路来完成各种任务。

§1-2　电流与电流密度

一、电流

任何物质都是由分子组成,分子是由原子组成,而原子又是由带正电的原子核和带负电的电子组成。在通常情况下,原子核所带的正电荷数等于核外电子所带的负电荷数。所以,原子是中性的,不显电性,物质也不显带电的性能。当人们给予一定外加条件时(如接上电源),就能迫使金属或某些溶液中的电子发生有规则的运动。

把单位时间内通过导体截面的电量称为电流。它实质是电荷有规则的定向运动形成的。在金属导体中,电流是电子在外电场作用下有规则地运动形成的。在某些液体或气体中,电流则是正离子或负离子在外电场作用下有规则运动形成的。

规定以正电荷运动的方向为电流的方向。在金属导体中,电子运动形成的电流方向与电子流动方向相反。

电流的大小取决于在一定时间内通过导体横截面的电荷量多少。电流的大小用电流强度来衡量,通常规定:一秒钟内通过导体截面的电量称为电流强度,以字母 I 表示。若在 t 秒内通过导体截面电量是 Q 库仑(C),则电流强度 I 用下式表示:

$$I = \frac{Q}{t} \tag{1-1}$$

若在一秒钟内通过导体横截面的电量为 1 库仑,则电流强度就是 1 安培。

安培简称安,以字母 A 表示,还有千安(kA)、毫安(mA)、微安(μA)。它们之间的换算关系是:

$$1 \text{千安(kA)} = 10^3 \text{安(A)}$$
$$1 \text{毫安(mA)} = 10^{-3} \text{安(A)}$$
$$1 \text{微安}(\mu A) = 10^{-6} \text{安(A)}$$

通常把电流强度简称为电流。因此,电流不但表示一种物理现象,而且也代表一个物理量。

电流分交流和直流,凡大小和方向都不随时间变化的电流称直流,凡大小和方向都随时间变化的电流称为交流。

交流电流的大小是随时变化的,我们可以将在一个很短的时间 Δt 内,导体截面的电量变化看作 ΔQ,则瞬时电流强度 i 为

$$i = \frac{\Delta Q}{\Delta t} \tag{1-2}$$

在实际问题中,电流真实方向往往难以在电路中标出。如交流电路中电流随时间变化,很难用一个固定的箭头来表示真实方向,即使在直流电路中,在求解复杂电路时,也往往难以事先判断某支路中电流的实际方向。为此,在分析与计算电路时,可任选定某一方向作为电流的正方向,亦称参考方向(见图 1-2)。我们规定:如果电流的真实方向与参考方向一致,电流为正值;二者相反,电流为负值。在未标电流参考方向的情况下,电流的正、负毫无意义。为此,在分析电路时,先任意假设电流参考方向,以最后计算结果正、负来确定电流的真实方向。

图 1-2

二、电流密度

在实际工作中,有时需要选择导线的粗细(截面),这就要用到电流密度这一概念。所谓电流密度,就是当电流在导体的横截面

上均匀分布时,该电流与导体横截面的比值。这样,电流密度 J 可用下式表示:

$$J = \frac{I}{S} \tag{1-3}$$

上式中,当电流强度 I 用 A 作单位,面积 S 用 mm^2 作单位时,电流密度的单位是 A/mm^2。导线允许的电流密度随导体截面不同而不同。当导线中通过的电流超过允许电流时,导线将发热、冒火,而出现事故。

例 1-1 某照明电路中需要通过 21A 的电流,问应采用多粗的铜导线?(设铜导线允许电流密度为 $6A/mm^2$。)

解 $S = \dfrac{I}{J} = \dfrac{21}{6} = 3.5(mm^2)$。

§1-3 电位与电压

一、电位

当把车子从甲地推到乙地,或吊车把货物从地面吊起,车子和货物都受到了力的作用,且在受力的方向上移动了一段距离。这时我们认为,力对物体做了功。用符号 A 表示功,F 表示力,L 表示距离,那么:

$$A = FL$$

我们从物理学中知道,带电体的周围存在着电场,电场对处在场内的电荷也有力的作用,这种力称为电场力。当电场力使电荷移动时,我们就说电场力对电荷做了功。如图 1-3 所示的均匀电场中,电场力 f 把正电荷 Q 从 a 点移至 O 点和从 b 点移到 O 点所做的功。

设 a 点与 O 点间的距离是 L_{aO},b 点与 O 点间的距离是 L_{bO},则电场力 f 将 Q 从 a 点移到 O 点做的功是:

$$A_{aO} = fL_{aO}$$

电场力 f 将 Q 从 b 点移到 O 点做的功是：

$$A_{bO} = fL_{bO}$$

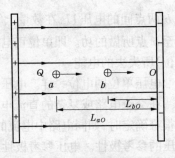

图1-3　电场力作功

如果电荷的电量增加一倍，那么，作用在电荷上的电场力也增加一倍，电场力所做的功也就相应地增加一倍。即在一个已知的电场内，电场力做的功 A_{aO}、A_{bO} 与电荷量成正比。电位的定义是：电场力把单位正电荷从电场中的某点移到参考点所做的功，称为该点的电位。以 O 点为参考点时，a 点的电位 φ_a 为

$$\varphi_a = \frac{A_{aO}}{Q} \tag{1-4}$$

以 O 点为参考点时，b 点的电位 φ_b 为

$$\varphi_b = \frac{A_{bO}}{Q} \tag{1-5}$$

电位是一个相对量，是相对参考点而言的。参考点的选取是任意的。参考点选取不同，电位数值也不相同，但两点间的电位差是不变的。

如果功的单位是焦耳(J)，电荷的单位是库仑(C)，则电位的单位是伏特，用字母 V 表示。计算微小的电压时，以毫伏(mV)或微伏(μV)为单位。计算高电位时，则以千伏(kV)为单位。其换算关系为

$$1kV = 10^3 V \qquad 1mV = 10^{-3} V$$
$$1\mu V = 10^{-3} mV = 10^{-6} V$$

二、电压

为了衡量电场力对电荷做功的能力，引入电压这一物理量，

a, b 两点间的电压 U_{ab} 在数量上等于电场力把单位正电荷从 a 点移至 b 点所做的功。即单位正电荷从 a 点(高电位)移至 b 点(低电位)所失去的电能。

电压单位同电位一样。电压方向是从高电位指向低电位。

在交流电路或复杂的直流电路中,某一支路的电压的真实极性很难确定时,如同电路中电流的参考方向一样,也要假设该支路电压的参考极性。电压参考极性选取是任意的。参考极性在元件或电路两端用"＋"、"－"来表示,也可以用一个箭头来表示。当计算结果某一元件上电压为正,说明该支路电压与参考极性方向相同;为负,说明该支路电压真实极性与参考极性相反(见图1-4)。

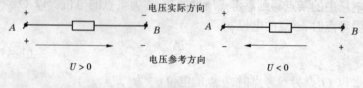

图 1-4

在未标支路电压参考极性的前题下,电压正、负毫无意义。电流的参考方向和电压的参考极性本可独立无关的任意假设,但为了方便,采用关联的参考方向,即电流参考方向与电压参考极性方向一致。

电压可用电压表来测量。测量时要注意量程,并使电压表的正负极和被测电压一致,然后把表并联在电路中。

§1-4 电动势

在电源内部,局外力(不是电场力)把单位正电荷从低电位移至高电位所做的功,称为电动势 E。由于静电场把单位正电荷从高电位移至低电位,运动的结果使静电场的电荷分布发生了变化,因而也就改变了各点的电场强度,电位就不可能保持恒定的电流,为了保持恒定电流就必须有一种局外力(如化学力)。电动势的方向是从低电位指向高电位的。单位同电压单位一样。电压和电动势都表示做功,方向不一样。电压指负载端,电动势是指电源端。形成回路时电压总比电动势要小些(因电源内总是有内阻的),只有在开路时(电路中 $I=0$)电压和电动势才相等。

§1-5 电功和电功率

一、电功

把电能转换成其他形式的能量(如热能、光能等),电流都要流动。电流所做的功称为电功。由 $I=\dfrac{Q}{t}$、$U=\dfrac{A}{Q}$ 可得电功 A。即

$$A = UQ = UIt \tag{1-6}$$

或

$$A = I^2Rt \tag{1-7}$$

$$A = \frac{U^2}{R}t \tag{1-8}$$

上式中,若电压单位为 V,电流单位为 A,电阻单位为 Ω,时间单位为 s,则电功单位是焦耳(J)。

二、电功率

电功不能表示电流做功的快慢,我们把单位时间内电流所做的功,称为电功率,用 P 表示,即

$$P = \frac{A}{t}$$

上式中,若电功单位为 J,时间单位为 s,则电功率的单位是J/s。J/s又称瓦,用 W 表示。

在实际工作中,电功率的单位还有千瓦(kW)、毫瓦(mW)及马力(非国际通用单位)等。其换算关系为

$$1kW = 10^3W$$

$$1mW = 10^{-3}W$$

$$1 马力 = 0.735W$$

由式(1-6)、(1-7)、(1-8)还可得到电功率的计算公式:

$$P = UI \qquad\qquad (1-9)$$

或 $$P = I^2R \qquad\qquad (1-10)$$

$$P = \frac{U^2}{R} \qquad\qquad (1-11)$$

电功率常用千瓦小时(kW·h)表示,也称"度"。即 1 度电就是 1 千瓦·小时。

三、电流热效应

电流通过电阻时,电流所做的功 A 被电阻吸收并全部转换为热能,以热量的形式表现出来。电阻产生的热量 Q 为

$$Q = 0.24I^2Rt \qquad\qquad (1-12)$$

Q 的单位是卡(cal),其国际通用单位为 J,换算关系为 $1cal = 4.186\,8J$。

四、负载的额定值

为使电气元件和设备长期安全工作,都规定一个最高工作温度。温度取决于热量,而热量又由电流、电压或功率决定。因此,我们把电气元件和设备长期工作所允许的电流、电压和功率称为额定电流、额定电压和额定功率。设备外壳铭牌上所标定的值均为额定值。

§1-6 欧姆定律

一、无源线段电路的欧姆定律(见图 1-5)

(1)该元件上电压 U 与电流 I 比值 R 是一个常数,它表征了电路的特征,与 U、I 大小无关。其 U(伏)$\sim i$(安)关系曲线是一条通过原点的直线,且于原点为对称。这种元件称为线性电阻元件。如 $U \sim i$ 关系不是通过原点直线,这种元件称为非线性元件。

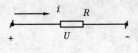

图 1-5

(2)U 一定时,R 越大,I 越小。

有公式:

$$R = \rho \frac{l}{S}$$

式中　　ρ——电阻率;

　　　　l——导线长度,m;

　　　　S——导线截面积,mm^2;

　　　　R——导体电阻,Ω。

把电阻导数称电导。电导用 G 表示,即

$$G = \frac{1}{R}$$

电导单位是 $1/\Omega$,亦称西门子,用字母 S 表示。

(3)在 U、I 关系参考方向下,有

$$P = UI$$

$P > 0$,吸收电能;$P < 0$,释放电能。

二、含源线段电路的欧姆定律(见图 1-6)

分析图 1-6(a):

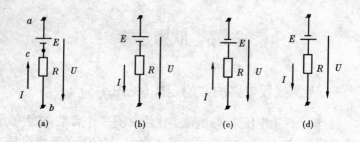

图 1-6

$$\varphi_c + E = \varphi_a$$

$$\varphi_b - \varphi_c = IR$$

$$U = \varphi_a - \varphi_b = E - RI$$

$$I = \frac{E - U}{R}$$

一般表达式为

$$I = \frac{\pm E \pm U}{R}$$

E 和 U 符号的确定是：当 E、U 与电流方向一致时取"＋"，否则，取"－"。

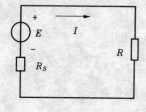

图 1-7

三、闭合回路

由图 1-7 得

$$I = \frac{E}{R + R_S}$$

§1-7 电路的三种状态

一、通路状态

通路就是电路中开关闭合。在这种状态下,根据负载的大小,分为满载、轻载、过载三种情况。如负载在额定功率下的工作状态称额定工作状态或满载;低于额定功率的工作状态叫轻载;高出额定功率的工作状态叫过载。

二、短路状态

如果负载被阻值近似为零的导体接通,这时电源就处于短路状态(如图 1-8)。在这种状态下,电路中电流(短路电流) $I_D = \dfrac{E}{R_0}$,由

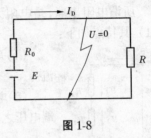

图 1-8

于电源内阻 R_0 很小,使 I_D 达到很大的数值,使电源烧毁。为防止短路,常见的方法是电路中安装熔断器。熔断器中的熔丝是由低熔点的铅锡合金、银丝制成。当电流增大到一定数值时,熔丝先被熔断,从而切断电路。

在短路时,负载 $U = 0$。

短路状态的主要特点是:短路电流很大,电源端电压为零。

通常电源内阻基本不变且数值很小,故可近似认为电源的端电压就等于电源的电动势。

三、开路状态

开路即为电源两端或电源某处断开,电路中电流为零,电源端电压和电动势相等。

第二章 简单直流电路的计算

§2-1 电阻的串联、并联和混联

一、串联的特点

所谓电阻串联,是电阻元件按顺序一个接一个地联接(见图2-1)。其特点如下:

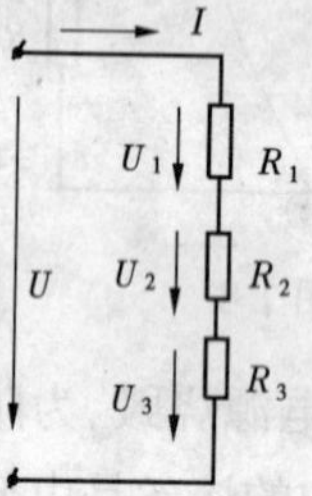

图 2-1

(1)串联电路每个电阻都流过同样的电流。

(2)电路两端总电压等于各个电阻元件两端电压之和,即

$$U = U_1 + U_2 + U_3 \qquad (2-1)$$

(3)串联电路总电阻(等效电阻)等于各串联电阻之和,即

$$R = R_1 + R_2 + R_3 \qquad (2-2)$$

(4)在串联电路中,各电阻上的分压与各电阻值成正比,即

$$U_n = \frac{R_n}{R}U \qquad (2-3)$$

二、并联的特点

所谓电阻并联,就是各电阻一端联在一起,另一端也联在一起。

(1)并联电路中各电阻承受同一个电压,即

$$U = U_1 = U_2 = U_3 \qquad (2-4)$$

(2)并联电路中的总电流等于各电阻中的电流之和,即

$$I = I_1 + I_2 + I_3 \qquad (2\text{-}5)$$

(3)并联电路的总电阻(等效电阻)的倒数,等于各并联电阻的倒数之和,即

$$\frac{1}{R} = \frac{1}{R_1} + \frac{1}{R_2} + \frac{1}{R_3} + \cdots \qquad (2\text{-}6)$$

如两个电阻并联,有

$$R = R_1 \mathbin{/\mkern-5mu/} R_2 = \frac{R_1 R_2}{R_1 + R_2}$$

(4)在电阻并联电路中,各支路分配的电流与支路的电阻值成反比,即

$$I_n = \frac{R}{R_n} I (\text{其中}, R = R_1 \mathbin{/\mkern-5mu/} R_2 \mathbin{/\mkern-5mu/} R_3 \cdots \mathbin{/\mkern-5mu/} R_n) \qquad (2\text{-}7)$$

如两个电阻并联,最常用的是两条支路的分流公式,由式(2-7)得

$$I_1 = \frac{R_2}{R_1 + R_2} I \quad (R_1 \text{ 支路的电流})$$

$$I_2 = \frac{R_1}{R_1 + R_2} I \quad (R_2 \text{ 支路的电流})$$

三、混联电路

在一个电路中,既有电阻的串联,又有电阻的并联,这种联接方式称为混合联接。

计算电阻混联电路时,一般先求出并联或串联部分的等效电阻,逐步化简,求出总的等效电阻,计算出总电流,然后再求各部分的电压、电流和功率等。

§2-2 电路中各点电位的计算

电路的工作状态,通过电路中各点的电位可以反映出来。在

电工和电子技术中,经常用到电位的计算。

计算电位时,先指定一个计算的参考点,即是零电位的点。如图 2-2 中选 d 为零电位点。

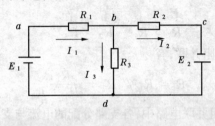

图 2-2

(1)选好零电位点。可任意指定,但应以计算方便为好。

(2)选择路径。要计算某点的电位,可从这点出发,通过一定的路径到另一个电位点。该点的电位,就等于此路径上全部电压和电动势的代数和。路径可任意选择,如图 2-2 中,c 点电位可由 R_2、R_3 到 d 点,$\varphi_c = -R_2 I_2 + R_3 I_3$。电位的大小与路径无关。电阻上的电压正负,根据电阻上电流方向确定。电源的电动势的正负,一般是直接给出的。

§2-3 电桥的平衡条件

一、电桥电路

在实际工作中,经常会遇到如图 2-3 的电路。其中 R_1、R_2、R_3、R_4 是四个桥臂。一条对角线 a、b 间电阻 R;另一条对角线接电源。整个电路是由四个桥臂和两条对角线组成。这样的电路称为电桥电路。如果所接电源为直流电源,则这种电桥称为直流电桥。

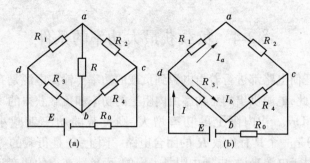

图 2-3

二、平衡条件

电桥电路的特点是当四个臂电阻值满足一定关系时,会使在对角线 a、b 间的电阻 R 中没有电流通过。这种情况称为电桥平衡。显然要使 R 中无电流,就必须满足 a、b 两点电位相等的条件。因此,在平衡条件下,把 R 从电路中拿掉不会影响电路的其他部分,这时电路就成为如图 2-3(b)的状态。此时,总电流为 I,流过 R_1 及 R_2 的电流 I_a,流过 R_3、R_4 的电流为 I_b,设 d 点为零电位,那么

$$\varphi_a = -R_1 I_a = R_2 I_a + R_0 I - E$$

$$\varphi_b = -R_3 I_b = R_4 I_b + R_0 I - E$$

由 $\varphi_a = \varphi_b$ 得

$$R_1 I_a = R_3 I_b$$

$$R_2 I_a = R_4 I_b$$

将上两式相除后得

$$\frac{R_1}{R_2} = \frac{R_3}{R_4}$$

或 $$R_1 R_4 = R_2 R_3 \tag{2-8}$$

§2-4 负载获最大功率的条件

任何电路都进行着由电源到负载的功率传输。电源是有内阻的,因此,电源供出的总功率由内阻上的功率和负载获得的功率两部分组成。若内阻上的功率增大,则负载的功率就减小。图2-4(a)是一个具有负载 R 的闭合电路。图上 R 是负载的等效电阻。对于电源来说,电源内阻是一定的,而负载获得的功率和负载电阻 R 的大小有密切的关系。在图 2-4(a)中,如果我们改变 R 大小,可以得到 R 上的不同大小的功率。负载获最大功率条件是什么呢?

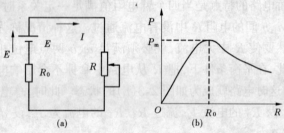

图 2-4

我们已经知道,负载 R 获得的功率为

$$P = I^2 R = (\frac{E}{R + R_0})^2 R = \frac{E^2 R}{(R + R_0)^2}$$

$$= \frac{E^2 R}{R^2 + 2RR_0 + R_0^2}$$

$$= \frac{E^2 R}{R^2 - 2RR_0 + 2RR_0 + 2RR_0 + R_0^2}$$

$$= \frac{E^2 R}{(R - R_0)^2 + 4RR_0}$$

$$= \frac{E^2}{(R - R_0)^2 / R + 4R_0} \qquad (2\text{-}9)$$

从上式可见，E 和 R_0 都可近似看作常量，则只有在分母最小时，负载获得的功率 P 为最大值，即在 $R = R_0$ 时，P 达到最大值。因此，负载获最大功率的条件是：负载电阻等于电源内阻。负载获得的最大功率也是电源输出的最大功率。负载功率随电阻 R 变化的曲线如图 2-4(b)。

在 $R = R_0$ 时，负载获得的最大功率是：

$$P_{\max} = \frac{E^2}{4R_0} \qquad (2\text{-}10)$$

在负载获得最大功率时，因为 $R = R_0$，故在内阻和负载上消耗的功率相等，此时效率只有 50%。在电子技术中，突出的矛盾是使负载获最大功率，效率是次要问题，因此电路应尽可能工作在 $R = R_0$ 附近。而电力系统中正好相反，突出矛盾是输电效率，以尽可能减少内源内部损失、节约电力，因此必须使 $I^2 R_0 \ll I^2 R$，即 $R_0 \ll R$。

第三章 复杂直流电路的分析

§3-1 基尔霍夫定律

在电路中,各个支路电压和支路电流要受到两类约束。一类是元件的特性对元件的电压和电流造成的约束。例如,线性电阻元件的电压和电流必须满足 $U = RI$ 关系,这就是欧姆定律。另一类是元件的联接给支路电压和支路电流带来的约束,这类约束关系是基尔霍夫定律。

先介绍几个名词:

(1)支路。电路中每一个两端元件当作一条支路。但为了分析和计算上的需要,我们把电路中通过同一电流的每个分支叫支路。

(2)节点。支路的联接点。或者说三条或三条以上支路的交点称为节点。如图 3-1 中节点 1 和节点 2。

(3)回路。电路中任一闭合路径称为回路。如图 3-1 含有三个回路。

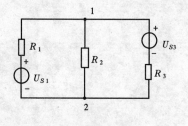

图 3-1

(4)网孔。在回路内不含支路的回路叫网孔。如图 3-1 有两个网孔。

基尔霍夫定律是电路的基本定律。它包含电流定律和电压定律。

基尔霍夫电流定律(KCL):在任一时刻,对任一节点,所有支路电流的代数和恒等于零。如图 3-2 中对节点 1 有:

$$-I_1 - I_2 - I_3 + I_4 + I_5 = 0$$

即

$$\sum I = 0 \qquad\qquad (3-1)$$

这里规定,从节点流出的电流为正,流入的电流为负。

基尔霍夫电流定律与各支路上接的元件无关,不论是线性电路还是非线性电路,它都是普遍适用的。

我们也可以把电流定律推广于电路中任意假想的封闭面。如图 3-3 所示封闭面所包围的电路,有三条支路与封闭面相联接,其电流 I_1、I_2、I_3,则

$$I_1 + I_2 + I_3 = 0$$

即对于一个封闭面来说,联接封闭面的各支路电流代数和为零。KCL 定律是电流连续原理的体现。

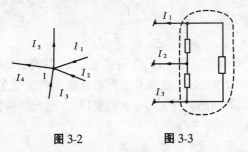

图 3-2   图 3-3

如果一个电路有 n 个节点,对各节点应用 KCL 定律可写出 n 个电流方程,但只有 $n-1$ 个独立。因为每条支路的电流必流出一个节点而流入另一节点,每一支路电流出现两次,如将 $n-1$ 个电流方程式相加,必成为余下一个节点的电流方程式。即第 n

个方程可从其余 $n-1$ 个方程式中推出,故不是独立的。

基尔霍夫电压定律(KVL):在任一时刻,沿任一闭合回路各支路或元件电压的代数和恒等于零。规定回路一绕行正方向,凡电压参考方向与回路绕行方向一致者,在式中该电压前面取"+"号;电压参考方向与回路绕行方向相反时,则前面取"−"号,如图3-4 所示。

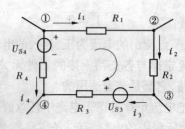

图 3-4

$$R_1 i_1 + R_2 i_2 - U_{S3} + R_3 i_3 - R_4 i_4 - U_{S4} = 0$$

即

$$\sum U = 0 \qquad (3\text{-}2)$$

或

$$\sum IR = \sum E$$

对于一个线性电阻元件,在直流电路中,其流过的电流和两端电压受 $U = RI$ 的约束,连接节点的各支路电流又受 $\sum I = 0$ 的约束,共同形成的回路又受 $\sum U = 0$ 约束(与支路元件的性质无关),这就是电路计算的基础。

§3-2 支路电流法

在线性电路中,凡不能用电阻串、并联等效变换化简的电路,称为复杂电路。下面我们主要分析解决复杂电路的方法。

这种方法分两类:一类是直接法,即直接使用基尔霍夫两个定律的方法,有支路法,回路法,节点法;另一类是间接法,间接使用基尔霍夫两个定律的方法,有迭加原理和戴维南定理等。

支路电流法简称支路法。该方法以支路电流为变量。在列方程前必须标出各支路电流的参考方向。

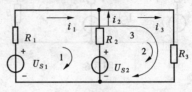

图3-5

图 3-5 电路有 3 条支路、2 个节点和 3 个回路。以支路电流 i_1、i_2、i_3 为电路变量,其方向已标出。由 KCL 有:

节点 1 $\qquad -i_1 - i_2 + i_3 = 0$

节点 2 $\qquad i_1 + i_2 - i_3 = 0$

这两个方程只差一个符号,故只有一个是独立的。独立的方程是 $n-1$ 个(n 为节点数)。由上面方程可见,如 i_3 在节点 1 的方程中为正,在节点 2 的方程中为负,这两个方程有一个是多余的。选取回路绕行方向,由 KVL 有:

回路 1 $\qquad R_1 i_1 - R_2 i_2 = U_{S1} - U_{S2}$

回路 2 $\qquad R_2 i_2 + R_3 i_3 = U_{S2}$

回路 3 $\qquad R_1 i_1 + R_3 i_3 = U_{S1}$

在上面 3 个回路方程中,任何一个方程都可以由其他两个方程导出。如第一式加第二式得第三式,则第三式就不独立了,独立的方程只有两个。即按网孔列方程必然独立。这样,由基尔霍夫定律可以列出 3 个独立的方程,即

$$-i_1 - i_2 + i_3 = 0$$
$$R_1 i_1 - R_2 i_2 = U_{S1} - U_{S2}$$
$$R_2 i_2 + R_3 i_3 = U_{S2} \qquad (3\text{-}3)$$

只要解出上述 3 个联立方程,就可求得 3 个支路电流。

例 3-1 两台发电机并联运行(见图 3-6)共同供电给负载。

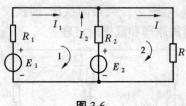

负载电阻 $R = 24\Omega$。由于某种原因两台发电机的电动势发生差异，$E_1 = 130\text{V}$，$E_2 = 117\text{V}$，它们的内阻 $R_1 = 1\Omega$，$R_2 = 0.6\Omega$，用支路法，求每台发电机中的电流以及它们各自发出的功率。

图 3-6

解 (1)选定各支路电流参考方向。

(2)由 KCL，列 $n-1$ 个独立电流方程：
$$-I_1 - I_2 + I = 0$$

(3)按网孔由 KVL 列回路方程，取顺时针方向为回路的绕行方向，得

$$R_1 I_1 - R_2 I_2 = E_1 - E_2$$
$$R_2 I_2 + RI = E_2$$

把数值代入联立方程求解

$$\begin{cases} I = I_1 + I_2 \\ I_1 - 0.6 I_2 = 13 \\ 0.6 I_2 - 24 I = 117 \end{cases}$$

解得 $I_1 = 10\text{A}$，$I_2 = -5\text{A}$，$I = 5\text{A}$。

两台发电机端电压，即负载上的电压为
$$U = RI = 24 \times 5 = 120(\text{V})$$

发电机发出的功率为
$$P_1 = UI_1 = 120 \times 10 = 1\,200(\text{W})$$
$$P_2 = UI_2 = 120 \times (-5) = -600(\text{W})$$

发电机 E_2 消耗的功率为 600W。

从上例看出，电动势不等的发电机并联运行是不好的，因为不

能保证每台发电机都发出功率,从而使这些发电机的负担不均匀。相反,有的发电机可能变成了负载,加重了其他发电机的负担。

应用支路法,必须联立求解 b 个方程。当电路比较复杂时,计算也就相当繁重。

§3-3 回路电流法

如图 3-7 电路,按网孔虚设网孔电流 i_{e1}、i_{e2} 后,确定回路的绕行方向,使它与网孔电流的参考方向一致。在使用 KVL 定律时,对网孔 1 来说,回路中各电阻(R_1 和 R_2)上产生压降,它除了本身网孔电流 i_{e1} 流过本回路电阻产生的电压降 $(R_1 + R_2)i_{e1}$ 以外,还有网孔电流 i_{e2} 流过网孔 1 和网孔 2 的公共电阻 R_2 产生的电压

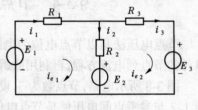

图 3-7

$R_2 i_{e2}$,因回路电流 i_{e1} 流过电阻 R_1 和 R_2 时其方向与网孔的绕行方向一致,它产生的电压和绕行方向一致,应为正;而网孔电流 i_{e2} 流过电阻 R_2 时,其方向与网孔 1 的绕行方向相反,它所产生的电压与网孔 1 的绕行方向相反,应为负。这样,网孔 1 各个电阻上电压降代数和为 $(R_1 + R_2)i_{e1} - R_2 i_{e2}$,网孔 1 各个电动势代数和写在方程右边,如果电动势的方向与绕行方向一致为正,相反为负。由 KVL 定律有:
$$(R_1 + R_2)i_{e1} - R_2 i_{e2} = E_1 - E_2$$
同理,对网孔 2,方程为
$$(R_2 + R_3)i_{e2} - R_2 i_{e1} = E_2 - E_3$$
$(R_1 + R_2)$ 和 $(R_2 + R_3)$ 称为网孔 1 和网孔 2 的自阻,R_2 为网

孔 1 和网孔 2 的互阻。

方程特点:除了变量外,主对角线上元素全是各个网孔自阻,自阻永远为正;其余元素全是互阻,且关于主对角线对称,如果网孔电流方向选一致时,互阻总是负的。

但是,网孔电流只是中间变量,求解各支路电流须根据各支路电流与网孔电流关系求出各支路电流。即各支路电流是网孔电流作用在该支路上产生电流的代数和。与该支路电流参考方向一致的网孔电流为正,否则为负。

§3-4 节点电压法

节点电压法是以节点电位为电路的独立变量,对除参考节点以外的节点列电流方程,再利用欧姆定律求各支路电流。

图 3-8 所示电路,节点数为 3,设以节点 3 为参考节点,其他节点 1、2 与参考点间电压便是节点电位。

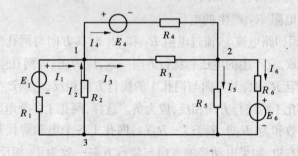

图 3-8

首先标出各支路电流的参考方向,由 KCL 定律列出 $n-1$ 个独立电流方程,即节点 1 和节点 2 的方程:

$$I_1 + I_2 = I_3 + I_4$$

$$I_3 + I_4 = I_5 + I_6$$

再根据无源线段和含源线段电路的欧姆定律,把各支路电流用节点电位来表示:

$$I_1 = \frac{E_1 - U_1}{R_1}, I_2 = -\frac{U_1}{R_2}, I_3 = \frac{U_1 - U_2}{R_3}$$

$$I_4 = \frac{U_1 - U_2 - E_4}{R_4}, I_5 = \frac{U_2}{R_5}, I_6 = \frac{U_2 - E_6}{R_6}$$

将上面式子代入节点电流方程,并整理得

$$\begin{cases} (\frac{1}{R_1} + \frac{1}{R_2} + \frac{1}{R_3} + \frac{1}{R_4})U_1 - (\frac{1}{R_3} + \frac{1}{R_4})U_2 = \frac{E_1}{R_1} - \frac{E_4}{R_4} \\ -(\frac{1}{R_3} + \frac{1}{R_4})U_1 + (\frac{1}{R_3} + \frac{1}{R_4} + \frac{1}{R_5} + \frac{1}{R_6})U_2 = \frac{E_4}{R_4} + \frac{E_6}{R_6} \end{cases}$$

$(\frac{1}{R_1} + \frac{1}{R_2} + \frac{1}{R_3} + \frac{1}{R_4})$为联接节点1各支路电导的和,称该节点自导。$(\frac{1}{R_3} + \frac{1}{R_4})$为节点1和节点2间的公共电导,称为互导。

由此得出上式方程的特点:

(1)除变量外,主对角线上元素全是各个节点的自导,自导永远为正。

(2)其余元素全是互导,且关于主对角线对称,互导永远为负。

(3)等号右边该节点联接电源正极,则电动势为正,否则为负。

节点电位只是中间变量,若求解各支路电流,须根据无源和含源支路欧姆定律求出。

§3-5 戴维南定理

在介绍戴维南定理之前,先解释一下两端网络这个名词。任何具有两个出线端的部分电路均称为两端网络。两端网络内含有电源则称为含源两端网络。在图3-9中,虚线框内部分就是一个含源两端网络。把含源两端网络接入一电阻 R。

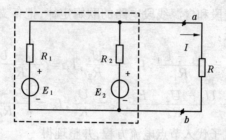

图 3-9

图 3-9 电路中,可以用回路法求出 I:

$$I = \frac{E_1 R_2 + E_2 R_1}{R_1 R_2 + R_1 R + R_2 R}$$

把上式进行适当变换,即把分子分母都除以 $R_1 + R_2$ 得

$$I = \frac{\dfrac{E_1 R_2 + E_2 R_1}{R_1 + R_2}}{R + \dfrac{R_1 R_2}{R_1 + R_2}} = \frac{E_i}{R + R_i}$$

E_i 为把图示电路从 a、b 断开,左边就成为含源的两个端钮电路的开路电压:

$$U_0 = \frac{E_1 - E_2}{R_1 + R_2} R_2 + E_2 = \frac{R_1 E_2 + R_2 E_1}{R_1 + R_2}$$

R_i 为 a、b 两端含源电路化为无源两端钮电路的等值电阻:

$$R_i = \frac{R_1 R_2}{R_1 + R_2}$$

戴维南定理:任何一个含源两端钮电路对外电路来说,可以用一条含源支路来等效替代它,该含源支路的电动势等于含源两端钮电路的开路电压 U_0,其串联电阻等于把含源两端钮电路化成无源两端钮电路的入端电阻 R_i。

这样画出含源两端钮电路的等效电路,然后再接入待求支路电阻 R,那么,该支路的电流为

$$I = \frac{E_i}{R_1 + R} = \frac{U_0}{R_i + R}$$

求开路电压的基本方法,就是第二章所讲的求电路中任意两点间电压的方法;求入端电阻时,将网络内各电动势短接,一般来说,主要利用串、并联和其他方法。

例 3-2 在图 3-10(a)所示桥形电路中,已知 $R_1 = R_2 = R_4 = R_5 = 5\Omega$, $R_3 = 10\Omega$, $E = 6.5\text{V}$,求 R_3 所在支路中的电流。

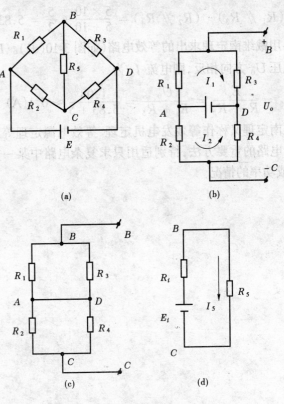

图 3-10

解 断开 R_5 所在支路后,求开路电压 U_0 和入端电阻 R_i(图 3-10(c))。

$$U_{BD} = E \frac{R_3}{R_1 + R_3} = 6.5 \times \frac{10}{5 + 10} \approx 4.33(V)$$

$$U_{CD} = E \frac{R_4}{R_2 + R_4} = 6.5 \times \frac{5}{5 + 5} = 3.25(V)$$

$$U_{BC} = U_0 = U_{BD} - U_{CD} = 4.33 - 3.25 = 1.08(V)$$

$$R_i = (R_1 /\!\!/ R_3) + (R_2 /\!\!/ R_4) = \frac{5 \times 10}{5 + 10} + \frac{5}{2} = 5.83(\Omega)$$

画出用戴维南定理求出的等效电路(如图 3-10(d))。E_i 方向和开路电压 U_0 方向相反,则电流 I_5 为

$$I_5 = \frac{E_i}{R_i + R_5} = \frac{U_0}{R_i + R_5} = \frac{1.08}{5.83 + 5} \approx 0.1(A)$$

戴维南定理又称作等效发电机定理、等效电源定理等。它是解决复杂电路的重要方法,特别适用只求复杂电路中某一支路电流、电压或功率的情况。

第四章 电容器

§4-1 电容器与电容量

一、电容器

电容器是电工和电子技术中常用的元件之一。在电力系统中,利用它可以改善系统的功率因数;在电子技术中,利用它可以起到滤波耦合、隔直、调谐、旁路、选频等作用;在机械加工工艺中,利用它可以进行电火花加工等。它是一个应用十分广泛的元件。

导体可以保留一定量的电荷,即导体具有储存电荷的能力。但单独的导体储存电荷的本领较小,为了提高导体储存电荷的本领,把导体做成一定的结构。以绝缘物隔开的两个导体的组合叫电容器。组成电容器的两个导体称作极板,中间的绝缘物质称作介质。常见的电容器的介质有空气、纸、云母等。

二、电容量

如把电容器的两极板分别接到直流电源两端,这时两极板间便有电压,在电场力作用下使自由电子运动,使两个极板分别带上数量相等、符号相反的电荷。与电源正极相连的极板带正电荷,与电源负极相连的极板带负电荷。对电容器来说,一极板所储存的电量与两极板间的电压比值是一常数,该常数称作电容器的电容量,用 C 表示,即

$$C = \frac{Q}{U} \tag{4-1}$$

式中　Q——一极板上的电量,C;

　　　U——两极板间电压,V;

　　　C——电容量,F。

常用较小的单位有微法(μF)和皮法(pF)。其换算关系为:

$$1\mu F = 10^{-6} F$$

$$1pF = 10^{-12} F$$

§4-2　电容器的充电与放电

一、电容器的充电

图 4-1 所示电路,当开关 K 合向 1 时,电源向电容器充电,起初灯泡较亮,然后变暗,说明电路中充电电流在变化,由电流表 A_1 可以看出。而电压表 V 的读数可以看出电容器两端电压 U_C 逐渐上升,经一定时间,电流表 A_1 指针为零,电压表 V 的指示值等于电源电动势($U_C = E$)。

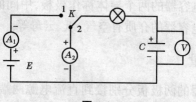

图 4-1

二、电容器的放电

当充电结束时,电容器上的电压 $U_C \approx E$,此时将开关 K 由 1 合向 2,电容器便开始放电,这时,电流表 A_2 中电流由大变小,而电容器两端电压 U_C 逐渐下降,最后为零。表示放电过程结束。

由电容器的充放电过程我们知道,一只小灯泡串联在电容器放电回路中,小灯泡会亮一下,然后再暗下去。这说明电容器中有能量释放出来。

设电容器的电容量为 $C(F)$,两极板间电压为 $U(V)$,则该电容器中所储存的电场能量 A_c 可由下式计算:

$$A_c = \frac{1}{2} CU^2$$

电容器是电路的基本元件之一,电容器两端电压增加时,电容器便从外界吸收能量储存在它两端建立起来的电场中;而当电容器两端电压降低时,它便把原来所储存的电场能量释放出来。所以说电容器是一种储能元件。

§4-3 RC 电路的暂态过程

一、暂态与稳态的基本概念

暂态过程,是我们在日常生活和生产实践中能经常碰到的现象。如:电烙铁插上电源,不能立即将锡熔化,必须经过一段加热过程;飞机起飞时,在由静止到飞行必须有一个滑跑加速的过程。我们把以上"加热过程"、"加速过程"称作暂态过程。前一节讲的电容器的充、放电过程,就是一种暂态过程。暂态过程也称为电路中的过渡过程。

由此可见,所谓过渡过程就是电路从一种稳态进入另一种稳态之间的过程。这一变化过程发生的时间一般都很短暂,故常称为暂态。但它有时会产生很大的影响。如,在电力拖动控制中,开关的开和关的变化过程会出现电弧,若不采取措施就会烧坏开关接点;电力系统中,由于暂态过程的出现会引起过电流,若不采取措施将烧坏电气设备。当然,也可以利用暂态过程为人类服务,如电焊机正是利用暂态过程产生电弧进行焊接,且许多电子设备利用暂态过程规律进行工作。

为什么电路一般不是从原来的状态立刻变到新的状态,而需要一个过程呢?因为在实际电路中,电流和电压的建立或其量值的改变必然伴随着电磁场的变化,即引起了电磁场能量的改变。如电流或电压有跃变(即突然变化),那么将引起电磁场能量的跃变,而能量的跃变意味着功率无穷大,严格地说这是不可能的。因此,电路中电流和电压只能减变或连续变化,而不能跃变。这就得出:在电感中,电流和电容上电压在换路前后不能跃变。

下面分析 RC 电路在直流电源作用下的暂态过程。

二、RC 串联电路接通直流电源时的暂态过程

图4-2为电阻、电容串联电路。当开关合向 a 端,电源向电容

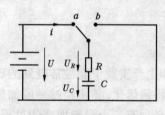

图 4-2

充电。此时电路中,电阻两端电压 U_R 等于电源电压 U 与电容器两端电压 U_C 之差,即

$$U_R = U - U_C$$

经过电阻的充电电流为

$$i = \frac{U_R}{R} = \frac{U - U_C}{R} \quad (4-2)$$

当开关合向 a 的瞬间($t = 0$),由于电容器上原来不带电荷,故电容器两端电压 $U_C = 0$,此时电阻两端电压 $U_R = U$,为最大。这时流经电阻 R 的充电电流也为最大,其电流值为

$$I_a = \frac{U_R}{R} = \frac{U}{R} \quad (4-3)$$

上式说明在此瞬间,电容器极板上的电量增加得最快,因而电容器两极板间的电压也增加得最快。

在充电过程中,随着电容器极板上电量的增加,使电容器两端

电压升高,电源电压与电容器两端电压之差也逐渐减小,因而充电电流也逐渐减小。电流的减小,说明电容器极板上的电量增长的速率和电容器上电压增长的速率在减小,即电压增加得愈来愈慢。

最后,当电容器两端电压上升到等于电源电压 U 时,由于它们的方向相反,故充电电流下降到零,此时电容器两端电压达到稳定值。

图 4-3 示出了充电电压及充电电流随时间变化的曲线,图 4-3(a)为充电电压曲线,图 4-3(b)为充电电流曲线。

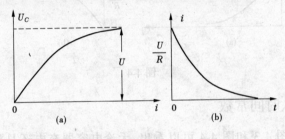

图 4-3

三、RC 串联电路的短接

在图 4-2 中将开关合向 b 时,已充电的电容器就通过开关被导线短接,负极板上的负电荷在电场力的作用下逆电场方向通过导线、电阻移到另一极板上,与正电荷中和,此时电路中有电荷移动,形成放电电流。放电电流与充电电流方向相反。

放电开始的一瞬间,U_C 具有最大值且等于放电前的稳定电压 U,此时放电电流为最大,其值为 $\dfrac{U_C}{R} = \dfrac{U}{R}$。放电电流最大,说明此时电量变化率及电压变化率也最大。

随着放电的继续,电容器上的电荷不断中和,电压 U_C 逐渐下降,放电电流也随之减小。直到放电完毕时,电压 U_C 和电流 i 均为零。

图 4-4 为电容器放电时电压 U_C 与放电电流 i 随时间 t 变化的曲线。由于放电电流的实际方向与规定的正方向(充电电流方向)相反,故放电电流为负值,它的曲线应画在时间轴的下面(见图 4-4(b))。

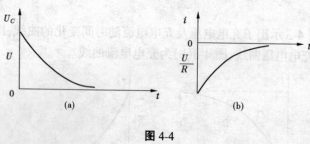

图 4-4

四、时间常数

由图 4-3 和图 4-4 可以看出,无论电容器充电还是放电,电流、电压随时间变化的曲线都是开始变化较快,以后逐渐减慢,直至无限接近最终值。经数学证明,电容器充电时 U_C 按指数规律上升,i 按指数规律下降;电容器放电时,U_C 按指数规律下降,i 按指数规律下降(指绝对值)。

电容器充电时,当电路中电阻一定,电容量愈大,则达到同一电压所需要的电荷就愈多,因此所需要的时间就愈长;若电量一定,电阻愈大,充电电流就愈小,因此充电到同样的电荷值所需要的时间就越长。放电规律也是如此。这说明 R 和 C 的大小影响着充放电时间的长短。R 与 C 的乘积称作 RC 电路的时间常数,用 τ 表示,即

$$\tau = RC \tag{4-4}$$

若 R 的单位用欧(Ω),C 的单位用法(F),则 τ 的单位为秒(s)。即

$$\tau = RC = 欧 \times 法 = 欧 \times \frac{库仑}{伏} = \frac{欧 \times 安 \times 秒}{伏} = 秒$$

时间常数 τ 的单位除秒(s)外,常用的单位还有毫秒(ms)、微秒(μs)。其换算关系为

$$1s = 10^3 ms$$
$$1ms = 10^3 \mu s$$

充电和放电的快慢可以用时间常数来衡量,τ 越大,充电就越慢,放电也越慢,即暂态过程所需的时间就越长;反之,τ 越小,充电就越快,放电也越快。

通过以上分析,得出以下结论:

(1)不管是充电还是放电,电容器上的电压是逐渐变化的,它不可能立即达到电源电压(充电时),也不可能立即降至零值(放电时)。即电容器两端电压不能突变。

(2)电容器在刚充电瞬间相当于短路。电容器在放电前如果端电压为 U,则放电开始瞬间的电容器可看成一个端电压为 U 的等效电源。但这个等效电源的电压随着放电而减小,最后为零。

(3)电容器充放电按指数规律,充放电的快慢由时间常数 τ 来衡量。$\tau = RC$,它是衡量电容器充放电快慢的物理量,τ 越大,充放电过程越长;τ 越小,充放电过程越短。一般认为 $t = 5\tau$ 时,充放电过程基本结束。

§4-4　电容器的串并联

电容器都有一定的规格。在实际应用中,常会遇到电容量或额定工作电压不符合电路要求,这时可将若干只电容器作适当联接,以满足电路的需要。

一、电容器的串联

若干个电容器依次相连、中间无分支的联接方式,叫电容器的

串联。图 4-5 为两个电容器串联电路及其等效电路。

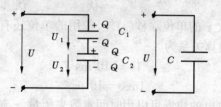

图 4-5

电容器串联相当于把它的两个极板的距离加大。具有以下特点：

(1)电容器 C_1 与 C_2 串联后接到电压为 U 的直流电源上,使与电源直接相接的两极板充有等量异性电荷,其余两极板在静电感应作用下也同样带上异性等量电荷(如图 4-5)。因此,各电容器所带电量相等,并等于串联后等效电容器上所带的电量。即

$$Q = Q_1 = Q_2 = \cdots = Q_n \qquad (4-5)$$

(2)由基尔霍夫第二定律可得,总电压 U 等于每个电容器两端电压之和。即

$$U = U_1 + U_2 + \cdots + U_n \qquad (4-6)$$

(3)因为 $U = \dfrac{Q}{C}$, $U_1 = \dfrac{Q_1}{C_1} = \dfrac{Q}{C_1}$, $U_2 = \dfrac{Q_2}{C_2} = \dfrac{Q}{C_2}$,代入 $U = U_1 + U_2$ 得

$$\frac{Q}{C} = \frac{Q_1}{C_1} + \frac{Q}{C_2}$$

消去 Q,得

$$\frac{1}{C} = \frac{1}{C_1} + \frac{1}{C_2} \qquad (4-7)$$

若有 n 个电容串联,则

$$\frac{1}{C} = \frac{1}{C_1} + \frac{1}{C_2} + \cdots + \frac{1}{C_n} \tag{4-8}$$

若串联的 n 个电容的容量相同,都为 C,则等效电容为

$$C_{串} = \frac{C}{n} \tag{4-9}$$

如两个电容串联时的等效电容用下式计算:

$$C = \frac{C_1 C_2}{C_1 + C_2} \tag{4-10}$$

当只有两只电容串联时,每只电容上分配的电压可用下面简单公式计算:

$$U_1 = U \frac{C_2}{C_1 + C_2}, U_2 = \frac{C_1}{C_1 + C_2} U$$

式中,U 为电源电压,U_1 与 U_2 分别为串联电容器上分配的电压。

二、电容器的并联

若干个电容器接在相同的两点之间的联接方式,称为电容器的并联。图 4-6 为两只电容器并联。

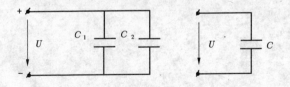

图 4-6

当单只电容器的耐压能满足,而电容量不能满足时,可以把 n 只电容器并联起来使用。并联有如下特点:

(1)由于两个电容器所受电压都等于电源电压 U,因此它们极板上充有电荷 $Q_1 = C_1 U$、$Q_2 = C_2 U$,从电源得到的总电荷量 Q 为

$$Q = Q_1 + Q_2 \qquad (4\text{-}11)$$

(2)电容器并联后等效电容量 C 等于各个电容器的容量之和,即

$$C = \frac{Q}{U} = \frac{Q_1 + Q_2}{U} = \frac{C_1 U + C_2 U}{U} = C_1 + C_2 \quad (4\text{-}12)$$

(3)每个电容器两端的电压相同,并等于外加电源电压,即

$$U = U_1 = U_2 = \cdots = U \qquad (4\text{-}13)$$

由以上分析可知,电容器并联时总电容量增大了,并联电容器的数目越多,其等效电容越大。应注意,并联时各个电容器直接与外加电压相接,因此每只电容器的耐压都必须大于外加电压值。

第五章 磁场与电磁感应

§5-1 磁的基本现象

人们把具有吸引铁的性质称为磁性。具有磁性的物体叫磁铁。使原来不带磁性的物体具有磁性,叫磁化。

任一磁铁总有两个磁极,即北极(N极)和南极(S极)。磁极端部磁性最强,越近中央磁性越弱。

同性磁极相斥,异性磁极相吸。

磁体周围存在磁力作用的空间称为磁场。互不接触的磁体之间具有相互作用力,就是通过磁场这一特殊物质进行传递的。为了形象地描绘磁场,而引出磁力线这一概念。我们规定,在磁铁外部磁力线是由北极到南极,在磁铁内部由南极到北极。磁力线是互不相交的连续不断的回线,磁场强的地方磁力线较密,磁场弱的地方磁力线较疏。

易磁化的材料称为铁磁性材料。铁磁性材料又有两种:一是经磁化后磁性不易消失的物质,叫硬磁材料,用来制作永久磁铁;二是剩磁极弱的物质,叫软磁材料,用来制作电机和电磁铁的铁芯。

通电导体周围产生磁场。

电流周围的磁场方向,可用右手定则来判断。

(1)通电直导线产生的磁场方向,可以用右手握住导线,大拇指指向电流的方向,则四指的方向就是磁场方向。

(2)通电线圈产生的磁场方向,可以将右手的大拇指伸直,其余四指沿着电流方向围绕线圈,则大拇指所指的方向就是线圈内部的磁场方向。

§5-2 磁通 磁感应强度 磁导率与磁场强度

一、磁通

通过与磁场方向垂直的某一面积上的磁力线的总数,称作通过该面积的磁通。用字母 Φ 表示,它的单位是韦伯(Wb),简称韦。工程上常用比韦小的单位,以麦克斯(Mx)表示,简称麦。它们的换算关系是

$$1 \text{ 韦(Wb)} = 10^8 \text{ 麦(Mx)}$$

二、磁感应强度

为了研究磁场中各点的强弱和方向,我们引入了磁感应强度这个物理量,用字母 B 表示。

垂直通过单位面积的磁力线的数目,叫该点的磁感应强度。表示如下:

$$B = \frac{\Phi}{S} \tag{5-1}$$

式(5-1)也表示通过单位面积磁力线的多少,故磁感应强度也称磁通密度。当 Φ 用 Wb,面积 S 用 m^2,那么,磁感应强度单位是 Wb/m^2,亦称特斯拉,简称特(T)。如果 Φ 用 Mx,S 用 cm^2 为单位,则 B 的单位叫高斯(Gs),简称高。它们之间的换算关系是:

$$1 \text{ 特(T)} = 10^4 \text{ 高(Gs)}$$

磁感应强度不但表示了磁场中某点的强弱,而且还能表示出该点的磁场方向,因此,磁感应强度是个矢量。某点磁力线的切线方向,就是该点磁感应强度的方向。

三、磁导率

为了表征物质的导磁性能,我们引入了磁导率(导磁系数)这个物理量,以字母 μ 表示,单位是亨利(H)/m。真空的磁导率 μ_0 $=4\pi\times10^{-7}$H/m,且为一常数。

世界上大多数物质对磁场的影响甚微,只有少数物质对磁场有着明显的影响。为了比较物质的导磁性能,我们把任一物质的磁导率与真空磁导率的比值叫相对磁导率,用字母 μ_r 表示,则

$$\mu_r = \frac{\mu}{\mu_0} \qquad (5\text{-}2)$$

相对磁导率只是一个比值,无单位。它表明在其他条件相同的情况下,媒介质中的磁感应强度是真空的多少倍。

根据物质的磁导率不同,可把物质分成以下三类:

$\mu_r<1$,称反磁物质,如铜、银等;

$\mu_r>1$,称顺磁物质,如空气、锡、铅等;

$\mu_r\gg1$,称铁磁物质,如铁、镍、钴等。

四、磁场强度

若将图 5-1 圆环线圈置于真空中(环内不放任何导磁材料),那么,磁感应强度大小与圆环的周长、线圈的匝数及电流的强弱有关。实验证明,它们之间的关系是:

$$B_0 = \mu_0 \frac{NI}{l} \qquad (5\text{-}3)$$

式中 B_0——真空中的磁感应强度;

μ_0——真空的磁导率;

N——圆环线圈的匝数;

l——圆环的平均长度;

I——线圈中的电流。

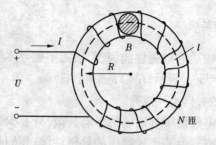

图 5-1

当把圆环线圈从真空中取出,并在其中填入相对磁导率为 μ_r 的媒介质,则磁感应强度将是真空的 μ_r 倍,即

$$B = \mu_r \mu_0 \frac{NI}{l} = \mu \frac{NI}{l} \tag{5-4}$$

由式(5-3)和式(5-4)看出,不同介质将有不同的磁感应强度 B,为了计算上的方便,我们引入磁场强度这个物理量。

我们定义:磁场中某点的磁感应强度 B 与媒介质的磁导率 μ 的比值,为该点的磁场强度,用 H 表示,即

$$H = \frac{B}{\mu} \tag{5-5}$$

将式(5-4)代入式(5-5)得

$$H = \frac{B}{\mu} = \mu \frac{NI}{\mu l} = \frac{NI}{l} \tag{5-6}$$

磁场强度的单位为 A/m,较大的单位是奥斯特(Oe),简称奥。

$$1 Oe = 80 A/m$$

磁场强度也是一个矢量,在均匀介质中,它的方向和磁感应强度的方向一致。

§5-3 磁 路

一、磁路的概念

磁力线通过的闭合路径称为磁路。在电器设备中,为了获得较强的磁场,常常把磁通集中在某一定型的路径中。图 5-2 所示就是几种电气设备中的磁路。

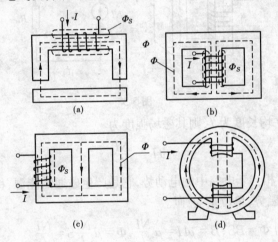

图 5-2

由于铁磁材料的导磁率 μ 远大于空气,故磁通沿铁芯闭合,只有极少部分磁通经空气或其他材料闭合。我们把通过铁芯的磁通称主磁通,铁芯外的磁通称漏磁通。一般情况下,漏磁通很少,可忽略不计。

按其结构不同,磁路可分为无分支磁路和分支磁路。分支磁路又可分为对称分支磁路和不对称分支磁路。如图 5-2(a)为无分支磁路,图 5-2(b)、(d)为对称分支磁路,图 5-2(c)为不对称分支磁路。

二、磁路欧姆定律

图 5-3 所示的口字形铁芯上,绕制一组线圈,便形成一无分支磁路。设励磁线圈的匝数为 N,通过电流为 I,铁芯截面积为 S,

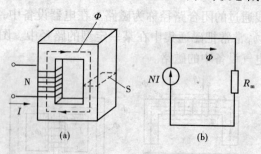

图 5-3

磁路的平均长度为 l,则其磁场强度为

$$H = \frac{NI}{l}$$

式中 NI 相当于电路中的电动势,它是产生磁通的能源,称为磁通势,简称磁势,单位是安·匝。

因为 $\Phi = BS$,$B = \mu H = \mu \dfrac{NI}{l}$,$\Phi = \mu \dfrac{NI}{l} S = \dfrac{NI}{\dfrac{l}{\mu S}}$

令 $$R_m = \frac{l}{\mu S}$$

式中,R_m 表示磁路中的磁阻。

所以,有 $$\Phi = \frac{NI}{R_m} \tag{5-7}$$

式(5-7)称为磁路欧姆定律。

§5-4 电磁感应 自感与互感

为理解电磁感应,我们先观察两种现象。图 5-4 所示均匀磁场中,放置一根导体 AB,导体两端接上一个灵敏检流计。当导体垂直于磁力线作切割运动时,导体所在的回路中磁通将发生变化,可以看到检流计指针有偏转,说明其回路中有电流存在;当导体平行于磁力线方向运动时,导体所在回路中磁通不发生变化,检流计指针不偏转,说明其回路中没有电流存在。

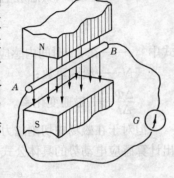

图 5-4

在图 5-4 中,线圈两端接上灵敏检流计 G,并构成闭合回路。当磁铁插入线圈时,线圈中磁通将增加,此时检流计指针向一个方向偏转;如果条形磁铁在线圈内静止不动时,线圈中磁通不发生变化,检流计指针不偏转;再将磁铁迅速由线圈中拔出时,线圈磁通将减小,看到检流计指针又向另一方向偏转。

一、电磁感应定律

(一)法拉第电磁感应定律

在图 5-5 实验中,当磁铁插入或拔出愈快,即磁通随时间变化愈快时,

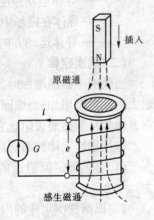

图 5-5

回路中感应电动势越大,并与穿过回路的磁通变化率(即变化快

慢)成正比,这个规律叫做法拉第电磁感应定律。

设通过线圈的磁通量为 Φ,则单匝线圈感应电势的大小为

$$e = -\frac{\Delta\Phi}{\Delta t} \tag{5-8}$$

对于 N 匝线圈,其感应电势为

$$e = -N\frac{\Delta\Phi}{\Delta t} \tag{5-9}$$

式中　e——在 Δt 时间内感应电势的平均值,V;

　　　N——线圈匝数;

　　　$\dfrac{\Delta\Phi}{\Delta t}$——磁通变化率。

但对于在磁场中切割磁力线的直导体来说,依据式(5-8)可推出计算感应电动势的具体公式:

$$e = Blv\sin\alpha \tag{5-10}$$

式中　B——磁感应强度,Wb/m^2;

　　　v——导体运动速度,m/s;

　　　l——导体在磁场中的有效长度;

　　　α——导体运动方向与磁力线的夹角。

(二)楞次定律

当线圈中磁通增加时,感应电流就要产生与它方向相反的磁通去阻止它的增加;当线圈中的磁通减少时,感应电流就要产生与它方向相反的磁通去阻止它的减少。这一规律称为楞次定律。

应用楞次定律判断感应电势或感应电流的具体方法如下:

(1)首先确定原磁通的方向及其变化的趋势(是增加还是减少)。

(2)根据楞次定律的内容判断感应磁通方向。如果磁通增加,则感应磁通与原磁通方向相反,反之,则方向相同。

(3)根据感应磁通方向,应用右手螺旋定则判断出感应电势或电流的方向。

二、自感

(一)自感现象

在图 5-6 中,D_1、D_2 是两只完全相同的小灯泡,电阻为 R,L 为铁芯线圈,线圈的电阻和 R 相等。当开关 K 闭合时,D_2 灯泡立即发亮,而 D_1 灯泡则逐渐变亮。其原因是:开关 K 闭合瞬间,通过线圈的电流发生了由无到有的变化,磁通也随之变化,根据电磁感应定律,线圈两端产生了与原电流方向相反的感应电流阻碍原电流的流过,因此灯泡逐渐变亮,D_2 支路没有这一过程,因而 D_2 立即发亮。

在图 5-7 电路中,线圈的电阻 R 比灯泡电阻小很多,当开关

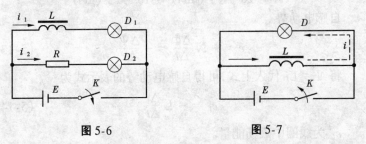

图 5-6   图 5-7

K 接通后,线圈 L 支路有电流 I_L 流过,而灯泡支路几乎没有电流流过,灯 D 不亮。在开关 K 突然断开时,会发现灯泡猛亮一下又熄灭。这是因为电源被切断瞬间,通过电感支路电流立即要减小到零,磁通也跟着变化,由电磁感应定律,线圈两端就要产生感应电势,这一电势加在灯泡 D 两端,使灯泡 D 有电流流过而发光。

上述两种现象,都是由于线圈自身电流变化引起的,我们把这种由流过线圈本身的电流变化而引起的电磁感应叫自感应,简称自感。由自感现象产生的电动势称为自感电动势。用 e_L 表示。

(二)自感系数

当一个线圈通过变化的电流后,这个电流产生的磁场使线圈

每匝具有的磁通 Φ 叫自感磁通,使整个线圈具有的磁通叫自感磁链,用 Ψ 表示。即

$$\Psi = N\Phi \tag{5-11}$$

我们把线圈中通过单位电流所产生的自感磁链数,称为自感系数,也称自感,用 L 表示。则

$$L = \frac{\Psi}{i} \tag{5-12}$$

式中　Ψ——通过线圈的电流产生的自感磁链数,Wb;

　　　i——流过线圈的电流,A;

　　　L——线圈的电感量,H。

电感量单位是亨(H),有

$$1H = 10^3 \text{ 毫亨(mH)} = 10^6 \text{ 微亨}(\mu H)$$

自感电动势

$$e = -N\frac{\Delta\Phi}{\Delta t} = -\frac{\Delta\Psi}{\Delta t} \tag{5-13}$$

将 $\Psi = Li$ 代入上式,可得自感电动势的表示式为

$$e_L = -L\frac{\Delta i}{\Delta t} \tag{5-14}$$

e_L 为线圈中磁场能量。

实验证明,电感线圈是一个储能元件,表达式为

$$A_L = \frac{1}{2}Li^2 \tag{5-15}$$

式中,L 的单位为 H、电流单位为 A 时,磁场能量单位是 J。

三、互感

(一)互感现象

互感也是电磁感应的一种形式。在图 5-8 所示的实验电路中,线圈 1 和线圈 2 靠得很近,在线圈 2 两端接一灵敏检流计。当开关 K 闭合瞬间,我们会观察到检流计指针偏转一下后又恢复到

零位。这种现象是由于开关闭合瞬间,线圈1发生了电流由无到

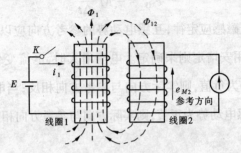

图 5-8　两线圈的互感

有的变化,因而在线圈1中产生了变化的磁通 Φ_1,其中一部分磁通 Φ_{12} 穿过线圈2,线圈2中便产生了感应电动势 e_{M2},则在检流计中有电流通过,指针发生偏转。后因 i_1 恒定不变,不再发生这一过程,又因无电流流过检流计,指针回到零位。

以上这种由于一个线圈的电流变化,使另一线圈产生感应电动势的现象叫互感现象,简称互感。

(二)互感电动势

由互感应产生的感应电动势叫互感电动势,用 e_M 表示。由图 5-8 分析知,当两个线圈产生互感时,由于线圈1的电流 i_1 所产生的互感磁通 Φ_{12} 与线圈2相交链,其磁链为 $\Psi_{12}=\Phi_{12}N_2$。因此,互感电动势的大小为

$$e_{M2} = -N_2\frac{\Delta\Phi_{12}}{\Delta t} = -\frac{\Delta\Psi_{12}}{\Delta t} = -M\frac{\Delta i_1}{\Delta t} \qquad (5\text{-}16)$$

式中 M 为互感系数。式(5-16)表明,当两个线圈的几何尺寸等参数决定后,一个线圈中互感电动势的大小正比于另一线圈电流的变化率。同样,当线圈2的电流变化时,线圈1产生的互感电动势的大小为

$$e_{M1} = -M\frac{\Delta i_2}{\Delta t}$$

根据电磁感应定律,互感电动势的参考方向应以互感磁通的方向为准,用安培定则来确定。电流增大时,电流变化率$\frac{\Delta i}{\Delta t} > 0$,互感电动势为负值,则实际方向与参考方向相反;当电流减小时,$\frac{\Delta i}{\Delta t} < 0$,互感电动势为正值,则实际方向与参考方向相同。

§5-5 RL 电路的暂态过程

一、RL 电路接通直流电源

如图 5-9,当开关 K 合上的瞬间,电路接通直流电源,电路中的电流由无到有,磁通也随之变化,因而电感 L 中要产生自感电势,以阻碍电流的变化。由于电路中的电流不能突然上升,而是慢慢上升,故在 $t=0$ 时,$i=0$。电阻因无电流通过,其电压 $U_R = iR$ $=0$;电感上的电压 $U_L = U$,就是 RL 电路的初始状态。随着电流上升的,电阻两端电压 U_R 也随之上升,自感电压 U_L 就下降。当电流继续上升,达到稳定时,即 $I = \frac{U}{R}$,此时自感电压 $U_L = 0$。

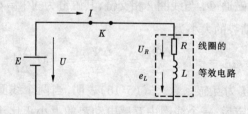

图 5-9

上述变化经数学计算证明,通过电路的电流 i 是按指数上升的,电阻两端的电压与电流成正比,电感上的电压 U_L 则按指数规律下降,它们的变化如图 5-10 所示。

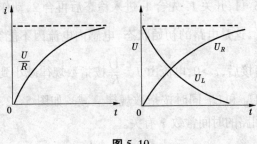

图 5-10

RL 电路中电流的增长速度或暂态过程的长短取决于电路的时间常数 τ, $\tau = \dfrac{L}{R}$。当 L 以 H、R 以 Ω 为单位,τ 的单位是 s。当 R 一定时,L 越大,暂态过程就越长。

根据指数曲线的规律可知,曲线只能接近 X 轴而不和 X 相交。因此,在理论上,必须经过无限长的时间,暂态过程才能结束。但在实际应用中,当暂态过程经过 5τ 时间后,经推算可知,这时电流电压已经达到稳定值的 99%,我们就认为暂态过程基本结束,已进入稳定状态了。

综上所述可知:

(1)RL 电路刚接通直流电源时,通过电路的电流等于零,电感两端的电压即为电源电压。

(2)RL 电路接通直流电源时,通过电感的电流按指数规律上升到稳定值,而电感两端的电压则按指数规律下降到零,并且电感两端电压最大时电流最小(等于零),而电压为零时,电流最大。

(3)电感线圈两端的电压在电路进入稳态后,对决定电路的电流不起作用,此时通过线圈的电流由线圈的电阻决定。电感只在电流有变化时才起作用。

二、RL 电路的短接

如图 5-11,开关 K 先合 1,进入稳态后再合 2,动作前电路中电流 $I = \dfrac{U}{R}$,这是电路的初始状态,电感内电流因不能突变,故保持在 I。短接后,$t > 0$,电流由 $I = \dfrac{U}{R}$ 按指数规律减小到零。随着 i 的减小,U_R 和 U_L 同时按指数规律衰减。如图 5-12,其下降速度与放电回路的时间常数 τ 有关。

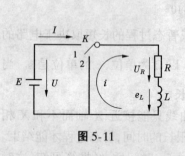

图 5-11

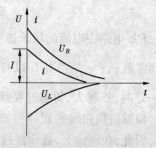

图 5-12

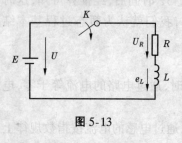

图 5-13

三、通有电流的 RL 电路的断开

通有电流的 RL 电路的断开,是电感电路工作状态发生变化的另一种情况。如图 5-13 所示,当电路在接通的稳定情况下,电路中有稳态电流 $I = \dfrac{U}{R}$ 通过。当电路突然切断时,这在纯电阻电路中,电流立即减小到零;但在 RL 电路中,由于电感具有阻碍电流变化的作用,电流不能立即减小到零。人们不禁要问,$t = 0$ 时,开关确实断开了,电流是如何形成回路的呢? 这看来似乎是矛盾的。

原来,在开关突然断开时,电感中产生自感电动势阻碍电流减小,其方向与原电流方向相同。在自感作用下,立即将开关断开处的空气击穿,产生电弧,形成电流回路。如果电感越大或稳态时电路中的电流越大,线圈储能也越大,因此,开关断开时产生的电弧也越强烈。故大电感线圈在切断电源时,会发生过电压,烧坏并联在线圈上的仪表等,因此,装在含较大电感的线圈回路中的仪表,在断电前必须先拿下来。同时,开关上产生电弧,会烧坏刀刃和触头,为此,通常在线圈两端并联一个放电电阻,来释放磁场能量。

第六章　简单正弦交流电路

§6-1　正弦电动势的产生

一、电动势的产生

图 6-1 为最简单的交流发电机的结构示意图。在一对磁极 N 和 S 之间,放有钢制圆柱形电枢,电枢上有一匝导线。导线两端分别接到两只互相绝缘的铜环上。铜环与连接外电路的电刷相接触。由于采用了特定形式的磁极形状,磁极电枢之间的空气隙中的磁感应强度按以下规律分布:①磁力线垂直于电枢表面;②磁感应强度 B 在电枢表面按正弦规律分布,即电枢表面任一点的磁感应强度为

$$B = B_m \sin\alpha \qquad (6\text{-}1)$$

式中,α 为线圈平面与中心面的夹角。磁感应强度的分布情况如图 6-2 所示。由图可见,当 $\alpha = 0°$ 及 $\alpha = 180°$ 时,电枢表面该处

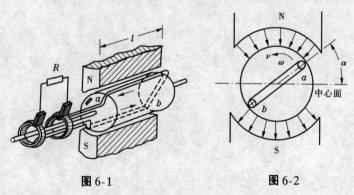

图 6-1　　　　　　　　　图 6-2

的磁感应强度 $B = 0$;当 $\alpha = 90°$ 及 $\alpha = 270°$ 时,电枢表面该处的磁感应强度最大,即 $B = B_{ma}$。当电枢旋转时,导线 a 和 b 在磁场内切割磁力线,就产生感应电动势。根据右手定则,在导线 a 中产生的电动势的方向是穿出纸面。由于 B 垂直于电枢表面,因此导线 a 在任何位置时,其运动速度 v 始终与 B 垂直,故 α 等于任何角度时,感应电势的大小为

$$e = E_m \sin\alpha \qquad (6\text{-}2)$$

如使线圈在磁场内从中心面开始,以角速度 ω 作匀速运动,那么有

$$\omega = \frac{\alpha}{t}, \text{即 } \alpha = \omega t \qquad (6\text{-}3)$$

这时,正弦电势又表示为

$$e = E_m \sin\omega t \qquad (6\text{-}4)$$

同理,交流电压、电流表示如下:

$$u = U_m \sin\omega t$$

$$i = I_m \sin\omega t$$

二、瞬时值与最大值

交流电大小是随时间变化的。我们把交流电在某一时刻的大小称为交流电的瞬时值,用字母 e、u、i 表示。

瞬时值中的最大值称为幅值,用字母 E_m、U_m、I_m 表示。

三、周期、频率与角频率

交流电每交变一次所需的时间叫周期,用符号 T 表示,其单位为 s。

每秒内交流电交变的周期数或次数叫频率,用符号 f 表示,单位为 Hz。

由定义可知,周期和频率互为倒数关系,即

$$T = \frac{1}{f}$$

四、相位角、初相位角和相位差

正弦交流电瞬时变化的角度$(\omega t + \varphi)$，称为相位角。$t = 0$ 时的相位角，称为初相位角，简称初相。

两个同频率的正弦量相位角的差，称为相位差。

五、有效值、平均值

正弦交流电的大小和方向随时间而变化，在实用上用与热效应相等的直流电流大小表示交流电流有效值。用大写字母 E、U、I 表示。

通过计算可知，正弦交流电的有效值等于交流电的电流、电压、电动势的最大值 I_m、U_m、E_m 的 $1/\sqrt{2}$，即

$$I = \frac{I_m}{\sqrt{2}}$$

$$U = \frac{U_m}{\sqrt{2}}$$

$$E = \frac{E_m}{\sqrt{2}}$$

通常所说的交流电的数值及交流电机电产品铭牌上的额定值，都是指有效值。

所谓交流电平均值，是指交流电在半个周期内所有瞬时值的平均大小。用字母 U_P、I_P、E_P 表示，可以证明，平均值与最大值之间的关系是：

$$E_P = \frac{2}{\pi} E_m$$

$$E = \frac{\pi}{2\sqrt{2}} E_P \approx 1.1 E_P$$

§6-2 纯电阻电路

纯电阻电路,就是无电感、电容,只含线性电阻的电路,如图6-3(a)所示。在实际生活中,由白炽灯、电阻炉等组成的交流电路,都可以近似地看成是纯电阻电路。

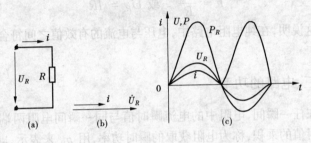

图 6-3

一、电流与电压的相位关系

为了分析方便起见,设加在电阻两端电压 U_R 的初相为零,即

$$U_R = U_{Rm}\sin\omega t$$

根据欧姆定律,通过电阻的电流瞬时值为

$$i = \frac{U_R}{R} = \frac{U_{Rm}}{R}\sin\omega t \tag{6-5}$$

由上式可见,在正弦电压作用下,电阻中通过的电流也是一个同频率的正弦电流,且与加在电阻两端电压同相位。图 6-3(b)和(c)分别画出了电流、电压的矢量图和波形图。在做矢量图时,是以电压矢量作为参考矢量的。由于电流与电压同相,故两者的指向一致。

二、电流与电压的有效值关系

由式(6-5)可知,通过电阻的最大电流为

$$I_{\mathrm{m}} = \frac{U_{Rm}}{R}$$

若把上式两边除以$\sqrt{2}$,得

$$I = \frac{U_R}{R} \quad 或 \ U_R = IR \tag{6-6}$$

这说明,在纯电阻电路中,电压与电流的有效值之间符合欧姆定律。

三、电路的功率

在任一瞬间,电阻中的电流瞬时值与同一瞬间电阻两端电压的瞬时值的乘积,称为电阻获取的瞬时功率,用p_R来表示,即

$$p_R = u_R i = \frac{U_{Rm}^2}{R}\sin^2 \omega t$$

瞬时功率的变化曲线如图6-3(c)。由于电流与电压同相,所以P_R在任一瞬间的数值都是正值。这说明,在任一瞬时电阻都从电源取用功率,起着负载作用。

由于瞬时功率随时间变化,不便计算,因此,通常是计算一个周期内取用功率的平均值,即平均功率。平均功率又称有功功率,用P表示。

电流、电压用有效值表示时,其功率P的计算与直流电路相同,即

$$P = U_R I = I^2 R = \frac{U_R^2}{R} \tag{6-7}$$

§6-3 纯电感电路

由电阻很小的电感线圈组成的交流电路,都可以近似地看成是纯电感电路。图6-4为由一个线圈构成的纯电感电路。

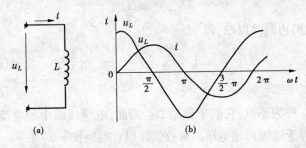

图6-4

一、电流与电压的相位关系

在纯电感线圈两端,加上交流电压 u_L,线圈中必定要产生一交流电流 i。由于这一电流随时间变化,因而在线圈中产生自感电势来反抗电流的变化,因此,线圈中的电流变化就要落后于线圈两端的电压变化,u_L 和 i 之间就会有相位差。

我们知道,对于一个内阻很小的电源,其电动势与端电压总是大小相等方向相反,即

$$u_L = -e_L = -(L \frac{\Delta i}{\Delta t}) = L \frac{\Delta i}{\Delta t} \qquad (6-8)$$

从图 6-4(b)所示 u_L 的波形图可以看出,在纯电感线圈中的正弦电流比其两端电压滞后 90°。或者说,电压超前电流 90°。图6-5 为电流电压的矢量图。设流过电感的正弦电流的初相为零,则电流、电压的瞬时值表达式为:

$$i = I_m \sin\omega t$$

$$u_L = u_{Lm}\sin(\omega t + \frac{\pi}{2}) \tag{6-9}$$

二、电流与电压有效值的关系

由数学推导可知,电压的最大值为

$$U_{Lm} = \omega L I_m$$

把两边同除以 $\sqrt{2}$,得

$$U_L = \omega L I \quad \text{或} \quad I = \frac{U_L}{\omega L} = \frac{U_L}{X_L} \tag{6-10}$$

其中

$$X_L = \omega L = 2\pi f L \tag{6-11}$$

X_L 称为感抗,它的单位是 Ω。因此,电感线圈中的电流的有效值,等于线圈两端电压的有效值除以它的感抗。

感抗是用来表示电感线圈对交流电流阻碍作用的一个物理量。感抗的大小,取决于线圈的电感 L 和流过它的电流的频率 f。对具有某一电感的线圈而言,f 愈高则 X_L 愈大。在相同电压作用下,线圈中的电流就会减小。在直流电路中,因频率 $f=0$,故线圈的感抗也等于零。这时线圈只起电阻作用。由于一般线圈的电阻很小,故电感线圈可视为短路。

图 6-6 为线圈的感抗随频率变化的曲线。

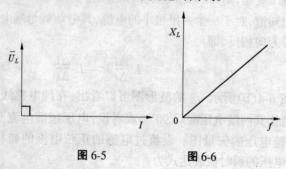

图 6-5　　　　　　图 6-6

三、电路的功率

纯电感线圈的瞬时功率为

$$p_L = u_L i = U_{Lm}\sin(\omega t + \frac{\pi}{2})I_m\sin\omega t$$

$$= U_{Lm}I_m\sin\omega t\cos\omega t$$

$$= \frac{1}{2}U_{Lm}I_m 2\sin\omega t\cos\omega t$$

$$= U_L I\sin 2\omega t \tag{6-12}$$

在图 6-7 中画出了 p_L 的变化曲线。可以看出,在一个周期内的平均功率为零。说明纯电感电路不消耗电源的功率。而用瞬时功率的最大值定义为无功功率,它表示电源与电感之间功率交换的数值,用 Q_L 表示,大小为

$$Q_L = U_L I = I^2 X_L = \frac{U_L^2}{X_L} \tag{6-13}$$

无功功率的单位是乏(var)。当各物理量的单位分别用 V、A、Ω 时,无功功率的单位是乏。必须指出,"无功"的含义是"交换"而不是"消耗",它是相对"有功"而言的,绝不能理解为"无用"。

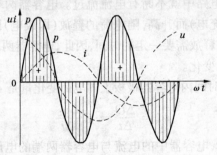

图 6-7

§6-4 纯电容电路

由介质损耗很小、绝缘电阻很大的电容器组成的交流电路,可以近似看成纯电容电路(见图 6-8)。

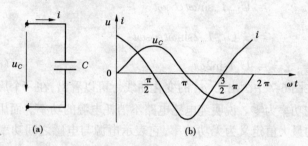

图 6-8

一、电压与电流的相位关系

直流电不能通过电容器,但在电容器充放电过程中,却会引起电流。在电容器接到交流电路中,由于外加电压不断变化,电容器不断充放电,电路中就不断有电流流过。电容器两端的电压随电荷的积累(即充电)而升高,随电荷的释放(即放电)而降低。由于电荷的积累和释放需要一定的时间,因此,电容器两端的电压变化滞后于电流的变化。

设在 Δt 时间内电容器极板上的电荷变化量是 ΔQ,那么

$$i = \frac{\Delta Q}{\Delta t} = C \frac{\Delta u_C}{\Delta t} \tag{6-14}$$

上式表明,电容器中的电流与电容器两端的电压的变化率成正比。图 6-8(b)中画出了电压变化的波形,也可以得到电流的波形。由波形图可清楚地看到,纯电容电器中的电流超前电压 90°。如设加在电容器两端的交流电压的初相为零,则电流、电压瞬时值

表达式为

$$\begin{cases} u_C = U_{Cm}\sin\omega t \\ i = I_m\sin(\omega t + \dfrac{\pi}{2}) \end{cases} \qquad (6\text{-}15)$$

二、电压与电流的有效值的关系

由数学推导可知,电流的最大值为

$$I_m = \omega C U_{Cm}$$

若把上式两边同除以 $\sqrt{2}$,则得

$$I = \omega C U_{Cm} = \frac{U_{Cm}}{\dfrac{1}{\omega C}} = \frac{U_{Cm}}{X_C} \qquad (6\text{-}16)$$

式中, X_C 称为容抗。

$$X_C = \frac{1}{\omega C} = \frac{1}{2\pi f C} \qquad (6\text{-}17)$$

式(6-16)表明,在纯电容电路中,电流的有效值等于它两端电压的有效值除以它的容抗。

容抗是用来表示电容器对电流阻碍作用大小的一个物理量。它的大小可用公式(6-17)计算,单位是 Ω。容抗的大小与频率及电容量成反比。当电容器的容量一定时,频率 f 愈高则容抗 X_C 愈小。在直流电路中,因频率 $f = 0$,故电容器的容抗等于无限大。这表明,电容器接入直流电路时,即在直流电路中,电容处于断路状态。

三、电路中的功率

纯电容电路的瞬时功率为

$$\begin{aligned} p_C &= u_C i = U_{Cm}\sin\omega t I_m\sin(\omega t + \frac{\pi}{2}) \\ &= U_{Cm} I_m \sin\omega t \cos\omega t \end{aligned}$$

$$= \frac{1}{2} U_{Cm} I_m \sin 2\omega t$$

$$= U_C I \sin 2\omega t \tag{6-18}$$

图 6-9 中画出了 p_C 的变化曲线。说明电容元件不消耗有功功率(平均功率),因在一个周期内它的平均功率为零。

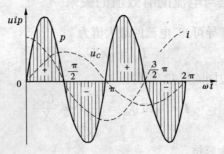

图 6-9

与纯电感电路相类似,为了衡量电容器和电源之间的功率交换的数值,我们用瞬时功率的最大值来标志其交换的规模,称之为无功功率,用 Q_C 表示,它的数学式为

$$Q_C = U_C I = I^2 X_C = \frac{U_C^2}{X_C} \tag{6-19}$$

无功功率的单位也是乏。

§6-5 R、L、C 串联正弦交流电路

电阻、电感与电容元件串联电路如图 6-10。

设施加正弦电压为 $u = \sqrt{2} U \sin(\omega t + \psi_u)$,电路中电压与电流的关系如下:

由 KVL 定律有

$$u = u_R + u_L + u_C$$

设电流 $i = I_m \sin\omega t$ 为参考正弦量,各个元件上电压与电流的关系如下:

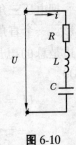

图 6-10

$$R : U_R = IR \quad (U_R 与 i 同相)$$

$$L : U_L = IX_L \quad (U_L 超前 i \ \frac{\pi}{2})$$

$$C : U_C = IX_C \quad (U_C 落后 i \ \frac{\pi}{2})$$

画出以上各电压的相量图,以电流相量为基准,见图 6-11。

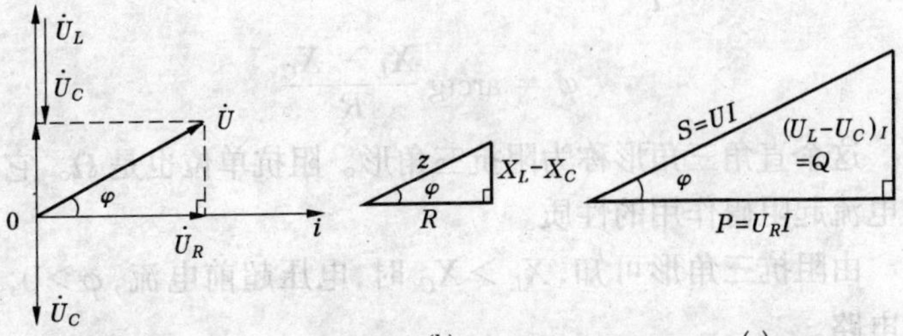

图 6-11

如果将 u_R、u_L、u_C 用相量 $\dot{U}_R$、$\dot{U}_L$、$\dot{U}_C$ 表示,则相量相加即可得出电流电压 u 的相量 $\dot{U}$。由 $\dot{U}$、$\dot{U}_R$ 及 $(\dot{U}_L + \dot{U}_C)$ 组成的直角三角形,称为电压三角形(如图 6-11(a))。这个三角形的一个直角边长度是电阻上电压的有效值 U_R,另一个直角边长度是电感上电压的有效值减去电容电压有效值 $U_L - U_C$,斜边是总的电压有效值 U。总电压与电流的夹角为 φ。利用这个电压三角形可得到

$$U = \sqrt{U_R^2 + (U_L - U_C)^2}$$

$$\varphi = \text{arctg} \frac{U_L - U_C}{U_R}$$

把电压三角形三个边都除以电流的有效值,得到一个直角三角形。一个直角边长度是电阻值,另一个直角边长度是 $X_L - X_C$,斜边是总的电压与电流之比,称为阻抗,用 z 表示(见图 6-11 (b))。

$$U = \sqrt{U_R^2 + (U_L - U_C)^2}$$
$$= \sqrt{(IR)^2 + (IX_L - IX_C)^2}$$
$$= I\sqrt{R^2 + (X_L - X_C)^2}$$

亦可写为
$$\frac{U}{I} = \sqrt{R^2 + (X_L - X_C)^2} = z$$

$$\varphi = \text{arctg}\frac{X_L - X_C}{R}$$

这个直角三角形称为阻抗三角形。阻抗单位也是 Ω。它具有对电流起阻碍作用的性质。

由阻抗三角形可知,$X_L > X_C$ 时,电压超前电流,$\varphi > 0$,为感性电路。

如果 $X_L < X_C$,电压落后电流,$\varphi < 0$,为容性电路。

如果 $X_L = X_C$,电压与电流同相,$\varphi = 0$,称为谐振状态。

把电压三角形的三个边分别乘以电流的有效值,一个直角边是有功功率 $P = U_R I$,一个直角边是无功功率 $Q = (U_L - U_c)I$,斜边是 UI,称为视在功率,用 S 表示,单位是伏安(V·A)或千伏安(kV·A)。由此得到的三角形称为功率三角形(见图 6-11(c))。由功率三角形得出:

$$S = \sqrt{P^2 + (Q_L - Q_C)^2}$$

$$\varphi = \text{arctg}\frac{Q_L - Q_C}{P}$$

$$P = UI\cos\varphi$$

$$Q = UI\sin\varphi \qquad\qquad (6\text{-}20)$$

视在功率这个概念也有它的实用意义。发电机、变压器和其他设备,其电压、电流各具有一定条件下安全运行的限额,即所谓额定电压和额定电流,如电灯泡等一类电阻负载。

无功功率之所以产生是由于电路中有储能元件,在电感和电容元件中所消耗的平均功率为零,即它们并不消耗功率,但是能量在这些元件与电源之间来回交换,无功功率正是用来测量这种能量交换的大小,不过对于无功功率用"功率"这个词可能不十分确切,因为功率一般是用来表示单位时间内所做的功或转换的能量。虽然如此无功功率却表明有能量在电源与电路之间来回交换,因此电力工程中有时把无功功率看做是产生、消耗或输送某一定能量的平均速率。

第七章　具有互感的电路

§7-1　互感系数与同名端

一、互感系数

在图 7-1 中,当线圈 1 通电流 i_1 时,就在线圈 2 中产生互感磁链 Ψ_{12}。这样线圈 1 和线圈 2 之间就有了磁的联系,这种联系称作磁耦合。

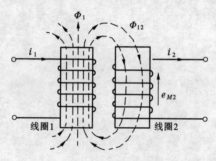

图 7-1

互感磁链 Ψ_{12} 的大小与电流 i_1 的大小成正比,可写成:

$$\Psi_{12} = M_{12} i_1$$

那么:
$$M_{12} = \frac{\Psi_{12}}{i_1} \qquad (7\text{-}1)$$

上式中 M_{12} 叫做磁耦合线圈的互感系数。互感系数的单位与自感相同,也是亨利。同样,线圈 2 的电流 i_2,在线圈 1 中产生的互感磁链为 Ψ_{21},那么:

$$M_{21} = \frac{\Psi_{21}}{i_2} \tag{7-2}$$

实验证明 $M_{12} = M_{21}$，因此一般省略下标，用 M 表示互感，即

$$M = M_{12} = M_{21}$$

互感 M 的大小等于一个线圈中通过单位电流时在另一线圈中产生的互感磁链。它反映了一个线圈对另一个线圈产生互感磁链的能力，即磁交链的能力。线圈间所具有的互感 M 是互感线圈的固有参数，它决定于两个线圈的匝数、几何尺寸、相互间的位置以及互感磁路的介质。若用磁性材料作互感磁路时，由于其磁导率 μ 是电流的函数，不是常数，故 M 不是常数；若互感磁路介质为非磁性材料，则互感 M 为常数。一般互感 M 不容易计算出，通常由实验方法测定。本章讨论互感时，把 M 作为常量考虑。

二、互感线圈的同名端

互感电势的方向不仅决定于互感磁通是增加还是减少，而且还与线圈的绕向有关，虽然可用楞次定律来判别，但比较复杂。尤其已经绕制好的线圈，一般是无法从外形上辨认出其方向的。而且在电路中也不可能按实际结构绘图作为线圈的符号。因此常用标记"·"表示线圈的绕向。

我们把由于线圈的绕向一致而感应电势的极性始终保持一致的端点称同名端，反之称异名端。有了同名端的标记之后，每个线圈的具体绕法及线圈之间的相对位置都不必在图中画出。如图 7-2 可画成图 7-3(a)、(b)的形式，图中所标 M 及双向箭头，表示

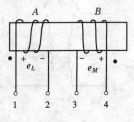

图 7-2

二线圈间具有磁耦合，其互感为 M。

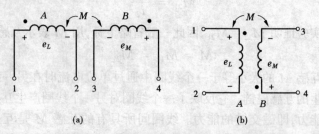

图 7-3

知道同名端后，就可以根据电流的变化趋势，很方便地判断互感电势的极性。如在图 7-4 中，设电流 i_1 由 A 线圈 1 端流进并在减小，根据楞次定律可判断出线圈 A 的自感电势 e_L 是 1 端为负，然后根据同名端的定义，立即可判断线圈 B 的互感电势 e_M 是 3 端为负。

互感广泛是各种变压器、电动机的工作原理。但在电子设备中，若线圈装配不当，各线圈之间会因互感而产生不必要的干扰，使电路无法工作，为此常把互不相干的线圈加大距离或相互垂直安装。

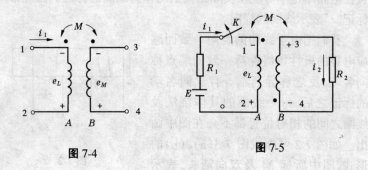

图 7-4

图 7-5

§7-2　互感线圈的电压平衡方程

一、电压平衡方程

自感和互感是电磁感应的不同形式,自感或互感电势都是线圈上发生电磁感应的结果,都是线圈上感应的电势,所不同的是:自感电势的磁通是线圈本身的电流变化所产生的,而互感电势的磁通则是另一线圈的电流变化所产生的。在图 7-6(a)所示的两个线圈中(忽略线圈的电阻),分别通以交变电流 i_1 和 i_2,由于 i_1 和 i_2 同时流入线圈的同名端,它们所产生的磁通方向相同,因此在线圈上感应电势(包括自感和互感电势)极性相同,相互迭加而增大。

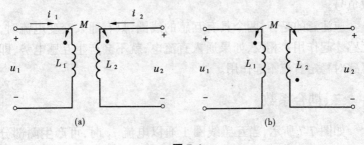

图 7-6

由 KVL 可得出线圈感应电势和电压之间的关系,其电压表示式分别为

$$u_1 = - e_{L1} - e_{M1} = L_1 \frac{\Delta i_1}{\Delta t} + M \frac{\Delta i_2}{\Delta t}$$

$$u_2 = - e_{L2} - e_{M2} = L_2 \frac{\Delta i_2}{\Delta t} + M \frac{\Delta i_1}{\Delta t}$$

反之,若电流 i_1 和 i_2 同时流入线圈的异名端,如图 7-6(b)所示,两个线圈所产生的磁通方向相反,相互削弱,线圈的感应电势

减小,即自感电势与互感电势极性相反,两线圈的电压表示式分别为

$$u_1 = -e_{L1} + e_{M1} = L_1 \frac{\Delta i_1}{\Delta t} - M \frac{\Delta i_2}{\Delta t}$$

$$u_2 = -e_{L2} + e_{M2} = L_2 \frac{\Delta i_2}{\Delta t} - M \frac{\Delta i_2}{\Delta t}$$

当电流 i_1 和 i_2 为正弦交流电时,应用相量法,上述公式可写成

$$\dot{U}_1 = -\dot{E}_{L1} \mp \dot{E}_{M1} = j\omega L_1 \dot{I}_1 \pm j\omega M \dot{I}_2 \qquad (7-3)$$

$$\dot{U}_2 = -\dot{E}_{L2} \mp \dot{E}_{M2} = j\omega L_2 \dot{I}_2 \pm j\omega M \dot{I}_1 \qquad (7-4)$$

上面两式中,当 $\dot{I}_1$ 和 $\dot{I}_2$ 同时从线圈同名端流入时,$j\omega M \dot{I}_2$ 和 $j\omega M \dot{I}_1$ 取正号;若 $\dot{I}_1$ 和 $\dot{I}_2$ 同时从异名端流入时,$j\omega M \dot{I}_2$ 和 $j\omega M \dot{I}_1$ 取负号。

应注意的是:对两个具有互感的线圈,只有通入交变电流时,互感才起作用。相反,如果通入直流电,就不会产生互感电势,即互感对稳定直流不起作用。

二、耦合系数

如图 7-7 所示,当互感线圈 1 通以电流 i_1 时,可产生两部分磁通,一部分穿过线圈 2,成为互感磁通;一部分通过本线圈后沿附近的空间而闭合,这部分磁通称漏磁通(Φ_s),漏磁通的多少反映了线圈耦合的紧密程度,它与线圈的结构、相对位置、磁路的几何形状以及磁路介质的磁导率 μ 有关。

为了表示两线圈耦合的紧密程度引用了耦合系数,用 K 表示。理论分析和实验证明

$$K = \frac{M}{\sqrt{L_1 L_2}} \qquad (7-5)$$

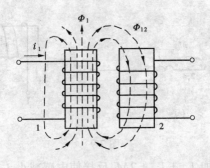

图 7-7

§7-3 互感线圈的联接

一、互感线圈的串联

具有互感的两个线圈串联时,由于线圈存在着绕向问题,可能会出现两种接法。一种是如图 7-8 所示,两线圈异名端相接,电流都从同名端流进流出,这时磁场是增强的,我们把这种串联接法叫顺接。另一种是如图 7-9 所示两线圈同名端相接,电流从一个线圈的同名端流出,又从另一线圈的同名端流进,这时磁场是减弱的,我们把这种串联接法叫反接。

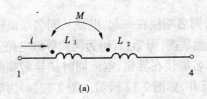

(a)

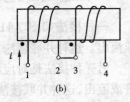

(b)

图 7-8

两线圈串联时,顺接时的等效电感大于反接的等效电感,同时

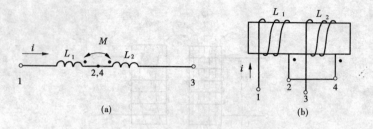

图 7-9

顺接使电感增加 $L_1 + L_2 + 2M$，反接使电感减小 $L_1 + L_2 - 2M$。

当具有互感的两个线圈不能用绕向确定其同名端时，我们可用实验方法来判别同名端。如图 7-10 所示两个线圈，在串联时，若 b、c 端点联接时，测出 a、d 端点总电感为 L'；然后调换接法，若 b、d 端点联接，测得 a、c 端点的总电感为 L''。如果 $L' > L''$，说明 L' 时的接法为顺接，则 a、c 为同名端。如果 $L'' > L'$ 说明 L'' 时的接法为顺接，则 b、c 为同名端。

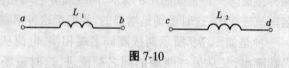

图 7-10

二、互感线圈的并联

一种接法如图 7-11(a)，同名端接在一起，电流从同名端流进或流出。这种并联接法为同侧联接，图 7-11(b) 为同侧等效电路。

另一种接法是对应的同名端接在异侧，电流同时从异名端流进或流出，这种并联接法称反并，如图 7-12 所示。图 7-12(a) 为联接图，图 7-12(b) 为异侧等效电路。

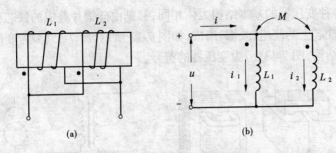

图 7-11 两线圈顺接并联

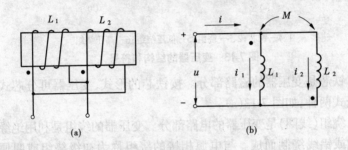

图 7-12

§7-4 变压器

变压器是利用互感原理制成的一种静止的电磁感应元件。它可以把某种数值的交流电压变换为另一种交流电压,而它们的频率保持不变。

变压器除用于改变电压外,还可以用来改变电流,变换阻抗等。

一、变压器的基本结构

变压器因使用场合、工作要求不同,其结构是各种各样的。但是,各种变压器的基本结构大体相同,都是由硅钢片叠成的铁芯和绕在铁芯上的绕组(线圈)组成,如图 7-13 所示,图 7-13(a)为变压器的结构,图 7-13(b)为变压器的符号。

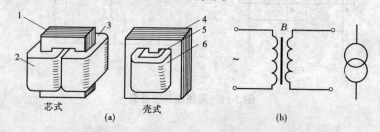

1、4—铁芯;2、3—绕组;5—低压绕组;6—高压绕组

图 7-13　变压器的结构和符号

铁芯是变压器的磁路部分。按铁芯的形式,变压器可分芯式和壳式两种,如图 7-13(a)。

绕组(线圈)是变压器的电路部分。变压器的绕组是利用绝缘铜线或铝线绕制而成。与电源相接的绕组称为初级绕组或叫原边、一次,其匝数用 N_1 表示;接负载的绕组称为次级绕组或叫副边、二次,其匝数用 N_2 表示。

二、变压器的工作原理

(一)变压器的空载运行

变压器的空载运行就是在变压器的初级绕组加上额定电压,次级绕组开路(不接负载)的工作情况。

在图 7-14 中,当变压器的初级绕组接入交流电压 u_1 时,将在初级电路中产生交流电流 i_0,i_0 称为空载电流,等于额定电流的 3%～8%。这个空载电流在初级绕组中将产生交变的磁通,该磁通绝大部分通过铁芯穿越初级和次级绕组,称为主磁通,用 Φ_m 表示。另外还有很少一部分磁通通过空气闭合,称为漏磁通,漏磁通一般很小,可以忽略不计。

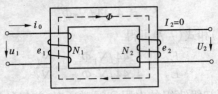

图 7-14 变压器的空载运行

当交变主磁通穿过初、次级绕组时,就在初、次级绕组两端产生同频率的感应电动势,按照电磁感应定律,其数学表达式为

$$e_1 = -N_1 \frac{\Delta \Phi}{\Delta t}$$

$$e_2 = -N_2 \frac{\Delta \Phi}{\Delta t}$$

$$\Delta t = \frac{T}{4} = \frac{1}{4f}$$

由正弦曲线可知,在 $\frac{1}{4}$ 周期内,磁通由零变到最大值,即 $\Delta \Phi = \Phi_m$,在这段时间内,初级的自感电动势 E_1 的平均值为

$$E_{1p} = N_1 \frac{\Delta \Phi}{\Delta t} = N_1 \frac{\Phi_m}{\frac{1}{4f}} = 4fN_1\Phi_m$$

根据交流电的有效值与平均值的关系可知,自感电动势在一个周期内的有效值为

$$E_1 = \frac{\pi}{2\sqrt{2}} E_{1p} = \frac{\pi}{2\sqrt{2}} 4fN_1\Phi_m = 4.44fN_1\Phi_m \qquad (7\text{-}6)$$

式中　E_1——初级绕组中自感电动势的有效值;

　　　f——交流电源的频率;

　　　N_1——初级绕组的匝数;

　　　Φ_m——变压器中主磁通的最大值。

同理,次级绕组的感应电动势的有效值为

$$E_2 = 4.44 f N_2 \Phi_m \qquad (7-7)$$

由式(7-6)和式(7-7)可得

$$\frac{E_1}{E_2} = \frac{4.44 f N_1 \Phi_m}{4.44 f N_2 \Phi_m} = \frac{N_1}{N_2}$$

当忽略了初级绕组的电阻和漏磁通时,初级的感应电压在数量上就等于初级的感应电动势,即 $U_1 = E_1$。由于空载情况下次级开路,因此,次级的感应电压也等于次级的感应电动势,即 $U_2 = E_2$,故

$$\frac{U_1}{U_2} = \frac{E_1}{E_2} = \frac{N_1}{N_2} = n \qquad (7-8)$$

上式 n 为初、次级的电压比,或称匝数比,简称变比。

上式表明,当 $n > 1$ 时,$N_1 > N_2$,则 $U_1 > U_2$,这种变压器称为降压变压器。反之,当 $n < 1$ 时,$N_1 < N_2$,则 $U_1 < U_2$,这种变压器称为升压变压器。可见变压器采用不同的匝数比时,就可以达到升高或降低交流电压的目的。

(二)变压器的负载运行

当变压器的初级绕组加上额定电压,次级绕组接上负载,变压器在有负载的情况下工作。

如图 7-15 所示,当变压器带负载运行时,次级绕组电路中有电流 i_2 流过,由 i_2 所建立的磁势 $i_2 N_2$ 产生磁通 Φ_2。由于初、次级的磁势作用在同一磁路上,由楞次定律,铁芯中主磁通 Φ_m 将有改变的趋势,但在电源电压和频率不变的情况下,近似为

$$U_1 \doteq E_1 = 4.44 f N_1 \Phi_m$$

可见主磁通 Φ_m 应保持不变。因此随着 i_2 的出现,通过初级绕组的电流 i_1 及建立的磁势 $i_1 N_1$ 必然要增大,且增加的部分正好与次级绕组的磁势 $i_2 N_2$ 抵消,从而维持铁芯中主磁通 Φ_m 基本不

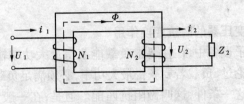

图 7-15

变,即与空载时的 Φ_m 在数量上基本相等。

变压器空载时的主磁通是由空载磁势 $i_0 N_1$ 产生,而带负载时的 Φ_m 则由 $N_1 i_1$ 和 $i_2 N_2$ 共同来产生。因此带负载时所建立的磁势 $i_1 N_1$ 应分两部分,一部分是 $i_0 N_1$ 用来产生主磁通 Φ_m,另一部分是 $-i_2 N_2$,用来抵偿次级绕组电流 i_2 所建立的磁势 $i_2 N_2$,从而保持 Φ_m 基本不变。在忽略次级绕组电阻时,有

$$U_2 = E_2 = 4.44 f N_2 \Phi_m \tag{7-9}$$

因此,在变压器带负载情况下,初、次级电压之比仍等于变比 n,即

$$\frac{U_1}{U_2} = \frac{E_1}{E_2} = \frac{N_1}{N_2} = n \tag{7-10}$$

根据能量守恒原理,变压器从电网吸取能量并通过电磁形式进行能量转换。在这种转换过程中,变压器只起一个传递能量的作用,在忽略损耗的情况下,变压器从电网吸取的能量应等于其输出的能量,即 $P_1 = P_2$,于是当变压器次级只有一个绕组时,可得

$$I_1 U_1 = I_2 U_2$$

则

$$\frac{I_1}{I_2} = \frac{U_2}{U_1} = \frac{N_2}{N_1} = \frac{1}{n} \tag{7-11}$$

上式说明,变压器在带负载工作时,初、次级的电流与初、次级的电压或匝数成反比。就是说,当我们适当改变变压器的匝数比,就可以改变电流。通常使用的电流互感器,就是根据这一原理制

成的。

（三）变压器的阻抗变换作用

在电子设备中，往往要求负载能获得最大功率输出。前面我们已经讨论过，负载若要获得最大功率，必须满足负载电阻和电源内阻相等这一条件，这叫做阻抗匹配。但是，在一般情况下，负载阻抗是给定的，不能随便改变。因此，很难得到良好的阻抗匹配。

变压器不但可以改变交流电压和电流，而且可以进行阻抗变换。如果适当选择耦合变压器的匝数比，把它接在电源与负载之间，就可以实现阻抗匹配，以获得最大的功率输出。

如图 7-16(a)所示，从变压器初级两端看进去的阻抗为

$$z_1 = \frac{U_1}{I_1} \qquad (7\text{-}12)$$

从变压器次级两端看进去的阻抗为

$$z_2 = \frac{U_2}{I_2} \qquad (7\text{-}13)$$

因为

$$\frac{U_1}{U_2} = \frac{N_1}{N_2} = n$$

$$\frac{I_1}{I_2} = \frac{N_2}{N_1} = \frac{1}{n}$$

所以

$$\frac{z_1}{z_2} = \frac{\dfrac{U_1}{I_1}}{\dfrac{U_2}{I_2}} = \frac{U_1 I_2}{I_1 U_2} = n^2$$

则

$$z_1 = n^2 z_2 \qquad (7\text{-}14)$$

上式表明，负载 z_2 接在变压器次级上，它从电源吸取的功率与负载 $z_1 = n^2 z_2$ 直接接在电源上所吸取的功率完全相等，因此称 $n^2 z_2$ 为变压器初级 z_1 的等效阻抗。

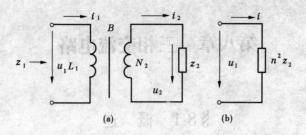

图 7-16

第八章　三相交流电路

§8-1　概　述

一、三相电动势的产生

三相电动势是由三相交流发电机组产生的。它主要由定子和转子组成。在定子上嵌入三个绕组,每一个绕组为一相。如果三相绕组的形状、尺寸、匝数均相同,则三相绕组中的感应电势的振幅相等,频率也相同。但三相绕组在相位上彼此互差 120°。若磁感应强度沿转子表面按正弦规律分布,则在三相绕组中可以分别感应出振幅相等、频率相同、相位互差 120°的三个正弦电动势,这种三相电动势称为三相对称电动势。

二、三相电动势表示方法

规定三相电动势的正方向都是从绕组的末端指向始端,则对称三相电动势的瞬时表示式为:

$$\left.\begin{aligned} e_a &= E_m \sin\omega t \\ e_b &= E_m \sin(\omega t - 120°) \\ e_c &= E_m \sin(\omega t + 120°) \end{aligned}\right\} \tag{8-1}$$

相量表示式为:

$$\left.\begin{aligned} \dot{E}_a &= E \\ \dot{E}_b &= E e^{-j120°} \\ \dot{E}_c &= E e^{j120°} \end{aligned}\right\} \tag{8-2}$$

和式(8-1)、式(8-2)相对应的波形图和相量图分别如图 8-1
(a)、(b)所示。

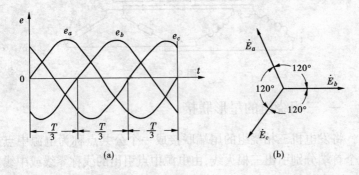

图 8-1

三、相序

三相电动势到达最大值的先后次序叫做相序。在图 8-1 中，
最先到达最大值的是 e_a，其次是 e_b，再次是 e_c，它们的相序就是 a
$\rightarrow b \rightarrow c \rightarrow a$，称为正序。若最大值出现的次序为 $a \rightarrow c \rightarrow b \rightarrow a$，
恰好与正序相反，称为负序或逆序。一般三相对称电动势都是指正
序而言，习惯上采用黄、绿、红三种颜色分别表示 a、b、c 三相。

§8-2　三相电的联接方式

我们知道，三相发电机具有三个电源绕组。若每个绕组各接
上一个负载，就得到彼此不相关的三个独立的单相电路，构成三相
六线制，如图 8-2 所示。由图 8-2 可看出，用三相六线制来输电需
要六根输电线，很不经济，没有实用价值。在供电系统中，三相发
电机的三相绕组采用两种联接方式，即星形和三角形联接。

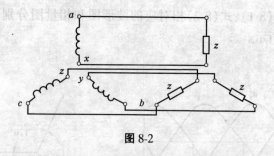

图 8-2

一、三相绕组的星形联接

将发电机三相绕组的尾端联接成一个公共点称为电源中点，三个首端分别引出三根火线，由电源中点引出的线称零线或中线。

有中线的三相制称三相四线制。每相绕组电压称相电位(即火线与零线间的电压)，用 $\dot{U}_a$、$\dot{U}_b$、$\dot{U}_c$ 表示，火线之间的电压称为线电压，用 $\dot{U}_{ab}$、$\dot{U}_{bc}$、$\dot{U}_{ca}$ 表示。

可以得出每相线电压是相电压的 $\sqrt{3}$ 倍，在相位上线电压超前相电压 $30°$，线电流等于相电流。

二、三相电源绕组的三角形联接

将三相发电机每一相绕组末端与另一相绕组首端依次联接的方式，称为三角形联接，如图 8-3 所示。

采用三角形联接时，线电压等于相电压。由此可得出结论：这时在电源绕组内部不存在环流。

实际上，三相发电机产生的三相电动势总可能存在微小的不对称，因而会产生一点环流。当一相绕组接反时，环流将很大，以至烧坏绕组，这是不允许的。发电机绕组一般不采用三角形接法而采用星形接法。

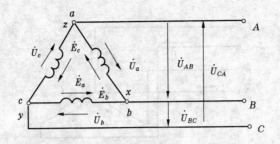

图 8-3

§8-3　三相负载的联接

三相电路中的负载由三部分组成,其中每一部分称为一相负载。实用中三相负载组成一个整体,例如三相电动机。也有由彼此独立的三个单相负载组成三相负载,例如日常用的照明系统。各相阻抗相同的三相负载称作对称三相负载;各相阻抗不同的三相负载称作不对称三相负载。三相负载有两种联接方式,即星形联接和三角形联接,分述如下。

一、三相负载的星形联接

把三相负载分别接在三相电源的一根火线和中线之间的接法称为三相负载的星形联接,如图8-4所示。图中 Z_a、Z_b、Z_c 为各负载的阻抗值,N' 为负载的中性点。

我们把负载两端的电压称作负载的相电压,在忽略输电线上的电压降时,负载的相电压就等于电源的相电压。三相负载的线电压就是电源的线电压。负载的相电压 $U_{相}$ 与负载的线电压 $U_{线}$ 的关系仍然是:$U_{线Y} = \sqrt{3} U_{相Y}$。

星形负载接上电源后,就有电流产生。我们把流过每相负载的

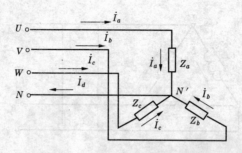

图 8-4   三相负载的星形联接

电流叫做相电流,用 $\dot{I}_a$、$\dot{I}_b$、$\dot{I}_c$ 表示,统记为 $\dot{I}_{相}$。把流过火线的电流叫做线电流,用 $\dot{I}_a$、$\dot{I}_b$、$\dot{I}_c$ 表示,统记为 $\dot{I}_{线}$。以上各电流均示于图8-4 中。从图8-4 可见,线电流的大小等于相电流,即

$$I_{线Y} = I_{相Y} \tag{8-3}$$

图 8-5 为三相不对称负载的实际例子,负载是星形接法,它是一种照明电路。

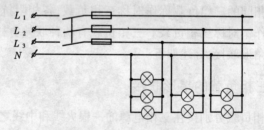

图 8-5   照明电路

二、三相负载的三角形联接

把三相负载分别接在三相电源每两根火线之间的接法称为三角形联接,如图8-6 所示。

在三角形联接中,由于各相负载是接在两根相线之间,因此负载的相电压就是电源的线电压,即 $U_{线\triangle} = U_{相\triangle}$。

三角形负载接上电源后,也会产生相电流和线电流,图 8-6 中所标的 $\dot{I}_a$、$\dot{I}_b$、$\dot{I}_c$ 为线电流,$\dot{I}_{ab}$、$\dot{I}_{bc}$、$\dot{I}_{ca}$ 为相电流。

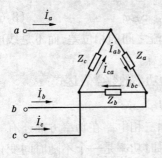

图 8-6

我们来讨论负载对称时线电流与相电流的关系。当三相负载对称时,负载中的电流大小一样,相位不同,三相电流可表示为:

$$\begin{cases} \dot{I}_a = \dot{I}_a e^{j0^\circ} \\ \dot{I}_b = \dot{I}_a e^{-j120^\circ} \\ \dot{I}_c = \dot{I}_a e^{j120^\circ} \end{cases}$$

$$I_{线} = \sqrt{3} I_{相} \qquad (8\text{-}4)$$

§8-4 三相电路的功率

在对称三相电路中,各相电压、相电流的有效值相等,功率因数也相等,因此三相总功率

$$P = 3U_{相} I_{相} \cos\varphi = 3P_{相} \qquad (8\text{-}5)$$

式(8-5)是由相电压、相电流来表示三相有功功率的。在实际工作中,测量线电流比测量相电流方便(指作三角形联接的负载),三相功率的计算常用线电流、线电压来表示。

当对称负载作星形联接时,有功功率为:

$$P_Y = 3U_{相} I_{相} \cos\varphi = 3\frac{U_{线}}{\sqrt{3}} I_{线} \cos\varphi = \sqrt{3} U_{线} I_{线} \cos\varphi$$

当对称负载作三角形联接时,有功功率为:

$$P_\triangle = 3U_{相} I_{相} \cos\varphi = 3U_{线} \frac{I_{线}}{\sqrt{3}} \cdot \cos\varphi = \sqrt{3} U_{线} I_{线} \cos\varphi$$

因此,对称负载不论是联成星形还是联成三角形,其总有功功率均

为

$$P = \sqrt{3} U_{线} I_{线} \cos\varphi \qquad (8\text{-}6)$$

上式中的 φ 仍是相电压与相电流之间的相位差,而不是线电压与线电流间的相位差,这一点要注意。

同理,可得到对称三相负载无功功率的数学表达式:

$$Q_q = \sqrt{3} U_{线} I_{线} \sin\varphi$$

数学推导和实验已经证明,对称三相电路在功率方面还有一个很可贵的性质:对称三相电路的瞬时功率是一个不随时间变化的恒定值,它就是电路的有功功率。这个性质对旋转的电机带来了极有利的条件。三相电动机任一瞬时所吸收的瞬时功率恒定不变,则电动机任一瞬时所产生的机械转矩也恒定不变,这样就避免了由于机械转矩的变化而引起的振动。

第九章　常用仪表和测量

§9-1　电气仪表的基本知识

一、型号和标度盘的符号标志

常用开关板电工仪表的型号如下：

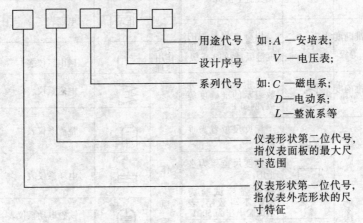

用途代号　如：A—安培表；
　　　　　　　V—电压表；
设计序号
系列代号　如：C—磁电系；
　　　　　　　D—电动系；
　　　　　　　L—整流系等

仪表形状第二位代号，指仪表面板的最大尺寸范围

仪表形状第一位代号，指仪表外壳形状的尺寸特征

常用电工仪表的标志符号及其含义见表9-1。

二、误差和准确度

在电力测量过程中，由于工作环境和设备等条件的限制，电工仪表测量出的数值与实际电路中的量会有一定的误差，这种误差可分为基本误差和附加误差两种。基本误差是指仪表在规定的正

表 9-1　　　　　常见电工仪表的标志符号及其含义

分类	符号	名称	分类	符号	名称
电流种类	—	直流	测量对象	≋	具有两元件的三相交流不平衡负载
	∼	交流(单相)		≋	具有三元件的三相四线不平衡交流负载
	≃	交直流		Ⓐ	电流表
				Ⓥ	电压表
	≈	具有单元件的三相交流平衡负载		Ⓦ	功率表
				kWh	电度表
准确度等级	1.5	以标度尺量限的百分数表示的准确度等级,例如1.5级	作用原理	∩	磁电系仪表
准确度等级	⑴.5	以指示值的百分数表示的准确度等级,例如1.5级		⚡	电磁系仪表
工作位置	⊥	标度尺位置为垂直的			整流系仪表
	⌐	标度尺位置为水平的	作用原理		电动系仪表
绝缘试验	☆	绝缘强度试验为2kV;不写数字,表示试验电压为500V		⊕	铁磁电动系仪表
	⚡	耐压强度2kV		⊙	感应系仪表
端子符号	※	极性符合		⋈	磁电系比率表
	⏚	接地端钮			
防御能力	‖‖‖	Ⅲ级防外磁场及电场	使用条件	Ⓑ	B组仪表

常条件下进行测量时所具有的误差,它是仪表本身所固有的,是由于结构上和制作上不完善而产生的。附加误差是指当仪表不在规定的正常条件下工作时,除上述基本误差外,还会出现附加的误差。

仪表误差的常用表达形式有:绝对误差、相对误差和引用误差。

(1)绝对误差。测量值 B_x 与被测量的实际值 B_0 之间的差值,称为测量的绝对误差 Δ,用公式表示

$$\Delta = B_x - B_0 \tag{9-1}$$

(2)相对误差。绝对误差 Δ 与被测量的实际值 B_0 之间的比值,通常以百分数 γ 表示。即

$$\gamma = \frac{\Delta}{B_0} \times 100\% \tag{9-2}$$

在实际计算中,有时难以求得被测量的实际值,这时也可以用测量值 B_x 代替实际值 B_0,近似求得

$$\gamma = \frac{\Delta}{B_x} \times 100\%$$

(3)引用误差。绝对误差 Δ 与仪表量程的最大读数(满刻度数值)B_m 的比值。用公式表示

$$\gamma_n = \frac{\Delta}{B_m} \times 100\% \tag{9-3}$$

指示仪表的基本误差就是用引用误差表示的。而国产指示仪表的准确度等级是按基本误差来定的,如表 9-2 所示。

表 9-2　　　　各级仪表的基本误差允许值

仪表的准确度等级	0.1	0.2	0.5	1.0	1.5	2.5	5.0
基本误差	±0.1	±0.2	±0.5	±1.0	±1.5	±2.5	±5.0

三、基本要求

为使电气测量仪表能较正确地反映电气设备的运行情况,对

测量仪表的准确等级规定:

(1)交流电流表、电压表及功率表为 1.5~2.5 级;

(2)直流电流表、电压表为 1.5 级;

(3)频率表为 0.5 级。

与仪表连接的分流器、附加电阻的准确等级不低于 0.5 级;互感器一般为 1 级,非重要回路的 2.5 级电流表可使用 3.0 级的互感器。

互感器和仪表测量范围选择,应尽量保证电力设备在正常运行时,仪表指针在标度尺量程的 2/3 以上,并应考虑过负荷运行时能有适当的指示。对重要电动机,起动电流大且时间较长或运行过程中可能出现较大电流时应尽量装设有过负荷标度的电流表。

有可能出现两个方向电流的直流回路和两个方向功率的交流回路中,应装设双向标度的电流表和功率表。

一般电气测量仪表和电度表与继电器保护装置共用电流互感器时,应将一般测量仪表和电度表连接在一个准确度较高的二次绕组上,而将继电保护装置单独接在另一个准确度较低的二次绕组上;如由于继电保护装置的要求使电流互感器变比过大而不能符合测量仪表和电度要求时,应分开接用单独的电流互感器;若受条件限制而共用电流互感器的一个二次绕组时,应有必要的安全措施,并不得超过电流互感器的额定容量。

§9-2　电流、电压的测量

一、直流电流、电压的测量

常用直流电流表的型号是 $1C_{2-A}$,直流电压表是 $1C_{2-V}$。

(一)接线方式

测量电流时,电流表与被测电流的负载串联,电压表与被测电

压的负载并联。如图 9-1,测量时,要注意接线方法和极性,还要注意:

(1)正确估量被测量的数值范围,选择适当量程的仪表。最好使仪表对被测量的指示值大于仪表最大量程的 2/3,又不超过仪表最大量程。

(2)测量电压时,应选用内阻尽可能大的电压表;测量电流时,应选用内阻尽可能小的电流表,以减小测量误差。

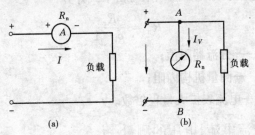

图 9-1

(二)扩大量程

如果被测量值超过直流电流的量程,可采用分压器(附加电阻)和分流器来扩大电压表及电流表的量程,接线圈如图 9-2 所示。但要求选用的分压器、分流器的准确度应与仪表的准确度相

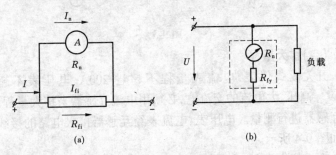

图 9-2

符。

直流电压表附加电阻的阻值可由下式计算

$$R_j = R_n(\rho - 1) \tag{9-4}$$

式中　R_j——电压表的附加电阻；

　　　R_n——电压测量机构的内阻；

　　　ρ——扩大量程的倍数。

直流电流表分流器的电阻可由下式计算：

$$R_{fi} = \frac{R_n}{\rho - 1}$$

式中　R_{fi}——分流器阻值；

　　　R_n——测量机构内阻；

　　　ρ——电流表扩大量程倍数。

二、交流电流、电压的测量

(一)接线方式

如图 9-3 所示。

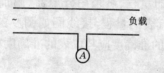 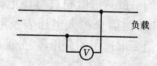

图 9-3

(二)扩大量程

开关板式仪表,电流表量程不超过 200A;电压表不超过 600V。高压、大电流的交流电,必须用电流互感器来扩大量程,通过互感器进行测量。电压表、电流表经互感器接入电路的接线方式如图 9-4 所示。

在电流表与电流互感器配套使用时,电流互感器二次侧额定电流为 5A,电流表也应选额定电流为 5A;电流互感器的变比选择

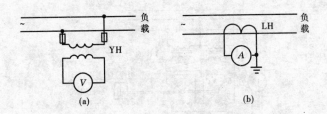

(a)　　　　　　　　(b)

图 9-4　交流电表经互感器接入电路

应满足电气测量要求,电流表的刻度按一次侧电流标度,并在表盘上标明互感器的变化。此时,可直接读出被测电流。

　　测量高电压时,电压表与电压互感器配套使用。电压互感器的一次侧额定电压与被测线路电压等级相符,二次侧额定电压为100V,电压表的量限应选100V,且把电压表的刻度按一次电压标出,并标电压互感器变比,此时,可直接读出被测电压。

　　三相交流高压输电线路的线电压可通过三相式电压互感器和三只电压表来测量,如图 9-5。但也可用一个电压表和一个切换开关来测量。如图 9-6 所示。

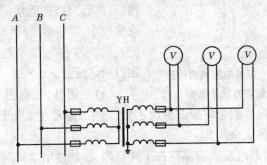

图 9-5　通过电压互感器测量三相交流电压接线图

三、钳形电流表的使用

钳形电流表用在不断电情况下测量,外形和使用方法如图 9-7。

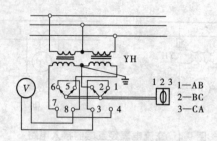

图9-6 用一只电压表测量三相交流电压

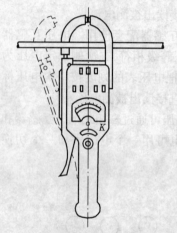

图 9-7 钳形电流表的外形
及使用方法示意图

钳形电流表在使用时注意以下几点：

(1)测量时使被测导线处于窗口中央。如测大电流后立即去测小电流时,应开、合铁芯数次,以消除铁芯中剩磁。

(2)被测的电流和电压大小未知时,应先将转换开关调到最高量程挡,然后回挡选适宜量限。若电流值较小,可将载流导线在钳形电流表的铁芯上绕几匝,然后将读数除以所绕匝数。

(3)使用时,注意钳形电流表的电压等级。测量时应戴绝缘手套,站在绝缘垫上,并保持头部与带电部分的安全距离。

(4)钳形电流表应保存在干燥室内,表针使用前调到"零"。

§9-3 功率、功率因数的测量

一、三相有功功率和三相无功功率的测量

(一)电动系测量机构

电动系的测量机构有电流线圈和电压线圈。如图 9-8,电流线圈与负载串联,电压线圈与负载并联。

测量元件接入交流电路时,必须注意两个线圈对应端钮上标有的符号"＊"(见图 9-8)。将标有相同符号的接线端钮接在同一根电源线上,以保证两线圈电流都能从该端子流入。通过电流线圈的电流等于负载电流,即 $\dot{I}_1 = I$;通过电压线圈的电流 $\dot{I}_2$,由于附加电阻 R_j 较大,并联支路的感抗可略去,$I_2 = \dfrac{U}{z} \approx \dfrac{U}{R_j}$,$\dot{I}_2$ 与 $\dot{U}$ 同相。I_2 与 U 成正比。故 $\dot{I}_1$ 与 $\dot{I}_2$ 之间的相位差角 Φ 就等于 $\dot{U}$ 与 $\dot{I}$ 之间的相位差角 φ,相量图如图 9-9。此时,测量机构的指针偏转角 α 可由下式得出

$$\alpha = k\dot{I}_1\dot{I}_e\cos\varphi = k\dot{I}\frac{\dot{U}}{R_e}\cos\varphi = k_\rho P \qquad (9\text{-}5)$$

式中　k、k_ρ——系数;

　　　　P——单相有功功率,$P = UI\cos\varphi$。

(二)三相有功功率的测量

(1)用一只表测三相对称负载的功率。可用一只功率表测其中一相负载功率,如图 9-10 所示,三相总功率等于功率表读数乘以 3,即

$$P = 3P_1$$

式中　P——三相总的有功功率;

　　　　P_1——单相有功功率表读数。

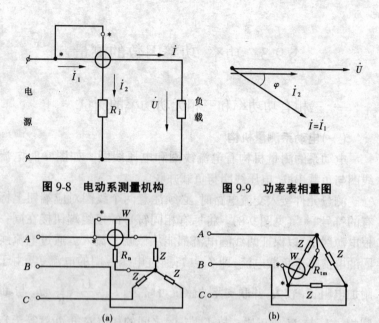

图 9-8　电动系测量机构　　　图 9-9　功率表相量图

(a)　　　　　　　(b)

图 9-10　一表法测三相功率

(2)用两元件三相有功功率表测三相三线制有功功率。图 9-11和图 9-12 为接线图和原理接线图。对于对称或不对称三相三线制交流电路均可使用。如负载是星形接法,功率表每个元件所测电流为线电流(也等于相电流)、电压为线电压,表的读数为

$$P = U_{AC}I_A\cos\varphi_1 + U_{BC}I_B\cos\varphi_2 \qquad (9\text{-}6)$$

式中　U_{AC}——A、C 间线电压有效值;

　　　I_A——A 相电流有效值;

　　　φ_1——$\dot{U}_{AC}$ 与 $\dot{I}_A$ 之间夹角;

　　　U_{BC}——B、C 相间线电压有效值;

　　　I_B——B 相电流有效值;

　　　φ_2——$\dot{U}_{BC}$ 与 $\dot{I}_B$ 之间夹角.

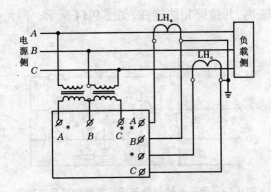

图 9-11　IDI－W 型有功功率背面接线图

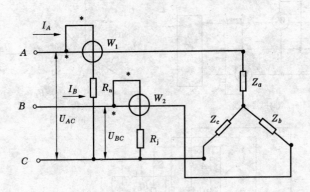

图 9-12　原理接线图

(3)三相四线制电路有功功率的测量。三相负载一般是不对称的。此时,可用三只功率表分别测出各相功率,如图 9-13 所示,三相总有功功率等于三只表读数之和。或采用一只三元三相有功功率表来测量。如要扩大量程需采用互感器。

(三)三相无功功率的测量

测量三相交流电路的无功功率的方法很多。如三表跨相法、二表跨相法、二表人工中心点法等,但都用于三相电压对称情况。如开关屏上的铁磁电动系三相无功功率表,它的结构是两套元件

装于同一表内,并按跨相法接线,如图 9-14 所示。两元件读数之和为

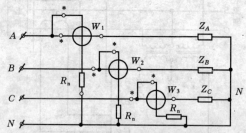

图 9-13　用三表法测量三相四线制电路有功功率

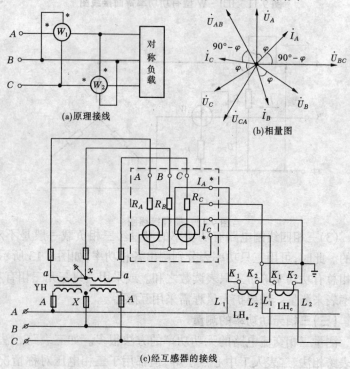

(a)原理接线

(b)相量图

(c)经互感器的接线

图 9-14　两元件三相功率表的接线图

$$W_1 + W_2 = U_{BC}I_A \cos(90° - \varphi_A) + U_{AB}I_C \cos(90° - \varphi_C)$$

式中:电压、电流均为线电压、线电流,φ 为功率因数角。

因为无功功率 $Q = \sqrt{3}\,UI\sin\varphi$,厂家在生产时,已考虑乘以 $\frac{\sqrt{3}}{2}$,标度盘直接刻出被测之值。如需扩大量程,也采用互感器(如图 9-14(c))。

二、功率因数的测量

开关屏上用的三相功率因数表都是铁磁电动系的,但没有产生反作用力矩的游丝。它的反作用力矩和转矩一样,都是利用电磁力产生的,即指针的位置是两组力矩比较后平衡的结果。常用的开关板式的功率因数表,其背面接线如图 9-15 所示。

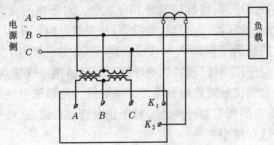

图 9-15 三相功率因数表背面接线

§9-4 绝缘电阻的测量

电气设备的绝缘电阻是用兆欧表来测量的。电气设备长期未用或检修后,在使用前应检查它的绝缘电阻,因为测量绝缘电阻的大小常常能灵敏地反映电气设备的绝缘状况,虽然方法简单,但却是绝缘试验中的一个重要项目。

兆欧表俗称摇表,表面标有符号"MΩ"。摇表的种类虽多,但都是利用双线圈测量机构的工作原理制成的。目前,在现场广泛应用的 ZC 系列携带式兆欧表就是由一手摇式高压直流发电机和一磁电式双动圈流比计所组成,如图 9-16 所示。常用的兆欧表电压规格有三种:500V、1 000V、2 500V。对于 1 000V 以下的电气设备或回路,使用 500V 或 1 000V 兆欧表;对于 1 000V 以上的电气设备或回路,使用 2 500V 并有效测量限为 10 000MΩ 的兆欧表。

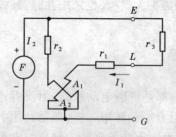

图 9-16

一、兆欧表的使用方法

使用兆欧表的方法如下:

(1)测量绝缘电阻以前,应切断被测设备的电源,将其接地并充分放电。对于电容量较大的被试设备(如大变压器、电容器、电缆等)一般放电时间不少于 2min。放电的目的是为了保障人身和设备的安全,并使测量结果准确。此项操作应使用绝缘设备(如绝缘棒、钳等)将接地线挂到设备上,不得用于直接接触被放电设备及放电导线。待被试电气设备放完电后,拆除它的所有对外连线。对于瓷套管一类试品,还要用干燥清洁的柔软布擦净表面。

(2)进行正式测量前,应先判断兆欧表的好坏。将兆欧表放平稳,在未接线前摇动手柄到额定转速(或电动式兆欧表加以额定电压),此时指针应指"∞";然后再用导线短接"L"和"E"接线柱,并轻轻摇动手柄,表针应指零(轻摇以免打坏表指针),这样才能认为该表是完好的。

(3)将被测设备的非测量部分均接地,然后把接地线接于兆欧表的"E"端;被测量部分用导线连接于"L"端。如果设备表面泄漏较大时,可加等电位屏蔽,屏蔽线接于兆欧表的"G"端,屏蔽环可用软裸线缠绕几圈后扎紧,其部位应靠近被测量部分,但不要碰上,以免误测。

(4)测量时,以每分钟大约120转的速度转动发电机摇把,对于电容器、电缆、变压器和电动机等大容量设备,要有一定的时间充电。所以,绝缘电阻的数值应以兆欧表转动1min后的读数为准[如果指针达到满量程时应记录为(量限)$^+$,例如10 000$^+$,而不应记∞]。设备的绝缘电阻值不能低于《电气设备交接试验标准》中所列的绝缘电阻值标准。若要检查设备绝缘介质的受潮程度,可做吸收比试验,即在开始摇动手柄就应计时,15s时读取一次数值,60s时再读取一次数值。60s与15s绝缘电阻值的比值即为吸收比。当绝缘介质受潮时,吸收比趋近于1;绝缘介质干燥时,吸收比的数值较大。

(5)读取上述数值后,应在手柄转动的情况下戴上绝缘手套拆除连线,然后再停止转动,以防止由于被试设备上积聚的电荷反馈放电而损坏仪表。

(6)将被试设备充分放电,操作方法与(1)项相同。

二、使用兆欧表的注意事项

在使用兆欧表时应注意以下几点:

(1)地线应符合安全规程的要求并接地良好。测量工作应由两个以上的工作人员进行。

(2)必须用绝缘良好的导线做测量连线,两根导线之间和导线与地之间应保持一定距离。同时,还要注意兆欧表本身绝缘不良的影响,必要时将兆欧表放在绝缘垫上。有的兆欧表本身有漏电时,试验者也应站在绝缘垫上,以保证安全。

(3)采取以上各种措施后,所测绝缘电阻仍然偏低,应进行分解试验,以找出绝缘低劣的部位。

(4)同杆架设的双回架空线路或双母线,当一路带电时,不得测另一路的绝缘电阻,以防感应高电压危害人身安全和损坏仪表。

对平行线路亦应注意感应高电压,若必须在这种状态下测试时,则应采取必要的安全措施方可进行。

§9-5 万用表的使用

万用表是一种多用途的测量仪表,它可以测电阻、交流电压、直流电压和较小的直流电流,有的还可以测量电容、电感等,故称为万用表,而且便于携带。所以,在维护检修电气设备时常用到万用表。在仪表表面上标有"A—V—Ω"符号。

万用表虽可以测量多种电量,但其各挡的内阻相差很大(如电流、电阻挡的内阻接近于零,而电压挡内阻则在几十千欧以上)。所以,在测量前应熟悉万用表的使用方法,检查万用表的选择位置是否和被测量相符,否则将会烧坏电表。下面以常用的 MF30 型万用表为例,介绍万用表的使用方法。

(1)如图 9-17 所示为 MF30 型万用表的外形图。首先必须熟悉面板上各种符号所代表的意义以及各个旋钮的作用。

(2)使用之前,应检查指针是否指在零位上。如不在零位,可以调整表盖上的机械零位调整器,使指针恢复零位。

(3)根据被测量的种类和大小,将选择开关旋转到相应的挡次范围内并找出对应的标尺。测量直流电压时,把选择开关旋到"V"范围内;测量直流电流时,把选择开关旋到"μA"或"mA"范围内;测量交流电压时,把选择开关旋到"V"范围;测量电阻时,把选择开关旋到"Ω"范围内。

(4)测量直流电压和电流时,将测试杆(又称表笔)的红色短杆插入表盖"＋"插口,黑色短杆插入"－"插口。万用表在测量电压时并接在被测支路两端;测量电流时,串接在被测电路中。如果测量一个大小不知道的电压或电流,应事先估计一下其最大数值可

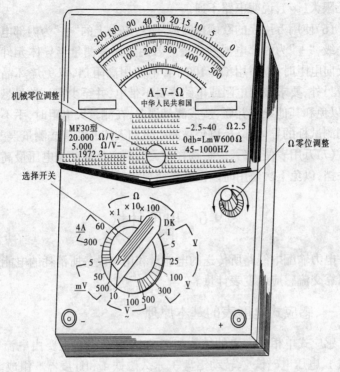

图 9-17

能在什么范围,或先选用仪表量程最大一挡,然后逐步减小量程。

(5)测量电阻时,先估计被测电阻值,决定选择开关指在哪一挡。例如,被测电阻值是几千欧姆,选择开关指在乘 1 000Ω(×1k)这一挡。再把两测试杆短路,指针即向零欧姆位置偏转。要是指针不指零欧,可调节"Ω调零旋钮",使指针指零。然后,把测试杆分开,接到被测电阻两端,读数乘上选择开关指的倍数即为被测电阻值。

用万用表检查电路的通、断时,也用这种方法,不过选择开关应旋到 Ω×1 挡。若读数为零或接近零,说明电路是通的;若读数为无限大(∞),说明电路不通。

(6)使用万用表的欧姆挡时应注意:电表上的"−"为内部电池的正级,"＋"为内部电池的负极。若用万用表测量半导体元件的正反向电阻时,应当用 Ω×100 挡,不能用高阻挡,以免烧坏晶体管。另外,要求被测电阻或电路本身不带电,并至少有一端是悬空的,以免和其他导体并联,造成测量误差;在测量大电阻时,手不能碰到测试杆的导体部分,以免被测电阻和人体并联造成测量误差。

(7)万用表使用后,应把选择开关转到空挡或交流电压最高量程一挡,以免下次使用时因误操作而损坏。

§9-6　电度计量

电力输配电线路所传送的电能量和用电设备所消耗的电能量可以靠交流感应电度表计量。

一、感应式电度表的基本原理

感应式单相电度表的结构如图 9-18 所示。它主要由电流电磁铁 1、电压电磁铁 2、转动铝盘 3、永久磁铁 4 和计度器 5 组成。

绕在电流电磁铁上的线圈为电流线圈,匝数较少、导线较粗,在电路中与负载串联;绕在电压电磁铁上的线圈为电压线圈,匝数较多、导线较细,在电路中与负载并联。当电度表接入电路时,电压线圈和电流线圈产生的磁通穿过铝盘。这些磁通在时间上不同相、在空间上相差一定角度,从而产生由超前相指向滞后相的移进磁场。移进磁场在铝盘上感应出涡流,此涡流再与原磁场相互作用而产生转动力矩,使铝圆盘转动。铝盘在转动时,切割永久磁铁的磁通,永久磁铁对铝盘产生制动作用,再者,铝圆盘自身有惯性,铝盘的转动是匀速的。

由于铝盘的转动力矩与电路中的电压和电流成正比,即铝盘

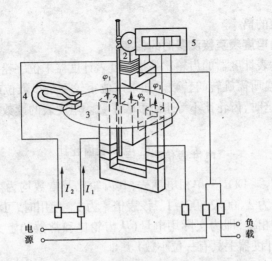

1-电流电磁铁;2-电压电磁铁;3-转动铝盘;
4-永久磁铁;5-计度器

图9-18　感应式单相电度表的结构

的转速 n 与电路中所消耗的电功率 P 成正比,即

$$n = KP$$

这样,在某一段时间 Δt 内铝盘所转的转数 N,就可以用来表达在 Δt 时间内负载所消耗的电能 W,即

$$N = n\Delta t = KP\Delta t = KW$$

式中的比例常数 $K = \dfrac{N}{W}$,称为电度表的常数。它表示每消耗 1kW 时电能,铝盘应转的圈数,铝盘的转动经蜗杆传到计度器,计度器示数就是电路中实际消耗的电能量。

二、电度表的倍率及计算

由于电度表结构的不同,或采用了互感器,使得电度表计度器的读数需乘以一个系数,才是电路真正消耗的电度数,这个系数称为电度表的倍率。

(一)电度表直接测量时的倍率

电度表计度器的齿轮比是指电度表计度器末位字轮旋转一周时,其铝盘所需旋转的转数。如果末位字轮不是小数位或是有二位小数,这时,齿轮比不等于电度表常数。电度表的读数需乘上一个倍率。

$$电度表倍率 = \frac{电度表齿轮比}{电度表常数}$$

例如,某 DD1 型单相电度表,其齿轮比及常数均为 2 500,则它的倍率为 2 500/2 500＝1。该表倍率为 1。使用时,可将两次抄见的读数相减,即为实际用电量(从齿轮比和常数的定义还可知道,该表计度器上具有一位小数)。

有的电度表为了扩大量程规范和消除小数位,往往在铭牌上注明"×10"、"×100"、"×1 000"等乘数,电度表的读数乘以此乘数就是实用电度数。这个乘数称作电度表的本身倍率。如果是改制的电度表,而计度器仍然用改制前的,则铭牌上需注明改制后的倍率,其含义也与上面一样。

(二)电度表经电流互感器和电压互感器接入时的倍率

电度表经电流互感器和电压互感器接入时,如果使用通用型电度表(国产的多数),即铭牌上没有注明电流、电压互感器的变比;或者电度表所接的电流、电压互感器变比与铭牌上注明的变比要求不相符时,则本身的倍率需乘以一定的系数才是电度表的计费倍率:

电度表倍率

$$= \frac{电压互感器变比×电流互感器变比×电度表本身倍率}{电压互感器铭牌变比×电流互感器铭牌变比}$$

例如,将铭牌上标示的电压互感器变比为 10 000/100,电流互感器变比为 50/5、倍率为 $100×\frac{\sqrt{3}}{2}$ 的三相无功电度表,接在电压、

电流互感器变比分别为 6 000/100 和 100/5 的电路时,则计费倍率为

$$K = \frac{6\,000/100 \times 100/5}{10\,000/100 \times 50/5} \times 100 \times \frac{\sqrt{3}}{2} = 104$$

该表在使用时,可将两次抄见的读数相减再乘以 104,即为实际的无功电量。

三、电度计算方法

(一)三相有功、无功电度计量

1.三相有功电度计量

三相交流电路的有功电能用三相有功电度表或用三只单相有功电度表来测量。

对于低压三相三线制电路,可用 DS 型系列的三相三线有功电度表来测量,其接线如图 9-19 所示。图 9-20 所示为三相三线有功电度表的相量图。从相量图看出,三相三线有功电度表的总功率为

$$P = U_{AB}I_A \cos(30° + \varphi) + U_{CB}I_C \cos(30° - \varphi)$$

在三相对称时,

$$U_{AB} = U_{CB} = U_{AC} = U, I_A = I_B = I_C = I$$

$$P = \sqrt{3}\,UI\cos\varphi$$

式中　U——线电压;

　　　I——线电流。

对于高压三相三线制电路,测量三相有功电能,常用 DS2 和 DS8 型 100V、5A 的三相三线有功电度表,与电流、电压互感器来测量。图 9-21 是用两台单相电压互感器接成 V/V-12 形接线,图 9-22 是用三台单相或一台三相电压互感器,接线为 Y/Y$_0$-12 形接线。

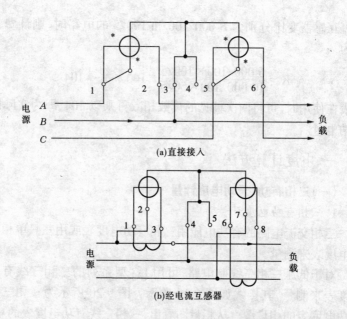

(a)直接接入

(b)经电流互感器

图 9-19　低压三相三线制有功电能计量

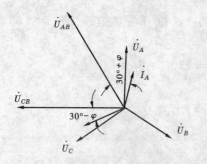

图 9-20　三相三线有功电度表的相量图

在接线时,应特别注意电压、电流互感器的极性,如果互感器的极性接反,则将造成计量不准。图中的电压、电流互感器均为减极性。若采用的互感器是加极性时,则接线应相应调整。

对于低压三相四线制电路,应选用三相四线有功电度表来计量电能,不论三相电压和电流是否对称,均能正确计量,其接线和相量图如图 9-23(a)、(b)所示。

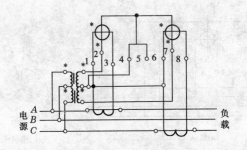

图 9-21　三相三线高压电路中有功电度表接线

（电压互感器接成 V／V-12 形）

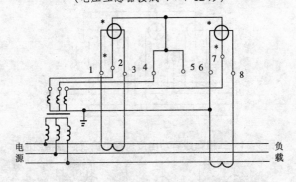

图 9-22　三相三线高压电路有功电度表接线

在负载功率较大时,则可将电度表配用电流互感器来计量电能,其接线如图 9-24 所示。

在没有三相四线有功电度表时,也可用三只单相电度表来代替,其接线如图 9-25 所示。三只单相电度表上的电度的代数和,即为三相四线电路负载所消耗的总电能。

2.三相无功电度计量

计量三相交流电路无功电能使用三相无功电度表。

对于低压三相四线制电路,常用 DX8-9 型无功电度表来计量。DX8-9 型三相四线无功电度表的接线,如图 9-26 所示。它是

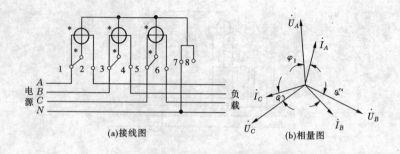

(a)接线图　　　　　　　　(b)相量图

图 9-23　三相四线有功电度表的接线

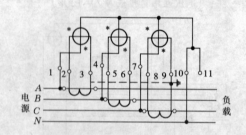

图 9-24　三相四线有功电度表配电流互感器接线图

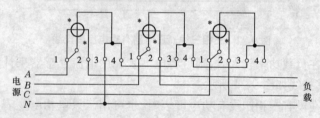

图 9-25　三只单相电度表接线

采用跨相接法,即将各组电磁元件的电压、电流分别接成 90°的相角差。其相量图如图 9-27 所示。由相量图可以看出其功率表达式为

$$Q = I_A U_{BC} \cos(90° - \varphi_A) + I_B U_{CA} \cos(90° - \varphi_B)$$

$$+ I_C U_{AB} \cos(90° - \varphi_c)$$

$$= I_A U_{BC} \sin\varphi_A + I_B U_{CA} \sin\varphi_B + I_C U_{AB} \sin\varphi_C$$

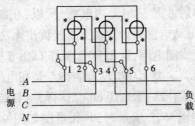

图 9-26　DX8-9 型三相四线无功电度表的接线

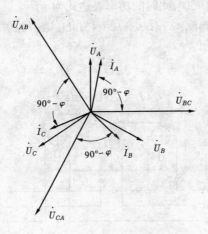

图 9-27　DX8-9 型电度表相量图

当三相电路对称时

$$U_{BC} = U_{CA} = U_{AB} = \sqrt{3} U_\varphi = U$$

$$I_A = I_B = I_C = I$$

$$Q = 3UI\sin\varphi = 3\sqrt{3} U_\varphi I \sin\varphi$$

式中　U——线电压；

U_φ——相电压;

I——线电流(等于星形接线的相电流)。

上式除以$\sqrt{3}$后才是三相无功电能,所以,在制造时已把这一因素考虑在内,可从电度表计度器上直接读出无功电量。

对于三相三线制电路,常用 DX2 型和 DX8-6 型三相无功电度表测量无功电能。这类无功电度表的特点是在电压线圈上串联电阻,使电压工作磁通滞后于电压60°。这样,当 DX2 和 DX8-6 型无功电度表接线如图 9-28 所示时,其相量图如图 9-29 所示。从相量图看出,串入电阻使电压工作磁通滞后电压60°,相当于把电压相量朝前推移了30°,此时的功率表达式为

$$Q = I_A U_{BC} \cos(60° - \varphi) + I_C U_{AC} \cos(120° - \varphi)$$

三相电路对称时

$$I_A = I_C = I, U_{AC} = U_{BC} = U$$

$$Q = \sqrt{3}\,UI\sin\varphi$$

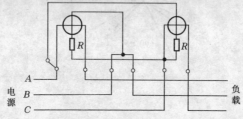

图 9-28 DX2 和 DX8-6 型无功电度表的接线图

3. 联合接线

对于大容量或高压用户,为了计算电费的需要,需装设有功电度表、无功电度表和最高需量表等。这些仪表必须装置在电流、电压互感器的二次回路中,组成联合接线。装设联合接线时,应注意以下几点:

(1)注意互感器的极性,一般用于测量电能的互感器为减极

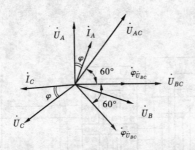

图 9-29   60°型三相无功电度表相量图

性;

(2)接在电压二次回路的各种电度表的总负载,不得超过电压互感器的额定值;二次负载电流在导线上所产生的压降不得大于额定电压的 0.5%。

(3)接在电流互感器二次回路的总负载,不得超过其额定值。

(4)在电压、电流互感器的二次回路中,应装有试验接线端钮盒,以便在带负荷情况下进行校验和更换电度表时,不影响其他仪表的正常工作和正常用电。

三相三线电路中的联合接线,如图 9-30 所示。

三相四线电路中电度表的联合接线略。

(二)最高需量电度表

最高需量电度表是用来计量三相交流电网中的最高需量与有功电能的。所谓"最高需量"是指在某一段时间内的最大平均功率。每个用户在申请用电时,必须申报其变压器容量及最大需量。供电部门根据用户的需要,设计线路和配置供电设备。如申请的需量小,而实际使用的负荷大,则将使设备过载,影响供电质量和电网内其他用户的正常用电。因此,用户与供电部门之间有必要签订供用电合同,并规定用户的最高需量。这时,电费可根据最高需量电度表的计量结果分两部分计算:一部分按需量部分是否超过合同限额进行计算;另一部分按电度计费,并结合力率奖惩办法

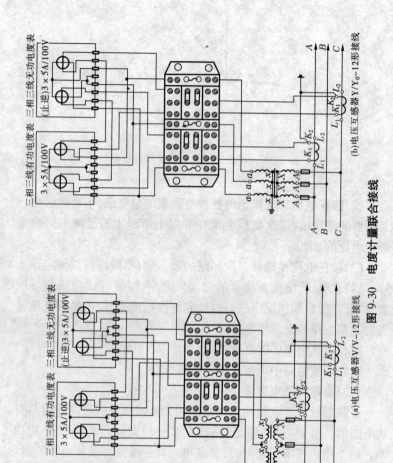

图 9-30 电度计量联合接线

(b) 电压互感器 Y/Y₀-12 形接线

(a) 电压互感器 V/V-12 形接线

计算。这种电费计算办法称为两部制电价。

由于用户的负荷在一天 24 小时之内不可能完全恒定,有高峰和低谷。若以 T 为某一段时间单位,在 T 时间内的平均功率为 $P_{平均} = \sum Pt/T$,式中的 $\sum Pt$ 为 T 时间内分段电能的总和,它由三相有功电度表测得。每个单位时间 T 内的 $P_{平均}$ 值是不同的,而最高需量电度表就是测出单位时间 T 内的最大一个 $P_{平均}$ 值;单位时间 T 越短,测得的 $P_{平均}$ 值就越接近实际最高用电负荷。

我国制造的最高需量电度表一般取 $T = 15$ 分钟,即每隔 15 分钟测量 $P_{平均}$ 值一次。一个月(以 30 天计算)内有 2 880 个 15 分钟,在许多次计量中,量出最高的需量。

最高需量电度表由精度等级较高的三相有功电度表(1.0 级以上)及电度需量指示器组成。电度需量指示器由需量指示齿轮组、推针返零装置、15 分钟时间机构等部件组成。

最高需量电度表的外部接线与普通三相有功电度表相同。当电度表转盘转动时,转盘轴上的蜗杆传动需量指示齿轮组,同时带动返零装置齿轮轴上的推针,推动需量指示针偏转,推针偏转角度正比于负荷大小。推针每 15 分钟返零一次,而出现最高需量时,推针推动需量指示针,推针返回时,指示针则停留在原位;在出现更高的平均功率时,推针又推动指针向上偏转。如测得的平均功率低于指针所指示的平均功率,则推针不推动指针偏转。在一个计量期间内(例如一个月),需量指针停留的位置(读数)乘以互感器倍率后,则为这个月的最高平均功率。供电部门在抄收电度的同时,记录每月的最高需量,然后开启封印,手动复归最高需量指针到零位,准备下一个月使用。

(三)分时计费电度表

分时计费电度表是在一般电度表的总计度器基础上,再设置两个计度器:一个用作高峰负荷时段计量电度,另一个用作低谷负荷时段计量电度。有了分时计费电度表,就能得到较多的用电情况,如高峰时段的用电量、低谷时段用电量、平常时段用电量和总用电量,便于分析用户的用电状况。此外,还便于实行时段电价,例如高峰时段电价较高,低谷时段电价较低,以鼓励用户避峰就谷用电,调整日用电负荷曲线,使电力系统负荷曲线变得比较平直,提高负荷率,充分发挥电力设备效益,降低电网的损耗,在有限设备条件下增加供给用户电量。也可结合高峰和低谷时功率因数进行奖惩,促使用户装设并联电容自动补偿装置。

分时计费电度表是由感应式电度表、脉冲信号发生器和数字式分时记度装置以及石英定时钟构成。其原理方框图见图 9-31。

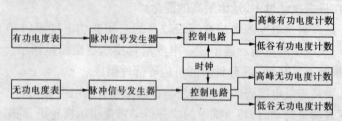

图 9-31 分时计费电度表的工作原理

分时计费电度表的外部接线与普通三相有功、无功电度表相同。有功、无功电度表的转盘每转一圈,就使电能脉冲信号发生器发生一个脉冲电压信号。这种脉冲电压信号的个数与电度表转数成正比,即与所计量的电能成正比。由时钟分别在负荷高峰和低谷时打开控制电路相应的回路,使有功、无功电能在高峰、低谷时段分别计数。

(四)电力定量器

电力定量器是电业部门用来对电力使用情况进行监控的仪器。当用户使用电力负荷超过计划指标或消耗电能达到计划指标时,定量器发出警报信号并经过一定时间跳闸切除电源。这样,给用户装上电力定量器,可促使用户合理地分配和调整用电负荷,按计划指标用电。

目前,普遍使用的是 DSK1 系列的综合控制型电力定量器(型号中,D 代表"电力"、S 代表"三相"、K 代表"控制")。DSK1 型电力定量器是由三相三线有功电度表、电能计数机构、无触点信号发生器、晶体管逻辑线路及钟控机构等部件组成。DSK1 型电力定量器由电量控制和功率控制两部分组成。

1. 电量控制工作过程

电力定量器在每日的电量报警和跳闸的数据,是根据实际允许用电量及电力定量器所接的电压、电流互感器变比计算后,由人工整定的。将定值针整定到确定位置之后,只要电力定量器投入使用,就开始计数。

随着时间的延长,用电量逐渐累积,电度表的齿轮机构传递带动电量指针偏转,指示出已用的电能量。当指针偏转到与电量报警定值针位置重合时,指针下面的磁铁启动定值针内的干簧继电器,使其触点闭合,接通报警信号回路,发出灯光和音响信号,向用电户报告当日用电量已使用到报警数值。若用电量积累数值继续增大,电量指针继续上升。当电量指针上升到与跳闸定值针重合时,跳闸定值针内的干簧继电器启动,接通跳闸回路,切断用户电源。表明在该 24 小时的周期内,分配的用电量已使用完毕。

跳闸后,电量指针仍然停留在跳闸定值针上,干簧继电器仍保持在触点闭合状态(相当于自保持作用),用户不能自行合闸用电。只有钟控机构在每次回零点将电量指针复零后才能重新合闸供电。

2. 功率控制的工作过程

电力定量器在运行中,其内部的三相有功电度表的旋转速度反映了被测功率的大小。无触点信号发生器将电度表转盘的转速信号转换为相应频率的脉冲信号。若电力负荷小于给定功率指标时,检测器发出的脉冲间隔时间大于标准时间发生器的标准时间,延时回路不动作。当电力负荷超过给定的功率指标时,脉冲间隔时间小于标准时间,这时,首先启动延时电路Ⅰ,经1分钟后,发出警报信号,并同时启动延时电路Ⅱ。经10分钟延时后,如仍超过给定功率指标,即将用户的总开关或分路开关切断。功率控制跳闸输出,在功率控制时间退出后(或经供电部门人员手动复位解除自保持),才能送电。通常,用户使用功率在深夜(20点到次日早晨8点)不受计划指标限制,在这段时间内,钟控机构自动将警报和跳闸装置解除。

　　DSK1型电力定量器接线,如图9-32所示。用户装上电力定量器后,要定期巡回检查,注意维护。若发生误动作等异常情况,即应通知供电部门来帮助解决,以保持电力定量器的正确使用。

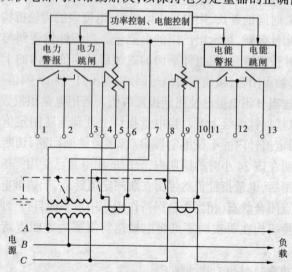

图 9-32　定量器端钮布置与安装线路图

四、电度表的安装要求

　　安装电度表有以下要求:

(1)对高压供电用户,应在高压侧装设电度计量装置;如全厂只有一台变压器且容量较小时,可装设在低压侧。

(2)计量有功电能电度表的准确等级不低于2.0级;计量无功电能电度表的准确等级不低于3.0级。所有计费用的电度表,应接在准确等级为0.5级的互感器上,且互感器二次回路负载不得超过其额定值。用户内部作为经济核算或技术分析用的电度表,可参照安装。

(3)电流和电压互感器二次线均应采用铜线。电流回路的导线截面不应小于 $2.5mm^2$;电压回路的导线截面不应小于 $1.5mm^2$。

(4)凡高压侧计量或者低压侧计量而容量在250A及以上者,均应在电压、电流回路中装有专用接线端子盒。

(5)电度表应安装在干燥、不受振动、无灰尘及无高温影响的场所,如以定型产品的开关柜(箱)内或电度表箱和配电屏上,并且要便于安装、试验和抄表。

(6)电度表的安装高度应符合:①电度表安装时,距地 $1.8\sim2.2m$;②装于立式屏和成套开关柜时,不应低于0.7m。

第十章　阅图知识

§10-1　电力系统变配电所一次接线图的阅读

变配电所的一次接线图是指变压器、断路器、隔离开关、互感器、避雷器、移相电容器和母线等电气设备，按一定顺序连接，用来汇集和分配电能的电路。

变配电所的一次接线图一般以单线图表示。某些局部图面，例如电流互感器，由于三相不尽相同，应以三线图表示。如有中性线时，在图上用虚线单独表示。一次接线图应按设备的"正常状态"画出。所谓"正常状态"就是设备处在所有电路无电压及无任何外力作用时的状态，如断路器和隔离开关都应画出它们的断开位置。否则，应在一次接线图上注明。供安装使用的一次接线图，在图上还应标出主设备的型号规格和技术参数。

一次接线图中常用设备的图形符号，如附表1所示。

一、电力设备文字符号的组成

接线图中电力设备文字符号系由基本符号、辅助符号、数字符号及附加符号四部分组成。根据电工设备及线路的特点，并在图纸上不致引起混淆的情况下，设备文字符号允许省略除基本符号以外的任何其他组成部分。

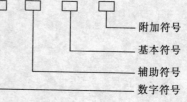

附加符号
基本符号
辅助符号
数字符号

文字符号的组成格式如下：

(1)基本符号。它用以标明电工设备的基本名称。例如，发电机 Fadianji 的"F";继电器 Jidianqi 的"J"等。

(2)辅助符号。它用以标明电工设备的作用和主要特征。例如,白(Bai)色信号灯的"B"。

(3)数字符号。它用以区分出现在图纸上的许多相同设备或相同安装单位的顺序号。例如,第 1 号变压器的"1B"。

(4)附加符号。它用以标明在同一设备中(或回路中)的某些元(部)件的附加特征。例如,放电电阻的放电一词中的"fd";或用以区别特征相同但出现在不同电工设备或线路上的元件。

二、变配电所主接线图阅读

高压变配电所担负着以电力系统受电,经变压器降压后向各车间变电所及某些高压用电设备配电的重要任务。图 10-1 所示,为工厂高压变电所的一次接线图。

从进线来看,这个配电所有两条高压电源线,一条为 35kV 架空线,另一条为 35kV 电缆线,都是经过高压断路器及其前后的高压隔离开关接至降压变压器的。这两条 35kV 电源线一般来自不同的电源。经两台变压器后把 35kV 电压降压为 10kV 电压。

再看变电所的 10kV 母线,它是采用高压隔离开关 GK 分段的单母线制。当其中任一段母线发生故障或检修时,只需一段母线停电。如果是某一进线发生故障或检修时,可以闭合分段的高压隔离开关 GK,使两段母线由一台变压器供电,保证重要用户不致停电。其缺点是在检修分段隔离开关 GK 时,两段母线都要停电(为弥补此缺点,可采用断路器分段)。为了测量、监视、保护和控制一次电路设备的需要,每段母线上都并有电压互感器,进线和出线都串有电流互感器。为了防止雷电过电压侵入配电所时击毁电气设备,因此在 35kV 架空进线和 10kV 母线上都装设了避雷器。

以变电所的出线来看,这个配电所共有 4 条 10kV 高压配电

线。有两条出线(如图 10-1 中的 $L-4$ 和 $L-5$)分别由两段 10kV

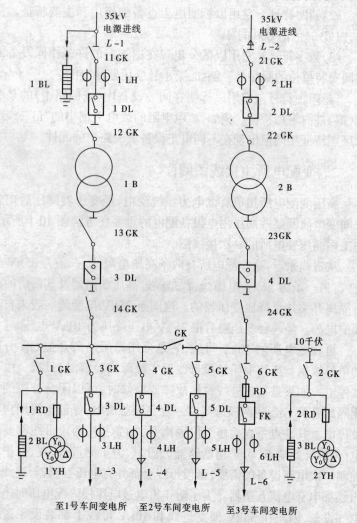

图 10-1　高压变电所一次接线图

母线经高压断路器和隔离开关供 2 号车间变电所(可以供一、二级重要负荷用电)。出线 $L-3$ 由左段母线经高压断路器和隔离开关供 1 号车间变电所。出线 $L-6$ 由右段母线经高压负荷开并和隔离开关供 3 号车间变电所。

上述变电所有两条电源线,所以有可能两端来电,其断路器两侧要求都装设隔离开关,以便检修断路器时隔离两侧电源。上述变电所的四条 10kV 出线,只可能一端来电,则只在高压断路器或高压熔断器的电源侧装设一组高压隔离开关。

变电所一次接线图上的触点一般都按无电压、无外力作用的正常状态绘出。当图形是垂直放置时,其触点方向为从左向右;当图形是水平放置时,其触点方向为从上向下。图 10-1 上的各种开关在正常状态下都是断开的,所以垂直绘制开关,动刀闸在静触头的左边,而且是断开的;水平绘制的开关,动刀闸在静触点的上边,也是断开的。

§10-2 电力系统变配电所二次接线图的阅读

绘制二次回路图的目的,在于用国家规定的电气系统图形符号和相应的文字符号,表示出继电保护、测量仪器、控制、信号及自动装置等二次设备的互相连接,说明二次回路的工作原理。

二次回路图可分为原理图、展开图、屏面布置图和安装图四种。

一、变配电所二次回路原理图的阅读

原理图是表示二次回路构成原理的最基本的图纸,如图 10-2 所示,在图上所有的二次设备以整体的图形表示并和一次设备画在一起,使整套装置的构成有一个整体观念,清楚地了解到各设备间的电气联系和动作原理。

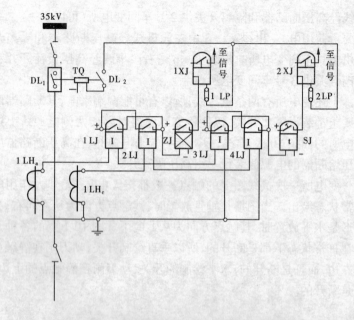

图 10-2 输电线路速断和定时过流保护的原理图

图 10-2 是按照国家标准绘出的输电线路速断和定时过流保护装置的原理图,图中的设备图形参见附表 2。由图 10-2 可见,整个保护装置采用不完全星形接线方式,第一段电流速断由电流继电器 1LJ、2LJ,中间继电器 ZJ 和信号继电器 1XJ 组成;第二段过电流保护由电流继电器 3LJ、4LJ,时间继电器 SJ 和信号继电器 2XJ 组成。其任何一段保护动作均能使断路器跳闸,相应的信号继电器 1XJ、2XJ 有掉牌指示,并发出灯光和音响信号。连接片 1LP、2LP 供选择"投入"或"退出"各段保护用的。当系统发生相间短路时,短路电流流过 1LH$_a$ 或 1LH$_c$,若短路电流大于速断保护的起动值时,则电流速断和过电流两套保护均起动,但后者有继电器 SJ 延时。由原理图可简明地看出各元件的动作顺序和电流途径为:

(1)速断保护起动顺序和电流途径。"＋"→1LJ(2LJ)常开接点→ZJ 线圈→"－";"＋"→ZJ 常开接点→1XJ 线圈→1LP→DL₁→TQ→"－",断路器跳闸。

(2)过电流保护起动顺序和电流途径。"＋"→3LJ(4LJ)常开接点→SJ 线圈→"－";"＋"→SJ 延时常开接点→2XJ 线圈→2LP→DL₁→TQ→"－",断路器跳闸。

原理图存在的不足之处是,对于二次接线的某些细节的表示不够全面,不表示元件的内部接线,没有元件的端子号码和回路标号,导线的表示也仅是一部分,并且只表示出直流电源的极性等。由于原理图存在以上问题,在二次回路比较复杂时,阅图就比较困难,缺陷和错误也不易发现和寻找。因此,工程上广泛采用另一种表示方法,即展开图。

二、变配电所二次展开图的阅读

(一)二次展开图的特点

(1)把二次回路按其用途分成:①测量仪表回路;②继电保护和自动装置回路;③断路器控制和信号回路;④操作电源回路。

(2)将同一设备的线圈和接点分别画在所属的回路上。属于同一回路的线圈和接点,按电流通过的顺序从左到右排列成行,行与行之间也按动作先后的顺序由上往下排列。读图时,整个展开图从上而下,各行从左向右阅读。并在展开图的右侧用文字说明回路的用途,以便于阅读。

(3)展开图中各设备分成线圈、接点等部件。凡是属于同一个二次设备的所有部件都标以同一个文字符号。例如电流继电器LJ,其线圈标以 LJ,接点也标以 LJ。当一个展开图上同样设备不止一个时,在文字符号前还需加上数字序号,如 2LJ、3LJ…… 国家规定的二次设备展开图的图形符号和文字符号可查附表 3、附表 4 和附表 5。

（4）展开图上所有设备的接点位置，都按"正常状态"绘出，即按设备在不带电、不受外力作用下的接点位置绘出。

（5）在展开图上为了表示回路的性质和用途，对回路都进行标号（附表6为国家规定的交直流回路的数字标号）。

（二）二次展开图的阅读

（1）首先了解各种控制电器和继电保护的简单结构及动作原理。图10-3所示为图10-2的展开图。在图10-3（b）中各电流互感器次级线圈的电流回路中，接入相应的电流继电器1LJ、2LJ、3LJ和4LJ的线圈。图10-3（c）为直流回路，直流电源由控制电源小母线＋KM、－KM，经熔断器1RD、2RD引下，所有回路的接线在控制电源的正、负极间分成一系列独立的水平段（称"行"）。其动作顺序是从左到右，从上到下，如3LJ和4LJ动作，它们的常开接点闭合，接通SJ线圈；经一定的延时，SJ常开接点闭合，从而接通了跳闸线圈TQ的133回路，使断路器DL跳闸。在图10-3（d）信号回路中，由"掉牌未复归"的光字牌小母线＋FM和PM引下，在2XJ或1XJ动作后，其相应的接点闭合，发出"掉牌未复归"的信号。

（2）展开图中各设备都用国家统一规定的标准图形符号和文字标号表示。了解电路图中所用设备的图形符号及文字标号代表的意义很重要。附表3和附表5为一些二次展开图中常见设备的图形符号和文字符号，希能熟记。

（3）图上所示继电器接点和电气设备辅助接点的位置都是"正常状态"，即继电器线圈内没有电流、断路器没有动作时所处的状态。因此，所谓常开接点，就是继电器在未通电时，其接点是打开的；而所谓常闭接点，就是继电器在未通电时，其接点是闭合的。另外要注意，有的接点具有延时的性能，如DS型时间继电器、DZS型中间继电器，它们动作时其接点要经过一段时间（一般不超过几秒）才闭合或断开，这种接点符号与一般瞬时动作的接点符号是有

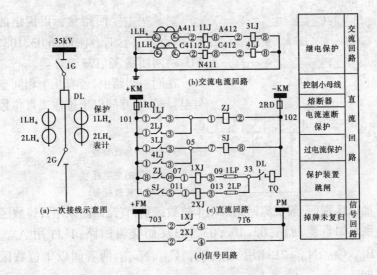

图10-3　35千伏输电线路保护装置的展开图

区别的,读图时要特别注意。

(三)变配电所展开图上的二次回路标号

在展开图(如图10-3)中,对各条回路都进行标号。标号的目的是:①便于了解该回路的用途和性质;②根据标号能进行正确的连接,以便于安装、施工和运行、检修。

对回路标号的要求是简单、易记、通俗、清晰,通常用的回路标号是根据国家标准拟制的。

回路标号的原则如下:

(1)一般回路标号用二位或三位数字组成。附表6为直流回路标号组。交流回路要标明回路的相别,可在数字标号的前面增注文字标号。

回路标号方法:

小母线标号方法:

详细的小母线文字标号见附表7。

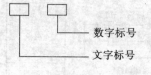

数字标号

文字标号

对某些主要回路常标以固定的数字标号。例如,合闸回路 03、103、203;跳闸回路 33、133、233 等。

在同一回路中,若有几个相同型号电器时,相互间以十位数或百位数

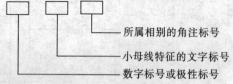

所属相别的角注标号

小母线特征的文字标号

数字标号或极性标号

加以区别(一般交流回路采用十位数区别,直流回路采用百位数区别。如直流回路:02、102;03、103);如交流回路:1LH 用 A_{411}、B_{411}、C_{411}、N_{411};2LH 用 A_{421}、B_{421}、C_{421}、N_{421}。两者间以十位数区别。

(2)按"等电位"原则进行标号,即连于一点上的所有导线(包括接触连接的可拆卸线段),标以相同的标号。

(3)同一条回路中若需标号时,都以主要降压元件(如线圈、接点或电阻、电容等)为分界,可由左向右标不同的标号。但一般习惯只在用控制电缆引出屏外时,才对回路进行编号。

工程上除绘出各安装单位的安装接线图外,还需标出各安装单位之间的电缆联系图(如图 10-4)。

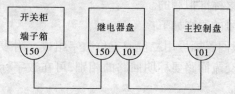

图 10-4　各安装单位间电缆联系图

电缆标号的组成格式:

电缆去向的数字部分划分为下列数字组:01～099 为电力电

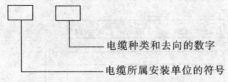

电缆种类和去向的数字

电缆所属安装单位的符号

缆;100~199 为控制电缆;111~115 为主控制室到 6~10kV 配电装置间联络电缆;116~120 为主控制室到 35kV 配电装置联络电缆;121~125 为主控制室到 110kV 配电装置间联络电缆;126~129 为主控制室到变压器间联络电缆;130~149 为主控制室内屏间联络电缆;150~199 为其他各处的控制电缆。

若同一回路的若干并联电缆采用同一标号,则在每根电缆的标号后应加角注符号,如 a、b、c、d 等。

三、屏面布置图的阅读

屏面布置图表明在控制屏和继电保护屏上所装设的二次设备的排列位置及互相间的距离尺寸。这种图都按一定的比例画出,并标明尺寸。它是二次设备在屏上安装时尺寸大小和安装位置的依据,如图 10-5 所示。图中,设备上应标明设备符号,具体的标法与本节图 10-7 相同。二次设备在屏上的布置应力求整齐、操作方便、符合接线顺序,以节约导线和避免迂回接线。

四、安装接线图的阅读

安装接线图表明屏上各二次设备的内部接线及二次设备相互间的接线,如图 10-6 所示为 10kV 线路定时过流保护二次回路接线图的安装接线图。阅读安装接线图时,应掌握以下几点。

(一)安装接线图的特点

(1)安装接线图上各二次设备的尺寸和位置,不要求按比例,但都应和实际的安装位置相同。由于二次设备都安装在屏的正面,而其接线在屏后进行,所以,安装接线图为屏的背视接线图。

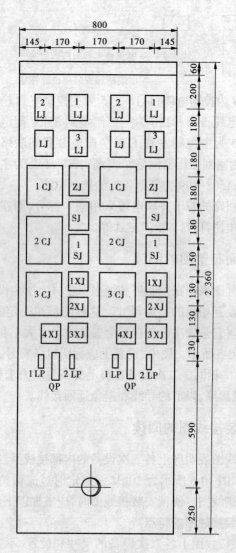

图 10-5　屏面布置图

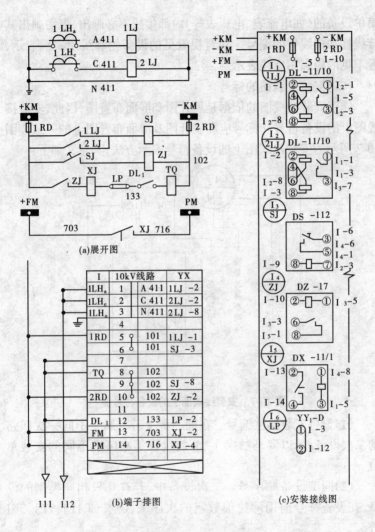

图 10-6 10kV 输电线路定时过流保护安装接线图

(2)安装接线图上设备的外形都与实际形状相符。对于复杂二次设备(如继电器、功率表、电度表等),必须要画出其内部接线。

简单设备的(如电流表、电压表等)内部接线不必画出,但需画出其接线柱和接线柱的编号。对背视看见的设备轮廓线用实线表示,看不见的轮廓用虚线表示。

(二)安装接线图的标号

阅读安装接线图的依据是展开图和屏面布置图,因此,安装接线图上的设备符号和标号应和展开图及屏面布置图上的一致。图10-7所示为安装接线图上的设备符号表示方法,其意义如下:

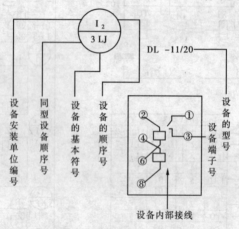

图 10-7　安装接线图上的设备符号图

(1)设备安装单位编号。在同一屏上若有属于不同一次回路的二次设备,标以罗马数字Ⅰ、Ⅱ、Ⅲ、Ⅳ等来区别不同的安装单位。

(2)同型设备顺序号。二次设备中,若有几只相同类型的设备,在设备符号前用阿拉伯数字的次序来区别,如 1LJ、2LJ、3LJ等。

(3)设备顺序号。用阿拉伯数字,对同一安装单位所有设备,按其屏上位置,从左到右、从上到下的次序给每一个设备编号。

在安装接线图上,设备标号以圆圈表示在设备图形的左上角。

在设备图形的上方,写明设备的型号。

(三)接线端子排的编号

屏内的二次设备与屏外二次回路的连接,同一屏上各安装单位之间的连接,屏面设备与屏顶设备的连接须按需要通过各种形式的接线端子。许多端子组合在一起构成端子排。

在安装接线图上,端子排一般采用四格的表示方法。图10-8所示为屏的右侧端子排的表示方法(如为左侧的端子排,可将图10-8翻转180°表示)。

从左至右每格的表示含义为:

第一格:表示屏内设备的文字符号及其接线柱号。

第二格:表示接线端子的序号和形式。

第三格:表示安装单位的回路编号。

第四格:表示屏外或屏顶引入设备的符号及其接线柱号。

端子排的排列和位置应与屏内设备相对应。端子形式的选用:若为一般交流电流回路应采用试验端子;预告和信号回路及其他需要断开的回路应采用特殊端子。每侧装设的端子数目不得超过135个,端子排按交流电流、交流电压、信号、控制等回路自上而下的顺序成组地分开,每组预留一定数量的备用端子,每个端子的接线螺钉只接一根导线。当导线多时,用连接型端子并头或分头;对正、负电源之间需用一个空端子隔开,以免正、负电源间误碰发生短路。

(四)连接导线的标号——相对标号法

在安装接线图上屏内设备之间及设备与互感器或小母线之间的导线连接,如果按实际线路一一绘出,将使安装接线图显得十分繁杂,不便辨认。所以,目前安装接线图中不直接绘出连接线,而是采用相对标号法进行标号,例如图10-9中有功表I_5的接线柱5,应通过连接线与无功表I_6的接线柱4连接,于是I_5的接线柱5处标以对方I_6的接头标号I_6-4;而在I_6的接线柱4处则标以I_5的

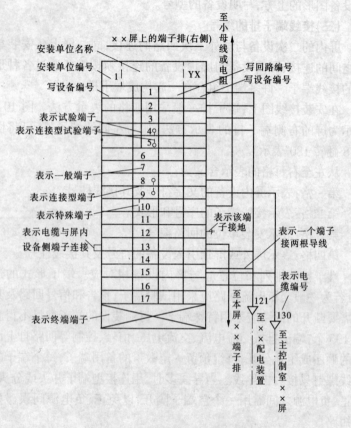

图 10-8 端子排的表示方法

接头,标号 I_5-5。因此,安装接线图中,由编写的标号,可以清楚地找到需连接的接线端子。在屏上实际安装时,相对标号的数字写在特制的塑料套箍上,然后套在连接线的两端,以便在运行和检修时帮助查找设备。

在端子排上所示的回路标号应与展开图上的回路标号完全一致。

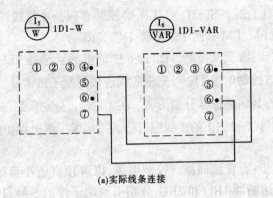

(a)实际线条连接

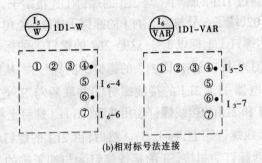

(b)相对标号法连接

图 10-9　屏内元件间接线方法

(五)安装接线图的阅读方法和步骤

在掌握了二次展开图的阅读方法和安装接线图的绘制原则后,就可进行安装接线图的阅读。如图 10-6 所示的 10kV 输电线路定时过流保护安装接线图的阅读方法如下:

阅读安装接线图时,应对照展开图,根据展开图阅读顺序,全图从上到下,每行从左到右进行,导线的连接应用相对标号法来表示。

第一步:对照展开图了解有哪些设备组成。从安装接线图中左上方的设备符号可了解到,此图为 1 号安装单位,屏上装有六个

设备,即 1LJ、2LJ、SJ、ZJ,XJ、LP,屏顶装有四条小母线,即 + KM、
- KM、+ FM、PM 和两个熔断器 1RD、2RD。

第二步:看交流回路。图 10-6 中的电流互感器 $1LH_a$、$1LH_c$、
$2LH_0$ 通过控制电缆 112 号三根芯线连接到端子排 1 号、2 号、3 号
试验端子,其回路标号分别为 A_{411}、C_{411}、N_{411},分别接到屏上的 1LJ
的接线螺针②和 2LJ 的接线螺钉②、⑧,构成了继电保护的交流回
路。

第三步:看直流回路。控制电源,以屏顶直流小母线 + KM,
- KM 经熔断器 1RD 和 2RD,分别引到端子排的 5 号、10 号连接
在屏幕上,通过 1LJ 的螺钉①与 2LJ 的螺钉①连接端子,其回路编
号为 101,102,端子 5 号与屏上 1LJ 的螺钉①连接,在 10-6 图上可
看到 1LJ 的螺钉①上标以 I_2-1(这是 2LJ 的螺钉①的标号),而在
2LJ 的螺钉①上标以 I_1-1(即 1LJ 的螺钉①的标号)。从展开图上
看,电流继电器 1LJ、2LJ 的接线螺钉③并联后与 SJ 连接,即图
10-6中,1LJ 和 2LJ 的接线螺钉③相并联(在 1LJ 螺钉上标为 I_2-3,
在 2LJ 的接线螺钉③上,标 I_1-3)。然后,由 2LJ 的螺钉③标 I_3-7
与 SJ 的接线螺钉⑦相接,SJ 的接线螺钉⑧与端子排的 9 号端子
连接,8 号、9 号、10 号为连接型端子,所以 SJ 的⑧接线螺钉,接通
了 - KM。

端子排的 5 号、6 号端子为连接型端子,由 6 号端子与屏上的
SJ 的螺钉③连接,并通过此螺钉与 ZJ 的螺钉⑥连接,ZJ 的螺钉②
与端子排 10 号端子相连,即使 ZJ 线圈接通了负电源。

ZJ 的螺钉⑥的 SJ 的螺钉③相连得正电源,ZJ 的螺钉⑧与 XJ
的螺钉①连接。

XJ 的螺钉③与连接片的①,连接片的螺钉②与端子排的 12
号端子,回路编号为 133,经 111 号电缆引至断路器辅助接点
1DL,8 号端子经 111 号电缆引至跳闸线圈 TQ,使 TQ 得负电源。

以上接线构成了继电保护的直流回路。

第四步：看信号回路。从屏顶小母线＋FM（辅助小母线）和 PM（光字牌小母线）引到端子排的 13 号、14 号端子，其回路编号为 703、716，该两端子分别在屏上 XJ 的接线螺钉②、④连接，构成了信号回路。

附表1　　　　　　一次接线图中常用设备的图形符号

序号	名　　称	单线图形符号	多线图形符号
1	有铁芯的单相双圈变压器		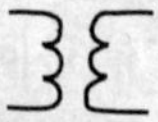
2	Y_0/△连接的有铁芯三相双圈变压器		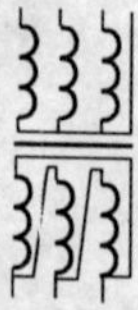
3	Y_0/Y/△连接的有铁芯三相三圈变压器	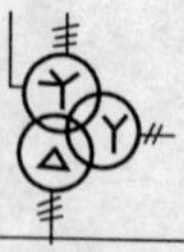	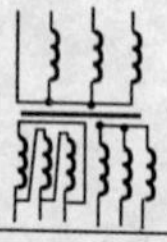
4	星形连接的有铁芯的三相自耦变压器		
5	接地消弧线圈		
6	电感线圈		
7	单次级线圈的电流互感器	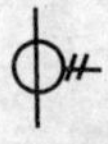	

序号	名　　　称	单线图形符号	多线图形符号
8	双次级线圈弧电流互感器(有共同的铁芯)		
9	三级高压断路器 (1)简化	(1)	
10	三级高压隔离开关 (1)简化	(1)	
11	电抗器		
12	分裂电抗器		
13	隔离开关—熔断器		
14	管型避雷器		
15	阀型避雷器		

附表 2   **二次原理图中常用设备的图形符号**

序号	名称	图形符号	序号	名称	图形符号
1	电流继电器		10	电流互感器	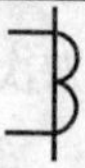
2	电压继电器		11	电压互感器	
3	时间继电器		12	电流表	
4	中间继电器		13	电压表	
5	有掉牌、手动复归的信号继电器		14	断路器跳闸线圈	
6	瓦斯继电器		15	合闸接触器	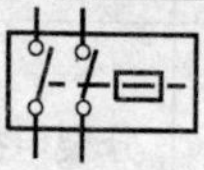
7	差动继电器		16	连接片和切换片	
8	反时限电流继电器		17	熔断器	
9	双自保中间继电器		18	直流蓄电池组	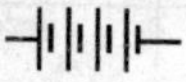

序　号	名　　称	图形符号
1	继电器接点 (1)动合常开接点 (2)动断常闭接点 (3)切换接点	(1) (2)
2	带时限的继电器接点 (1)延时闭合的常开接点 (2)延时打开的常开接点 (3)延时闭合的常闭接点 (4)延时打开的常闭接点	(1) (2) (3) (4)
3	信号继电器的保持接点 (1)常开接点 (2)常闭接点	(1) (2)
4	断路器辅助开关的接点 (1)常开接点 (2)常闭接点	(1) (2)
5	非电继电器接点 (1)一般符号 (2)温度继电器的常开接点	(1)　　或 (2)
6	带灭弧装置的接点 (1)常开接点 (2)常闭接点	(1) (2)
7	继电器、接触器和磁力起动器的线圈 (1)线圈的一般符号 (2)电流线圈 (3)电压线圈	(1) (2) (3)

序　号	名　　　称	图形符号
8	双自保的中间继电器线圈	
9	带时限的电磁继电器线圈 (1)缓吸线圈 (2)缓放线圈	
10	差动继电器的线圈	或
11	熔断器	
12	接钮触点 (1)常开接点 (2)常闭接点	(1) (2)
13	电　阻	

续附表3

序　号	名　　　称	图形符号
14	电　容	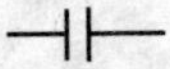
15	电　铃	
16	蜂鸣器	
17	指示灯	
18	光字牌	
19	试验端子	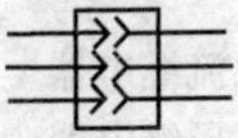

附表4　　　　一次接线图中常用设备的文字符号

序号	设备名称	文字符号	序号	设备名称	文字符号
1	发电机	F	16	电容器	C
2	电动机	D	17	电抗器	DK
3	励磁机	L	18	整流器	Z
4	调相机	TT	19	线圈(绕组)	Q
5	变压器	B	20	消弧线圈	XQ
6	电流互感器	LH	21	开　关	K
7	电压互感器	YH	22	隔离开关	G
8	断路器	DL	23	自动空气断路器	ZKD
9	熔断器	RD	24	组合开关	KZ
10	接触器	C	25	蓄电池	XDC
11	起动器	Q	26	避雷器	BL
12	控制器	KZ	27	母　线	M
13	调节器	T	28	按　钮	AN
14	电阻器	R	29	灯	D
15	电感器	L			

序号	设备名称	文字符号	序号	设备名称	文字符号
测　量　表　计					
1	电流表	A	7	同期表(整步表)	S
2	电压表	V	8	功率因数表	$\cos\varphi$
3	有功功率表	W	9	温度表	T
4	无功功率表	var	10	有功电度表	Wh
5	有功—无功功率表	$\dfrac{W}{\text{var}}$	11	无功电度表	VARh
6	频率表	HZ			
继　电　器					
1	电流继电器	LJ	6	热继电器(热元件)	RJ
2	电压继电器	YJ	7	温度继电器	WJ
3	时间继电器	SJ	8	接地继电器	LDJ
4	差动继电器	CJ	9	自动重合闸装置	ZCH
5	功率继电器	GJ	10	瓦斯继电器	WSJ
继　电　器					
11	信号监察继电器	XJJ	22	预告信号中间继电器	YXJ
12	同步检查继电器	TJJ	23	指挥信号中间继电器	ZXJ
13	保护出口中间继电器	BCJ	24	监察继电器	JJ
14	加速继电器	JSJ	25	差动回路监察继电器	CJJ
15	合闸继电器	HJ	26	信号继电器	XJ
16	跳闸继电器	TJ	27	闭锁继电器	BSJ
17	中间继电器	ZJ	28	信号脉冲继电器	XMJ
18	合闸位置继电器	HWJ	29	正序电压继电器	ZYJ
19	跳闸位置继电器	TWJ	30	负序电压继电器	FYJ
20	电压中间继电器	YZJ	31	负序电流继电器	FLJ
21	事故信号中间继电器	SXJ			

序号	设备名称	文字符号	序号	设备名称	文字符号
信 号 设 备					
1	绿色信号灯具	LD	6	光字牌	GP
2	红色信号灯具	HD	7	位置指示器	WS
3	白色信号灯具	BD	8	蜂鸣器	FM
4	黄色信号灯具	UD	9	警 铃	JL
5	信号灯具	XD			
按 钮					
1	合闸按钮	HA	8	紧急停机按钮	JTA
2	跳闸按钮	TA	9	中央音响信号解除按钮	YJA
3	起动按钮	QA	10	中央灯光信号解除按钮	DXA
4	复归按钮	FA	11	信号按钮	XA
5	自保持按钮	BA	12	事故信号按钮	SXA
6	指挥信号按钮	ZXA	13	解除信号按钮	JXA
7	事故按钮	SA	14	试验按钮	YA
开 关					
1	灭磁开关	MK	6	手动同期转换开关	STK
2	控制开关	KK	7	试验转换开关	SK
3	转换开关	ZK	8	闭锁开关	BK
4	测量转换开关	CK	9	联动开关	LK
5	同期转换开关	TK	10	刀开关	DK
其 他					
1	熔断器	RD	10	跳闸线圈	TQ
2	穿击保险器	JRD	11	励磁线圈	LQ
3	合闸接触器	HC	12	附加电阻	R_t
4	分流器	FL	13	调整电阻	R_f
5	分压器	FY	14	测温电阻	R_w
6	高次谐波滤过器	GBL	15	连 接 片	LP
7	滤波电容器	C_L	16	连 接 板	LJB
8	电位器	W	17	切 换 片	QP
9	合闸线圈	HQ	18	试 验 盒	SH

附表 6   直流回路的数字标号组

回路名称	数 字 标 号 组			
	I	II	III	IV
"+"电源回路	1	101	201	301
"－"电源回路	2	102	202	302
合闸回路	3~31	103~131	203~231	303~331
跳闸回路	33~49	133~149	233~249	333~349
备用电源自动合闸回路	50~69	150~169	250~269	350~369
开关器具的信号回路	70~89	170~189	270~289	370~389
事故跳闸音响信号回路	90~99	190~199	290~299	390~399
保护及自动重合闸回路	01~099			
信号及其他回路	701~999			

附表 7   各种小母线回路的字母代号

序号	小 母 线 名 称	字 母 代 号
1	电流互感器回路	LH_a、LH_b、LH_c、LH_0
2	电压互感器回路	YH_a、YH_b、YH_c、YH_0
3	电压互感器开口三角侧回路	YH_L
4	电压小母线	YM_a、YM_b、YM_c
5	直流控制回路电源小母线	＋KM、－KM
6	直流信号回路电源小母线	＋XM、－XM
7	直流合闸回路电源小母线	＋HM、－HM
8	灯光信号小母线	＋DM、－DM
9	闪光信号小母线	＋(SM)
10	事故跳闸信号小母线	SYM
11	预报信号小母线	YBM
12	指挥信号小母线	ZYM
13	辅助小母线	FM
14	隔离开关闭锁小母线	CBM
15	旁路闭锁小母线	PBM

第十一章　电力系统

§11-1　电力系统组成

电力系统是由发电厂、升压和降压变电所、输电和配电网络及电能用户所组成的具有复杂联系的统一整体。

一、发电厂

(一)火电厂

火电厂包括凝汽式和供热式。它利用燃料(煤、石油、天然气)燃烧产生热能,其主要设备有锅炉、汽轮机、发电机。燃料燃烧产生的热能将锅炉内的水加热成高温高压蒸气;蒸气经管道送入汽轮机推动其旋转,汽轮机与发电机转子相连接,同轴转动;发电机转子具有恒定的磁场,旋转的转子使发电机的定子线圈切割磁力线,在线圈中产生感应电势,发电机接上负载就会有电能输出。这就是火电厂利用燃料的化学能转换为电能的简单生产过程。

(二)水力发电厂

水力发电厂是利用拦河坝抬高水的位能,经引水渠道将水送入水轮机室,推动水轮机旋转,水轮机与发电机转子连接,发电机转子具有恒定的磁场,发电机定子线圈切割磁力线,在线圈中产生感应电势。这就是水力发电厂利用水的位能转换为电能的简单生产过程。

(三)核电厂

核电厂是利用核裂变能转换为热能,再按火力发电厂的发电方式来发电的。

另外,还有其他类型的发电厂,主要是所利用的一次能源的不同。目前,接入电力系统的发电厂主要是火力发电厂和水力发电厂。还有一些重要的大厂矿企业建设自备专用电厂作为自备电源(一般为小型汽轮发电机组)。这种发电厂的生产经济性差,一般为本企业的热负荷需要而定发电机出力或作为企业的保安电源。

发电厂是电力系统的中心环节,保证发电厂安全经济运行和防止遭受严重破坏,对电力系统的稳定运行和对用户不间断供电起着决定性作用。目前的电力系统中,大容量发电机组所占的比重不断增加,而故障率也在提高。因此,要对发电机采取较为完善的保护方案,最大限度地保证电力系统安全运行。

二、变电所

在电力系统中,变电所是接受电能、变换电压和分配电能的场所,是联系发电厂和电能用户的中间环节。变电所根据其所承担的任务可分为两大类:一类是升压变电所,其主要任务是将低电压变换为高电压,一般建在发电厂;另一类为降压变电所,其主要任务是将高电压变换到所需要的电压等级,根据系统规划建立在相应地点,一般靠近负荷中心。变电所通常按其在电力系统中的地位和供电范围,又可分为枢纽变电所、中间变电所、地区变电所、终端变电所等。根据变电所在电力系统中的地位,当发生事故出现全所停电时,其影响范围不同。如发生在枢纽变电所,可能导致系统中断供电,甚至出现全系统崩溃;发生在中间变电所,将会引起区域网络中断供电;发生在地区变电所,将会使该地区中断供电;发生在终端变电所,只是该变电所的用户受到损失,影响面小。

三、电力线路

升压变电所、降压变电所及配电所用导线连接起来,构成电力网。导线用以传输电能,架空导线采用钢芯铝绞线。导线一般应具备以下特性：

(1)电性能。要求导线的电阻系数小，以减少线路的电能损耗和电压降。当线路电压为110kV及以上时，应考虑电晕损耗和对外界电磁波的干扰。

(2)机械性能。导线应有足够的机械强度，以承受线路上导线的自重以及风压、冰雪和风激振动等因素引起的各种动、静负荷。

(3)耐腐蚀性能。能适应自然环境条件和一定的污秽环境，使用寿命长。

四、用电负荷

某一时刻各类用电设备消耗电功率的总和为用电负荷，单位用"kW"表示。用电负荷可作如下分类：①工业用电负荷；②农业用电负荷；③交通运输用电负荷；④生活、市政及商业用电负荷。

在电力系统中，工业是最大的电能用户，约占70%，农业用电负荷约占15%。

工业用电负荷相对集中，虽然也有一些变化因素，但总的来说是比较恒定的。

农业用电负荷用户分散，负荷密度小，各负荷点的用电量一般不大，且有很强的季节性，导致输变电设备的利用率不高。这就要求解决好电源结构及布局，变电所的配置、容量大小和合理的供电半径。

根据用电负荷的重要程度和对供电可靠性的要求，负荷可分为以下三个等级：

(1)一级负荷。中断供电，将造成人身伤亡，重大设备损坏，生产秩序长时间不能恢复，给国民经济造成重大损失，或使城市生活发生严重混乱，带来极大的政治影响。对于一级负荷，必须有两个独立的电源供电。

(2)二级负荷。中断供电，将造成设备局部破坏，生产严重下降,或生产流程紊乱,且较长时间才能恢复;或大量产品报废,造成较大经济损失。对于二级负荷应由两个电源供应。

(3)三级负荷。不属于一级和二级的负荷为三级负荷,可允许较长时间停电,通常为一个电源供电。

五、对电力系统的基本要求

(一)电能生产的特点

电能的生产与其他工业生产有着显然不同的特点。

(1)电能不能大量储存。电力系统中发电厂发出多少功率,决定于用电负荷,电能的生产和消耗几乎是同时完成的,即功率每时每刻都是平衡的。如果在生产、输送、分配和消耗任一环节的设备发生故障,都将影响到电能的生产和消耗。

(2)电力系统暂态非常短促。在电力系统中,发电机的投入、电力负荷的切除,都是在一瞬间完成的。电力系统由一种运行状态到另一种运行状态的过渡过程也非常短促。为了防止某些短暂的过渡过程对系统运行和电气设备的危害,要求能进行迅速和灵敏的调整及切换操作,这种调整和切换用手动不能够获得满意的效果,甚至是不可能的,因此必须采用各种自动装置才能顺利完成。

(3)与国民经济各部门之间及人民日常生活有极其密切的关系。电能供应不足或中断,将直接影响国民经济各部门的生产,也将影响人民的正常生活,会带来严重的损失和后果。因此,电能生产不容间断,电力系统各组成部分必须紧密联系,互相协调,安全可靠地工作。

(二)电力系统运行的基本要求

根据以上电能生产的特点,对电力系统的运行提出的基本要求是:

(1)保证供电的可靠性。供电的中断,将使生产停顿、生活混乱,甚至危及人身和设备安全,带来严重经济损失和政治影响。在任何情况下,都应该尽可能地保证电力系统安全可靠的运行。电力系统事故是由多方面因素引起的,如元件质量、人员误操作、自动装置、误动作及自然灾害等,因此,减少电力系统事故应从多方面着手。

(2)保证电能的良好质量。电能的质量指标就是电压和频率,电压的偏移量不超过 ±5%;频率偏移量不超过 ±0.5Hz,这两个指标超出允许范围,都将对用电设备带来不良后果。另外,交流电是正弦形的,应采取相应措施,控制谐波比重增加。

(3)提高电力系统运行的经济性。电力系统运行有三个主要经济指标:一是生产每度电的一次能源消耗,二是生产每度电的自用电消耗,三是输送和分配每度电在电力网中的电能损耗(线损)。提高运行经济性,就是在生产和供配某一定数量的电能时,使上述三个指标达到最小。

§11-2　电力系统额定电压

一、额定电压等级

三相功率 S、线电压 U 和线电流 I 之间的关系为 $S=\sqrt{3}\,UI$。当输送功率一定时,若提高输电电压,则输送电流减小,从而可减小导线等载流部分的截面积,使相应的投资减小。但是,随着电压的提高,对绝缘的要求亦提高,因而使线路变压器和断路器等的绝缘投资加大。综合考虑这些因素,对一定输送功率和输送距离而言,应有一最合理的输送电压。从理论上讲,要得到这样一个电压,通过变压器是没有困难的。但是,从设备的制造和使用上考虑,为了使电气设备标准化、系列化和通用化,输电电压根据以上要求任意确定,或选用的电压等级过多,则会有很多不便。根据以上理由,国家统一规定了电力系统额定电压等级,即 0.38/0.22、3、6、10、35、60、110、220、330、500kV。国家还规定了各种电气设备的额定电压等级,如表 11-1 所示。

表 11-1   额定电压等级

类别	电力网和用电设备额定电压	发电机额定电压	电力变压器额定电压	
			一次绕组	二次绕组
低压 (V)	220/127	230	220/127	230/133
	380/220	400	380/220	400/230
	660/380	690	660/380	690/400
高压 (kV)	3	3.15	3 及 3.15	3.15 及 3.3
	6	6.3	6 及 6.3	6.3 及 6.6
	10	10.5	10 及 10.5	10.5 及 11
	—	13.8,15.75,18,20	13.8,15.75,18,20	—
	35	—	35	38.5
	63	—	63	69
	110	—	110	121
	220	—	220	242
	330	—	330	363
	500	—	500	550
	750	—	750	—

从表 11-1 可知,用电设备(如电动机等)的额定电压与电力系统的额定电压相同。

发电机一般接在线路始端,电能通过线路输送到用电设备上。对于一输电线路,沿线路的电压降一般允许在其额定值的 10% 左右,而用电设备允许的电压偏移又仅为其额定值的 ±5%。为了使加在用电设备上的电压不低于其额定值的 95%,所以规定发电机的额定电压为其相应的系统额定电压的 105%,即高出 5%。

升压变压器一般直接接在发电机端,因此其一次绕组额定电压与相应的发电机额定电压相同,即高于相应系统额定电压 5%。

变压器二次绕组额定电压系指空载电压,在额定负荷下其内部电压降约为5%。为使正常运行时变压器二次绕组端电压较该系统额定电压高5%,故规定二次绕组额定电压应高于相应系统的额定电压10%。对于厂用、企业用变压器,特别是兼照明负荷的配电变压器,考虑到配电线路短,变压器内部压降较小等因素,这些变压器二次绕组的额定电压可只高于系统额定电压5%。

降压变压器通常接在线路末端,相当于用电设备,故其一次侧绕组额定电压与用电设备额定电压(即系统额定电压)相同,二次侧绕组额定电压的规定与升压变压器二次绕组相同。

电力系统中同一电压等级的线路上,不同点的电压是不相同的。为了适应这种情况,使得变压器二次绕组的输出电压仍保持或接近于额定值,所以变压器通常都设有改变变压比的分接头。分接头一般设高压绕组,如有三个分接头的电压调整范围为±5%(即+5%、0、-5%)。

二、额定电压的应用范围

220kV及以上电压,多用于电力系统干线上,110kV多用于中小系统的干线和大电力网变压器二次侧;35kV多用于城市或大企业和农村输电线;10kV多用于高压配电线路(6kV只在高压电动机比重大时才考虑)。

不同电压输电线路的输送容量及输送距离,不但受到技术条件的限制(如电压降不能超过允许值),而且也受到经济条件的影响。输电线路输送功率一定时,线路电压越高,通过的电流就越小,从而可使线路选择较小截面的导线和减小线路上的电压降和功率损失,提高线路的经济性;与此同时,线路电压越高,线路投资增加,变压器和开关设备投资也增大,运行维护也较为复杂。具体线路究竟采用哪级电压,要根据实际条件进行技术经济比较才能确定。由许多输电线路组成的电力网,不能单就每回输电线路本身进行考虑,还应与电力网的整体相配合。一般各级电压输电线路的输送容量及输送距离的大致范围如表 11-2。

表 11-2　　各种额定电压等级线路的输送功率和输送距离

额定电压 U_0 (kV)	输送功率 P (kW)	输送距离 (km)
0.22	50 以下	0.15 以下
0.38	100 以下	0.6 以下
3	100～1 000	1～3
6	100～1 200	4～15
10	200～2 000	6～20
35	2 000～10 000	20～50
110	10 000～50 000	50～150
220	100 000～500 000	100～300

§11-3　电力系统短路的基本概念

电力系统正常运行方式的破坏,绝大多数是由短路引起的。

所谓短路,是指正常运行状况以外的各种相与相之间的连接。在中性点直接接地的系统中,短路还包括一相接地。因此,短路种类有:三相短路、两相短路、两相接地短路及单相接地短路(对中性点直接接地系统而言)。三相短路由于各相阻抗相同,三相对称,所以称为对称短路,其他各种短路则称为不对称短路。运行经验表明,在各种短路故障中,单相接地短路占绝大多数。三相短路虽然很少发生,但后果最为严重,又是研究其他短路的基础,所以应给予足够的重视。

电力系统短路的直接表现是系统的总阻抗减小,电压降低,电流增大。电流增大的数值,随系统容量的不同和发生短路地点的不同而异。三相短路的条件下,短路点电压降到零。

电力系统短路后发生的上述现象,可能引起一系列严重后果。具体有以下几点:

(1)短路点的电弧可能烧坏电气设备,同时强大的短路电流会使其通过的导体或电气设备的温度升高。当短路持续时间较长时,可能使它们因过热而损坏。

(2)短路电流通过导体和电气设备时,将在相间引起很大的机械应力,可能使导体或设备的结构遭到破坏。

(3)电压的大幅度下降,将使用户的正常使用受到破坏。电力系统中最主要的负荷是异步电动机,其电磁转矩与端电压的平方成正比,电压下降时,电磁转矩将显著下降,甚至使电动机停转,可能会造成产品报废或损坏设备等。

(4)短路可能使并列运行的发电厂失去同步,破坏系统的稳定运行,引起大片地区的停电。

(5)不对称接地短路可能干扰邻近的通讯线路、铁路信号系统等,严重时可危及设备和人身安全。

由此可见,发生短路后,必须快速消除故障,立即将故障元件或地点快速地和其他部分隔离,以中断短路电流,将短路的危害减小到最低限。

发生短路的原因,主要是电气设备载流部分或载流导体的绝缘遭到破坏。绝缘破坏的原因可以是自然灾害(如雷电、暴风雨等),也可以是绝缘材料陈旧老化,设备维护不周或机械损伤等引起的。此外,设计、安装工作的缺陷,工作人员误操作或动物跨越裸露的载流部分也可能引起短路。

短路故障是不可避免的。但是,只要我们严格地、科学地做好设计、安装、运行、维护和检修等各方面工作,就可以减少或避免短路故障。

§11-4 电力系统中性点运行方式

电力系统中性点指系统中星形连接的发电机和变压器的中性点。但此中性点运行方式的确定是一个复杂的综合性问题,它与系统的运行、投资、接地保护方式、对通讯线路的干扰以及电压等级等诸多因素有关。

中性点运行方式主要可分为两类。一类是中性点不接地和经消弧线圈接地的系统,称为小接地电流系统;另一类是中性点直接接地系统,称为大接地电流系统。

一、中性点不接地系统

(一)单相接地故障现象分析

电力系统的三相导线之间和每相与地之间都存在着电容,它们均匀分布在输电线路全长和电气设备上。设三相系统正常运行时是完全对称的,并将相与地之间的分布电容集中在线路中央的电容 C 代替,如图 11-1 所示。

相与相之间的电容及它们所引起的电容电流不予考虑,因为在中性点不接地系统中发生一相接地时,相间电压不改变,所以相间电容所引起的电流也不变。

在正常工作状态下,系统各相对地电压 $\dot{U}_A$、$\dot{U}_B$ 和 $\dot{U}_C$ 是对称的,并且在数值上等于系统的相电压。中性点 N 对地的电压为零,即 $\dot{U}_N = 0$。电源各相电流 $\dot{I}_A$、$\dot{I}_B$ 和 $\dot{I}_C$ 分别等于负荷电流 $\dot{I}_{fA}$、$\dot{I}_{fB}$ 和 $\dot{I}_{fC}$ 与各相对地电容电流 $\dot{I}_{A0}$ 和 $\dot{I}_{B0}$ 和 $\dot{I}_{C0}$ 的相量和,见图 11-1(a)、(b)。由于三相完全对称,所以 $\dot{I}_{A0}$、$\dot{I}_{B0}$ 和 $\dot{I}_{C0}$ 的相量和等于零,此时地中无电容电流流通,见图 11-1(c)。若各相对地电容为 C_0,相电压 U_x,则各相对地电容电流为

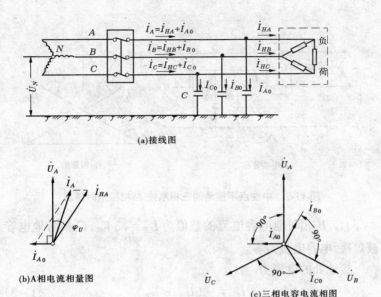

(a)接线图

(b)A相电流相量图

(c)三相电容电流相图

图 11-1 中性点不接地系统正常工作状态

$$I_{A0} = I_{B0} = I_{C0} = \omega C_0 U_x \qquad (11\text{-}1)$$

当一相完全(即金属性、直接)接地时,接地相对地电压即变为零,而没有接地的其他两相的对地电压在数值上则增大 $\sqrt{3}$ 倍,即等于系统的线电压。此时,中性点电压不再为零,其对地电压的大小等于相电压。图 11-2 示出 C 相接地时各相电压的变化。

各相对地电压为

$$\left.\begin{array}{l} \dot{U}'_A = \dot{U}_A + \dot{U}_N \\[4pt] \dot{U}'_B = \dot{U}_B + \dot{U}_N \\[4pt] \dot{U}'_C = \dot{U}_C + \dot{U}_N = 0 \end{array}\right\} \qquad (11\text{-}2)$$

由图 11-2(b)可见,$U'_A = \sqrt{3}\,U_A$,$U'_B = \sqrt{3}\,U_B$,,U'_A 和 U'_B 间的夹角为 60°。由于各相对地电压发生了变化,所以各相对地电容电流也发生了变化。此时,A 相对地电容电流的数值为 I_{CA}

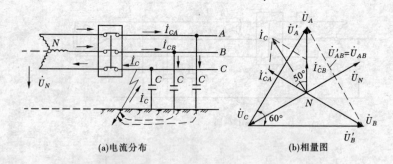

(a)电流分布　　　　　　　　(b)相量图

图 11-2　中性点不接地的三相系统 C 相接地时情况

$=\sqrt{3}I_{A0}$, B 相对地电容电流的数值为 $I_{CB}=\sqrt{3}I_{B0}$, C 相对地电容被短接,电容电流为零。

接地处的电流为

$$\dot{I}_C = -(\dot{I}_{CA} + \dot{I}_{CB}) \tag{11-3}$$

从图 11-2(b)可知, $\dot{I}_C$ 超前 $\dot{U}_N90°$。电流的大小为: $I_C = \sqrt{3}I_{CA} = \sqrt{3}I_{CB}$, 由于 $I_{CA} = I_{CB} = \sqrt{3}I_{A0} = \sqrt{3}I_{B0} = \sqrt{3}I_{C0}$, 所以

$$I_C = 3I_{C0} \tag{11-4}$$

由式(11-1)得

$$I_C = 3\omega C_0 U_x \tag{11-5}$$

即一相完全接地时,流经接地处的电流的大小是每相对地正常电容电流的三倍。

从式(11-5)可知,流经接地处电流 $\dot{I}_C$ 的数值与电网电压、频率和相对地电容有关,而电容又与线路的结构(电缆线路或架空线路)、长度以及接在该电网上的大容量机组和变压器数和容量有关。

单相接地时,线路的单相接地电容电流 I_C 可近似地用下式计算:

对架空线路

$$I_C = (2.7 \sim 3.3)Ul \times 10^3 \quad (A) \qquad (11\text{-}6)$$

式中系数,对没有架空地线的线路取 2.7,有架空地线的线路取 3.3。对于同杆塔架设的双回路,其电容电流为单回电流的 1.3 ~1.6 倍。

对电缆线路

$$I_C = 0.1Ul \quad (A) \qquad (11\text{-}7)$$

式中　U——系统的线电压(kV);

l——具有直接电连接的同一电压级线路的长度(km)。

大容量机组的单相接地电容电流由制造厂提供或通过实验取得。

变压器引起的单相接地电流即为由变电所增加的单相接地电流,通常用线路单相接地电容电流的附加比例估算,可根据表11-3确定。

表 11-3　　　　　　变电所增加的接地电容电流值

额定电压(kV)	6	10	15	35	63	110
附加值(%)	18	16	15	13	12	10

在不完全接地(即经过渡电阻)的情况下,故障相对地电压的数值将大于零而小于相电压,未故障相的对地电压的数值则大于相电压,此时,流经接地处电流数值将小于以上的计算值。

由图 11-2(b)可知,中性点不接地系统单相接地后,相间电压的数值维持不变,且仍有 120°的相角差,即

$$\dot{U}'_{AB} = \dot{U}'_A - \dot{U}'_B = \dot{U}_{AB}$$

$$\dot{U}'_{BC} = \dot{U}'_B - \dot{U}'_C = \dot{U}_{BC} \qquad (\because \dot{U}'_C = 0)$$

$$\dot{U}'_{CA} = \dot{U}'_C - \dot{U}'_A = -\dot{U}'_A = \dot{U}'_{CA}$$

因此,接在相间电压上的用电设备可以继续照常工作。

(二)单相接地对安全的威胁

当发生单相接地故障后,只允许短时间继续工作。但是如果不尽快地消除故障,它会使设备和系统的安全受到威胁,极易发生其他故障。

由于一相接地后其他两相对地电压升高,可能破坏两相中任一相对地绝缘损坏而造成两点接地短路。当单相接地电容电流达到一定数值时,可能在接地处引起不易熄灭的电弧或出现间歇电弧(即周期地熄灭与重燃的电弧)。电力系统是一个振荡回路,间歇电弧将引起系统的振荡而使系统的相对地电压升高,其数值可达$(2.5\sim3)U_x$。这种过电压可能击穿系统中绝缘薄弱部分,从而形成相间短路。单相接地电流大于 $5\sim10A$ 时,最容易引起间歇电弧。系统的电压愈高,间歇电弧引起的过电压的危险就愈大。

对于 $6\sim10kV$ 的系统,间歇电弧引起的过电压对系统绝缘的危害要小些。但是,如果单相电流过大,则产生的稳定燃烧的电弧不易自行熄灭,这样就可能烧坏电气设备或造成相间短路。因此,只有当 $I_C\leqslant30A$ 时,才采用中性点绝缘的方式运行。

对于 $35\sim60kV$ 的系统,由于间歇电弧引起的过电流对电气设备的绝缘是危险的,因此,只有 $I_C\leqslant10A$ 时,才采用中性点绝缘的方式运行。

若考虑的系统有发电机,则只有在 $I_C\leqslant5A$ 时,才可采用中性点绝缘方式运行。否则,单发电机内部发生单相接地时,电弧的高温有可能烧坏其定子铁芯。

接地点可使设备的外壳或遮栏带电,易造成人身触电事故。正常运行时,设备外壳或遮栏是不带电的,一旦某相接地后会使不带电部分与接地相同电位,当人手触及到设备外壳或遮栏时,就会触电,人身要承受接地点与人所占位置的电压,这种电压称为接触电压。

单相接地的故障点,接地电流以故障点为圆心向外扩散,在半径 20m 以内,有着不同的电位,圆心点电位最高,在 20m 左右的地方,散流电阻已近于零,也即电位趋于零。人在故障点地面上行走,两脚之间出现电位差,两脚所承受的电压为跨步电压。

接触电压和跨步电压对人体都是危险的。

二、中性点经消弧线圈接地系统

当单相接地的电容电流超过上述规定值时,为了防止电弧危害,可在系统中性点与地之间接入消弧线圈,以使接地处的电流减小到不致产生电弧。

消弧线圈是一个具有铁芯的线圈(铁芯带有空气隙),它们被放置在充满变压器油的油箱内。线圈的电阻很小,电抗很大。电抗的数值可用改变接入线圈匝数(通过分接头)或改变铁芯气隙的办法来调节。

正常运行时,在三相对称的条件下,中性点对地电压为零,因此消弧线圈中无电流通过。

一相完全接地时,如前所述,中性点对地电压的数值上升为相电压,因此消弧线圈处于相电压的作用下。此时接地处的电流等于电容电流 $\dot{I}_C$ 和通过消弧线圈的电流 $\dot{I}_L$ 的相量和,如图 11-3 所示。从图 11-2 可知,$\dot{I}_C$ 超前 $\dot{U}_N$ 90°,消弧线圈在 $\dot{U}_N$ 的作用下,$\dot{I}_L$ 滞后 $\dot{U}_N$ 90°,即 $\dot{I}_C$ 和 $\dot{I}_L$ 有 180°的相角差,所以在接地处相互抵消(补偿)。适当选择消弧线圈的电抗,可使接地处的电流变得很小或等于零,从而避免了电弧的产生。

根据电感电流对电容电流的补偿程度,可分为:

(1)完全补偿,即 $\dot{I}_C = \dot{I}_L$;

(2)欠补偿,即 $\dot{I}_C > \dot{I}_L$;

(3)过补偿,即 $\dot{I}_C < \dot{I}_L$。

三种补偿方式,完全补偿可能会引起谐振,欠补偿在切除某些

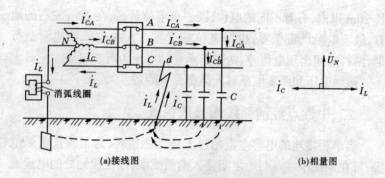

(a)接线图   (b)相量图

图 11-3 中性点经消弧线圈接地系统发生单相接地

线路时可能变为完全补偿,因此,通常采用过补偿方式。

选择消弧线圈的容量,应按过补偿方式考虑,并计及系统的发展,其容量可按下式计算。

$$S = 1.35 I_C U_x \quad (\text{kVA}) \tag{11-8}$$

式中 I_C——系统中单相接地电容电流,A;

U_x——系统的相电压,kV。

中性点经消弧线圈接地系统,与中性点不接地系统一样,允许在单相接地的情况下短时继续工作(一般不应超过两小时)。为此,亦应装设相应的保护和信号装置,以便及时发现故障,并迅速处理。消弧线圈的存在,对瞬时性单相接地故障尤其重要,因为它能使电弧自行熄灭,而不引起供电中断。在这种系统中,单相接地后未故障点相对地电压的数值亦增大 $\sqrt{3}$ 倍,所以各相对地绝缘亦须按线电压考虑。

三、中性点直接接地系统

防止间歇电弧及其引起的过电压的第二个方法是将中性点直接接地。这样,中性点电位在系统中的任何工作状态下均为零。各相对地电压不会升高,各相对地绝缘水平便可按相电压考虑。

因而降低了投资。对于电压为110kV及以上的系统,这种方法经济效果是很显著的。

当发生单相接地时,这一相便经过大地而短路,如图11-4所示。单相短路电流可达很大数值,使继电保护立即动作,将故障部分切除。

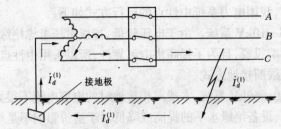

图11-4 中性点直接接地系统

由此可见,中性点直接接地系统的主要缺点是单相短路电流大(有些情况可能超过三相短路电流),并且在发生单相接地时,要中断对部分用户的供电。单相短路电流过大,可能破坏电气设备;同时可能危害通讯线路,使通讯受到干扰。

为了限制单相短路电流,通常采用的办法是,只将系统中一部分变压器的中性点直接接地,而不是全部变压器的中性点都接地。这样可使单相短路电流不超过最大三相短路电流数值。为了防止对通讯线路的干扰,大接地电流系统的输电线路,应与通讯线路保持一定的距离。

中性点直接接地系统中,为了提高供电的可靠性,广泛采用自动重合闸装置。运行经验表明,大多数的单相接地故障(尤其是架空线路的单相接地故障)是瞬时性的,在故障部分断开以后,接地处的绝缘可迅速恢复。采用自动重合闸装置以后,当发生单相短路时,在继电保护的作用下,故障部分自动断开。然后,在自动重合闸装置作用下使电路又重新接通。如果是瞬时性故障,供电便可得到恢复。

四、我国电力系统中性点的运行方式

综上所述,电力系统中性点是否接地涉及问题很多,只有综合考虑各种因素,才能得到合理解决。

目前,我国电力系统中性点的运行方式如下:

(1)6~10kV 系统。由于电压较低,接线电压考虑绝缘水平不致显著影响投资,且为了提高供电可靠性,所以采用中性点不接地或经消弧线圈接地方式。

(2)20~60kV 系统,一般一相接地时的电容电流不很大,网络不很复杂,设备绝缘水平的提高或降低对于造价影响不是很大,所以一般采用中性点经消弧线圈接地方式。

(3)对于 110kV 及以上系统,主要考虑降低设备绝缘水平,简化继电保护装置,一般均采用中性点直接接地方式。为了提高供电可靠性。一般常结合沿输电线路全长架设避雷线和装设自动重合闸装置等措施。

(4)380/220V 系统,是三相四线制系统,为适应用电设备的需要,采用中性点直接接地方式。

第十二章 电力变压器运行
及电气设备运行

§12-1 变压器的允许运行方式

一、额定运行方式

变压器在额定使用条件下,全年可以按额定容量运行。

变压器平常运行时最重要的监视指标是温度。在长时间额定负荷下运行时,变压器各部分较冷却介质的温升不应超过一定数值。由于过高的温度直接影响变压器的寿命,故从安全的角度出发,必须注意温度问题。

组成变压器的材料有金属材料和绝缘材料两大类。金属材料耐热能力比绝缘材料高,所以,绝缘材料尤其是绕组的低质绝缘材料的耐热力限制了变压器的温升值。当变压器的绝缘温度超过允许值后,每升高 8℃,其使用期限便减少一半。例如,(对 A 级绝缘)绝缘温度经常保持在 95℃ 时,其使用年限为 20 年;温度为 105℃ 时,约为 7 年;温度为 120℃ 时,约为 2 年。可见,变压器的使用年限主要决定于绝缘的运行温度,绕组温度越高绝缘损坏越快。

对于自然循环的变压器规定最高层油温为 95℃,这个数值是和绝缘(A 级)最高允许温度 105℃ 相对应的。即当规定上层油温为 95℃ 时,则绕组的最高允许温度为:周围环境气温最大值 40℃,加上油对空气的平均温升 40℃,再加上绕组对油的温升 25℃ 即 $40+40+25=105$℃。说明监视上层油温不超过 95℃,也就是相当于监视绕组的温度(A 级绝缘所能承受的温度)不超过 105℃。

绝缘油的氧化速度随温度的增高而加剧。根据实验结果,油温每升高10℃,氧化速度增加1倍。为了保护绝缘油不致过度氧化,规程里指出:对于自然循环变压器上层油温不宜超过80℃;对于强迫油循环水冷和风冷的变压器,上层油温最高不超过80℃,而正常运行时,上层油温不宜经常超过75℃为宜。油浸变压器最高上层油温可按表12-1的规定运行(以温度计测量)。

表 12-1 变压器上层油温 (单位:℃)

冷却方式	冷却介质最高温度	上层油温
自然循环、自冷、风冷	40	95
强迫油循环风冷	40	85
强迫油循环水冷	30	70

变压器外加一次电压可以较额定电压为高,但一般不得超过相应分接头电压值的5%。

不论电压分接头在任何位置,如果所加一次电压不超过其相应额定值的5%,则变压器的二次侧可得到额定电流。

无载调压变压器在额定电压±5%范围内改换分头位置运行时,其额定容量不变。如为-7.5%和-10%分头时,额定容量应相应降低2.5%和5%。

有载调压变压器各分头位置的额定容量,应遵守制造厂的规定。

二、变压器正常过负荷运行方式

变压器在正常运行时允许过负荷。这是因为变压器在一昼夜内的负荷是在不断地变化,有时是高峰,有时是低谷,在低谷时,变压器是在较低的温度下运行;其次在一年内,季节性的温度也在变化,冬季变压器周围的冷却介质的温度较低,变压器的散热条件也优于制造厂规定的数值,因此,在不损坏变压器绕组的绝缘和不降低变压器使用寿命的前提下,变压器可以在高峰负荷及冬季时过负荷运行。其允许的过负荷倍数及允许的持续时间通常按下述方法来确定。

(一)由于昼夜负荷不均匀允许的过负荷

用昼夜的平均负荷 S_p 与额定负荷 S_e 之比值,称为负荷系数(或日负荷曲线填充系数),即

$$\alpha = \frac{S_p}{S_e} \tag{12-1}$$

当变压器昼夜负荷系数 α 小于 1 时,在高峰负荷其间变压器的允许过负荷倍数及允许的持续时间按图 12-1 曲线来确定。

(二)1%规则

由于夏季变压器欠负荷运行而在冬季可以考虑变压器过负荷运行,"1%规则"规定:变压器如果在夏季(6、7、8三个月),典型日负荷曲线中的最大负荷,每低于变压器的额定容量 S_e 的 1%,则可以在冬季(12、1、2月)过负荷 1% S_p。但此项所增加的冬季过负荷最大不能超过 15% S_e。

上述两种过负荷,可以同

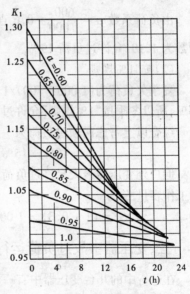

α—日负荷曲线填充系数;

t—日最大负荷持续时间,h;

K_1—变压器允许过负荷倍数

图 12-1 油浸变压器正常
过负荷倍数曲线

时考虑,但二者相加的总过负荷,油浸自冷和油浸风冷变压器不得超过 $30\% S_e$;对强迫油循环风冷强迫油循环水冷不能超过 $20\% S_e$。

全天满负荷运行的变压器不宜过负荷运行。

例 12-1 一台 1 000kVA 的自然循环油浸变压器,安装在室外,当地年平均气温为 +20℃,日负荷曲线中,日平均负荷为 600kVA,求变压器高峰负荷持续 5 小时的过负荷倍数;当夏季日高峰负荷为 700kVA 时,试求该变压器在冬季时的过负荷能力。

解 (1)考虑日负荷不均匀的影响:

由负荷系数 $\alpha = \dfrac{600}{1\,000} = 0.6$ 查图 12-1 曲线可得允许过负荷倍数为 1.19,允许过负荷 19%。

(2)按"1%规则":

夏季欠负荷为 $(1\,000 - 700)/1\,000 = 0.3$,但因最大不能超过 15%,所以冬季按"1%规则"允许过负荷 15%。

综合以上考虑两项过负荷为

$$19\% + 15\% = 34\%$$

但户外变压器最大允许过负荷为 30%,所以冬季该变压器实际工作容量 S 为

$$S = (1 + 0.3) \times 1\,000 = 1\,300(\text{kVA})$$

三、变压器事故过负荷运行方式

在运行中的几台变压器中有一台损坏,又无备用变压器,应设法保证不间断供电,即在较短的时间内,让剩余的变压器多带一些负荷以作事故时供电之用,称为事故过负荷。事故过负荷会引起变压器绕组的绝缘温度超过允许值,使绝缘的老化速度比正常工作条件下快得多,因而会缩短变压器的使用年限。但考虑到发生的机会少,以及变电所的变压器平时一般以相当大的欠负荷状态

运行,所以,短时的事故过负荷不会引起绝缘的严重损害。

油浸变压器事故过负荷的允许值,按照不同的冷却方式和环境温度,可参照表 12-2、表 12-3 的规定运行(此时应投入备用冷却器)。

表 12-2　油浸自然循环冷却变压器事故过负荷允许运行时间(小时·分)

过负荷倍数	环　境　温　度　(℃)				
	0	10	20	30	40
1.1	24.00	24.00	24.00	19.00	7.00
1.2	24.00	24.00	13.00	5.50	2.45
1.3	23.00	10.00	5.30	3.00	1.30
1.4	8.30	5.10	3.10	1.45	0.55
1.5	4.45	3.10	2.00	1.10	0.35
1.6	3.00	2.05	1.20	0.45	0.18
1.7	2.05	1.25	0.55	0.25	0.09
1.8	1.30	1.00	0.30	0.13	0.06
1.9	1.00	0.35	0.18	0.09	0.05
2.0	0.40	0.22	0.11	0.06	+

表 12-3　　　油浸强迫油循环冷却的变压器事故过负荷允许运行时间(小时·分)

过负荷倍数	环　境　温　度　(℃)				
	0	10	20	30	40
1.1	24.00	24.00	24.00	14.30	5.10
1.2	24.00	21.00	8.00	3.30	1.35
1.3	11.00	5.10	2.45	1.30	0.45
1.4	3.40	2.10	1.20	0.45	0.15
1.5	1.50	1.10	0.40	0.16	0.07
1.6	1.00	0.35	0.16	0.08	0.05
1.7	0.30	0.15	0.09	0.05	+

四、过负荷时变压器的寿命损失

前面根据变压器的运行规程,规定了"变压器额定使用条件下,全年可按额定容量进行"和"变压器的允许过负荷方式"。过负荷运行对于变压器的寿命的不利影响,可分为短期效应和长期效应两种。

(一)短期效应

(1)由于电流过大,电气上承受较高应力的区域出现了气泡,降低了绝缘强度。

(2)导体和绝缘的机械特性变坏。

(3)套管内温度升高会产生压力,导致漏油,最终损坏。

(4)油箱内因油体积受热膨胀会导致油箱漏油或损坏。

(5)如果让分接开关在过负荷时切断大电流会导致危险。

(二)长期效应

(1)导体绝缘的机械温度会由于长期热老化而降低。

(2)绝缘材料也会累积性循环裂解。

(3)分接开关的接触电阻会因电流和温度升高而增大,触头附近的局部高温也会使油分解。

(4)在长期高温作用下,变压器中使用的密封材料会变脆而导致漏油。

总之,不论是短期效应还是长期效应,对变压器寿命均有一定的影响。变压器事故过负荷时,主要是考虑不停电,人身和设备安全,避免造成不良的政治影响和更大的经济损失。在确定过负荷倍数和允许时间时要使绝缘的寿命做一些牺牲。事实上,在确定正常过负荷方式时,对绝缘的老化留有一定余度,给变压器的事故过负荷留了一定的储备容量。规程中所规定的过负荷倍数及其相应的时间,是根据一定的环境温度和"牺牲值"(寿命缩短天数)的条件标出的,并假定事故发生前变压器在连续的额定负荷下运行。

五、变压器允许不平衡电流

由于三相负荷不一样,造成不对称运行。这种负荷不对称,使流过变压器的三相电流不对称,由于三相电流不对称,使三相阻抗压降不对称,造成二次侧三相电压不对称。电压不对称,对三相感应电动机和照明设备运行是不利的。对接线组为 Y/Y_0 - 12 的配电变压器,中性线电流不得超过低压线圈额定电流的 25%。则中性点位移不会严重影响到三相电压的不对称。中性点位移电压可用下面的公式近似计算。

$$U_z\% = \frac{I\%}{300} \times U_0\% \qquad (12\text{-}2)$$

式中　$U_z\%$——中性点位移电压对相电压的百分值;

$I\%$——中性线电流对额定电流的百分值;

$U_0\%$——零序电抗压降对相电压的百分值,一般可取 $U_0\% = 85$。

如以 $I\% = 25$ 计算,则

$$U_z\% = \frac{25}{300} \times 85 = 7.08$$

由此可以看出,只要中性线电流不超过 25% 额定电流值,三相电压仍可认为是对称的。

变压器中性线引出线的截面就是以这个条件设计的,超过 25% 额定电流时将会过热,所以运行中也要注意这一点。

§12-2　变压器的并列运行

所谓变压器并列运行,是指两台以上的变压器,它们的原绕组和副绕组相同标记的出线端分别接到同一母线上去的运行情况。如图 12-2 所示。

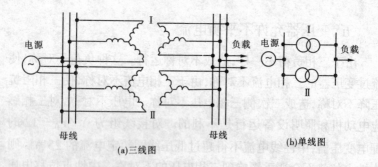

图 12-2　三相 Y/Y 接法变压器并列运行

一、变压器并列运行的目的

(1)提高变压器运行的经济性。当负荷增加到一台变压器的容量不够用时,则可并列投入第二台变压器;而当负荷减少到不需要两台变压器同时供电时,可将一台变压器退出运行。这样,可尽量减少变压器本身的损耗,达到经济运行的目的。

(2)提高供电的可靠性。变压器运行中可能会发生故障,因此几台变压器并列运行后,故障变压器退出运行,非故障变压器在短时间内允许过负荷运行,可保证对重要用户持续供电。另外,在并列运行中,当系统负荷轻时,可轮流检修变压器而不中断供电。

二、变压器并列运行的条件

并列运行的变压器,其理想的运行情况如下:

(1)空载运行时,每一台变压器副边电流都为零,与各自单独空载运行时一样,各台变压器间无环流。

(2)负载运行时各台变压器分担的负载电流与它们的额定容量成正比关系。

(3)同一相的各台变压器负载电流,它们相位相同,总负载电流应为各台负载电流的算术和。在这种情况下,总负载电流大小一定时,各台变压器的负载电流均为最小值。

　　要实现理想的并列运行,并列运行的各台变压器就应满足三个条件:①各台变压器原、副边的额定电压大小相同,即变比相同(允许误差值在±5%以内);②各台变压器的接线组别应相同;③各台变压器的短路电压 $U_k\%$ 应相等(允许误差值±10%以内)。

　　下面分别说明不满足某一条件时产生的不良后果。

三、变比不等时变压器的并列运行

　　当变压器的接线组别相同,短路电压相等,而变比不等时,则并列运行变压器二次空载电压不等。为了分析简单起见,用单相线圈来分析(如图12-3所示)。其结果也可推广到三相。

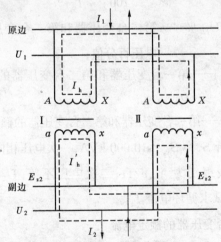

图 12-3　变比不等时变压器并列运行

　　若第一台变压器的变比为 K_1,第二台变压器的变比为 K_2,因 $K_1 \neq K_2$,在相同的一次电压 U_1 的作用下,二次空载电压 $U_2 \neq U_2'$。会出现电压差 $\Delta U = U_2 - U_2'$,在电压差作用下,变压器并联线圈间就产生循环电流 I_{n_2}，可用下式计算：

$$I_{n_2} = \frac{U_2 - U'_2}{Z_d + Z'_d} = \frac{\Delta U}{Z_d + Z'_d} \qquad (12\text{-}3)$$

式中　U_2——第一台变压器的二次空载电压，V；

　　　U'_2——第二台变压器的二次空载电压，V；

　　　Z_d——第一台变压器的短路阻抗，Ω；

　　　Z'_d——第二台变压器的短路阻抗，Ω。

短路阻抗可由下式计算出：

$$Z_d = \frac{U_{K_1}\%}{100} \cdot \frac{U_{e_1}}{I_{e_1}} \qquad (12\text{-}4)$$

$$Z'_d = \frac{U_{K_2}\%}{100} \cdot \frac{U_{e_2}}{I_{e_2}} \qquad (12\text{-}5)$$

式中　$U_{K_1}\%$、$U_{K_2}\%$——第一台变压器和第二台变压器的短路
　　　　　　　　　　电压百分值；

　　　U_{e_1}、U_{e_2}——第一台变压器和第二台变压器的额定电压，
　　　　　　　　　V；

　　　I_{e_1}、I_{e_2}——第一台变压器和第二台变压器的额定电流，A。

例 12-2　若 $S_{e_1} = S_{e_2} = 10\ 000$ kVA，一次电压相同，$U_{K_1}\% = U_{K_2}\% = 8$，接线组别为 Y、$c/11$；二次电压不等，$U_2 = 6\ 600$V，$U'_2 = 6\ 300$V，试求循环电流 I_{n_z}。

解　第一台变压器的额定电流

$$I_{e_1} = \frac{10 \times 10^6}{\sqrt{3} \times 6\ 600} = 875.8(\text{A})$$

第二台变压器的额定电流

$$I_{e_2} = \frac{10 \times 10^6}{\sqrt{3} \times 6\ 300} = 917.5(\text{A})$$

第一台变压器的短路阻抗

$$Z_d = \frac{8 \times 6\ 600}{100 \times 875.8} = 0.603(\Omega)$$

第二台变压器的短路阻抗

$$Z'_d = \frac{8 \times 6\ 300}{100 \times 917.5} = 0.55(\Omega)$$

电压差：$\Delta U = U_z - U'_z = 6\ 600 - 6\ 300 = 300(V)$

循环电流

$$I_{n_z} = \frac{300}{0.603 + 0.55} = 260(A)$$

例 12-3 两台变压器并列运行,其容量 $S_{e_1} = 100kVA$, $S_{e_2} = 240kVA$,其变比 $K_I = 10kV/0.234kV$, $K_{II} = 100kV/0.22kV$,而 $U_{K_1}\% = U_{K_2}\% = 4.5$,试求循环电流 I_{n_z}。

解

$$I_{e_1} = \frac{S_{e_1}}{\sqrt{3}\ U_{e_1}} = \frac{100}{\sqrt{3} \times 0.23} = 251(A)$$

$$I_{e_2} = \frac{S_{e_2}}{\sqrt{3}\ U_{e_2}} = \frac{240}{\sqrt{3} \times 0.22} = 630(A)$$

$$Z_d = \frac{4.5}{100} \times \frac{230}{251} = 0.041(\Omega)$$

$$Z'_d = \frac{4.5}{100} \times \frac{220}{630} = 0.015\ 7(\Omega)$$

$$\Delta U = 230 - 220 = 10(V)$$

$$I_{n_z} = \frac{10}{0.041 + 0.015\ 7} = 176.4(A)$$

由上述计算可见:

(1)变压器不带负载时,也会产生循环电流。

(2)不能按它们容量成正比地分担负荷。变压器变比 $K_I <$

K_{II},当变压器 I 满负荷时,变压器 II 则达不到额定负荷,反之,变压器 II 满负荷时,变压器 I 就会过负荷。

(3)总容量不能充分利用。循环电流不是负荷电流,但是它却占了变压器的容量。增加了变压器的损耗,使变压器所能输出的容量减小。

(4)要求变比差值不得超过 0.5%。

四、短路电压不等时变压器的并列运行

变压器变比相等、接线组别相同而阻抗电压不同的两台变压器并列运行时,变压器二次回路不会产生环流。但影响变压器间的负荷分配,如一台变压器分配的负荷小,而另一台可能已过载。

两台变压器并联就相当于两个阻抗 Z_d 和 Z'_d 并联。两侧作用在同一电压 $\dot{U}_1$ 和 $\dot{U}_2$ 之下,在内阻抗上的电压降必须相等,即

$$\dot{I}_2 Z_d = \dot{I}'_2 Z'_d \tag{12-6}$$

式中 $\dot{I}_2$、$\dot{I}'_2$——第一台和第二台变压器的二次电流;

Z_d、Z'_d——第一台和第二台变压器的短路阻抗。

据上式可以写出如下式子:

$$\frac{\dot{I}_2}{\dot{I}'_2} = \frac{Z'_d}{Z_d} \tag{12-7}$$

这个式子说明:当两台变压器并列时,它们之间的负荷分配和短路阻抗成反比,即短路阻抗大的,流过的电流小;短路阻抗小的,流过的电流大。这个结论可以推广到多台变压器。

两台并列运行的变压器短路电压不等时负荷分配可按下列步骤进行计算(理论推导过程略)。

(1)任取基值容量 S_j(kVA);

(2)将两台变压器的短路电压均折算到基值容量下,即

$$U'_{K_1}\% = U_{K_1}\% \cdot \frac{S_j}{S_{e_1}} \tag{12-8}$$

$$U'_{K_2}\% = U_{K_2}\% \cdot \frac{S_j}{S_{e_2}} \qquad (12-9)$$

式中 $U'_{K_1}\%$、$U'_{K_2}\%$——折算到基值容量 S_j 下的第一台和第
二台变压器短路电压相应值;

$U_{K_1}\%$、$U_{K_2}\%$——第一台和第二台变压器短路电压相应
值;

S_{e_1}、S_{e_2}——第一台和第二台变压器的额定容量,kVA;

S_j——基值容量,与变压器的容量同单位,kVA。

(3)各台变压器分配的负荷

$$S_1 = S \cdot \frac{U'_{K_2}\%}{U'_{K_1}\% + U'_{K_2}\%} \quad (kVA) \qquad (12-10)$$

$$S_2 = S \cdot \frac{U'_{K_1}\%}{U'_{K_1}\% + U'_{K_2}\%} \quad (kVA) \qquad (12-11)$$

式中 S_1、S_2——第一台和第二台变压器分配的负荷;

S——并列运行的变压器担负的总负荷。

例 12-4 今有 $S_{e_1} = S_{e_2} = 1\,000kVA$ 的变压器并列运行,其
短路电压分别为 $U_{K_1}\% = 8$,$U_{K_2}\% = 6.5$,总负荷 $S = 20\,000kVA$,
试确定两台变压器之间的负荷分配。

解 选择基准容量 $S_j = 20\,000kVA$

$$U'_{K_1}\% = 8 \times \frac{20\,000}{10\,000} = 16$$

$$U'_{K_2}\% = 6.5 \times \frac{20\,000}{10\,000} = 13$$

$$S_1 = 20\,000 \times \frac{13}{16 + 13} = 8\,966(kVA)$$

$$S_2 = 20\,000 \times \frac{16}{16 + 13} = 11\,034(kVA)$$

由计算可知:

(1)短路电压小的变压器分担负荷大;

(2)为了有效地利用参与并列运行变压器容量,一般要求短路电压相差不超过10%。

五、接线组别不同的变压器的并列运行

三相变压器接线组别,说明了三相变压器中原、副绕组线电压之间的相位关系。如一台接线 $Y/Y-12$ 变压器和一台接线为 $Y/\triangle-11$ 的变压器并列,两台变压器的原边接在同一母线上,原边的对应线电压是同相位的,而两台变压器副边的对应线电压则有 $30°$ 的相位差(如图12-4)。

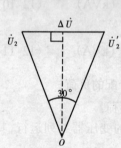

由于两台变压器副边线电压大小相等,所以变压器副回路中的合成电压 $\Delta \dot{U} = \dot{U}_2 - \dot{U}'_2$ 是两个对应线电压的相量差,由相量图可以求得副边线电压的有效值,即

$$\Delta U = 2U_2 \sin \frac{30°}{2} = 0.52 \quad (V)$$

(12-12)

图12-4 组别不同时变压器并列运行相量图

在 $\Delta \dot{U}$ 的作用下,虽然变压器副绕组没有负荷,电路中也会出现很大的循环电流,而且由于变压器绕组电阻和漏抗相当小,所以,这个电流可能要达到烧坏变压器的程度。循环电流可用下式求得,

$$I_n = \frac{\Delta U}{Z_d + Z'_d} \quad (A)$$

(12-13)

式中　Z_d、Z'_d——第一台变压器和第二台变压器的短路阻抗。

经推导得

$$I_n = \frac{52}{\dfrac{U_{K_1}\%}{I_{e_1}} + \dfrac{U_{K_2}\%}{I_{e_2}}} \quad (A) \qquad (12\text{-}14)$$

例 12-5 设一台 $Y/Y - 12$ 接线组别的变压器和一台 $Y/\triangle - 11$ 接线组别的变压器并列运行,副边线电压相位差角为 $30°$,$U_{K_1}\% = U_{K_2}\% = 8$,$I_{e_1} = I_{e_2} = I_e$,试求副边循环电流。

解

$$I_n = \frac{52}{\dfrac{U_{K_1}\%}{I_{e_1}} + \dfrac{U_{K_2}\%}{I_{e_2}}} = \frac{52}{\dfrac{8}{I_e} + \dfrac{8}{I_e}} = 3.25 I_e (A)$$

可见,接线组别不同的变压器是绝对不能并列运行的。

§12-3 变压器的经济运行

一、变压器的损耗

变压器的有功损耗包括两部分:铁损和铜损。

(一)变压器的铁损 P_0

变压器空载运行时,所消耗的功率称为空载损耗。它包括:

(1)铁芯中的磁滞和涡流损耗,这是空载损耗的主要部分,称为铁损。

(2)空载电流流经一次绕组时产生的铜损耗,与铁芯损耗相比,铜损耗很小,可以忽略不计。

因此变压器的空载损耗基本等于铁损。当电源电压一定时,铁损基本是个恒定值,而与负载电流大小和性质无关。空载损耗由空载试验测出。

(二)变压器的铜损 P_k

当变压器的一、二次绕组有电流流过时,就要产生一定的有功损耗,即为铜损耗,变压器铜损耗主要决定于负载电流的大小,也就是与实际负荷的大小有关,即

$$P_k = (\frac{S}{S_e})^2 P_{ke} \tag{12-15}$$

式中　S——变压器的实际负荷,kVA;

　　　S_e——变压器的额定负荷,kVA;

　　　P_{ke}——变压器额定负荷时的铜损,可用短路公式计算出,

　　　　　　kW。

设 $K_{fz} = \frac{S}{S_e}$,称为变压器的负载系数,则式(12-15)改为

$$P_k = K_{fz}^2 P_{ke} \tag{12-16}$$

可见,变压器的铜损与负载系数的平方成正比,因此变压器的铜损与负载的大小和性质有关。

(三)变压器的效率

变压器的输出功率与输入功率之比,称为变压器的效率。如不计无功功率的影响,可用百分数表示如下:

$$\eta = \frac{P_2}{P_1} \times 100\% \tag{12-17}$$

式中　P_2——变压器二次侧输出的功率,kW;

　　　P_1——变压器一次侧输出的功率,kW;

　　　η——变压器效率。

变压器的输入功率 $P_1 = P_2 + P_0 + P_k$,所以

$$\eta = \frac{P_2}{P_2 + P_0 + P_k} \times 100\% \tag{12-18}$$

输出功率 P_2 又可以表示为

$$P_2 = K_{fz} S_e \cos\varphi_2 \tag{12-19}$$

所以,式(12-17)又可以写为

$$\eta\% = \frac{K_{fz}S_e\cos\varphi_2}{K_{fz}S_e\cos\varphi_2 + P_0 + K_{fz}P_{ke}} \tag{12-20}$$

在负荷功率因数 $\cos\varphi_2$ 给定时,经推导计算,变压器的铁损与铜损相等时,变压器效率达到最大值,此时的负载系数称为经济负载系数,即

$$P_0 = K_{tj}^2 P_{ke} \tag{12-21}$$

一般配电变压器的经济负载系数 K_{tj} 约为 $0.4\sim0.7$ 时,变压器的效率最高。

二、变压器的经济运行

随着供电负荷的变化,投入几台变压器同时运行,方能使变压器总的有功损耗最小,这就是经济运行。

按照经济观点,并联运行的变压器必须考虑有功功率和无功功率损耗,因为电网供无功功率时,也会在电网和变压器中引起有功功率损耗。将该损耗计入变压器有功损耗,其值称为变压器有功损耗折算值。当有 n 台容量变压器并联运行时,计算如下:

$$\Delta P_n = n(P_0 + K_q + \Delta Q) + \frac{1}{n}(P_{ke} + K_q\Delta Q_{ke}) \cdot \left(\frac{S}{S_e}\right)^2 \tag{12-22}$$

式中　S——n 台变压器并联运行的总负荷,kVA;

　　　S_e——一台变压器的额定容量,kVA;

　　　ΔP_n——n 台并联运行变压器的总损耗折算值,kW;

　　　ΔQ_{ke}——每台变压器短路无功损耗,kvar;

　　　K_q——无功功率经济当量,kW/kvar,查表 x。

按式(12-22)可以绘出变压器有功损耗折算值与总负荷 S 的关系曲线(如图 12-5)。

图中为变电所同容量的三台变压器并联运行的 ΔP_n 与 S 关

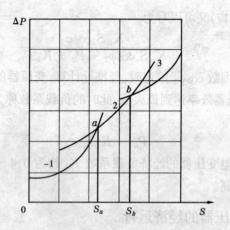

1—单台变压器并联运行；2—两台变压器并联运行；
3—三台变压器并联运行

图 12-5　变压器 ΔP_n 与 S 关系曲线

系曲线。曲线 1 与曲线 2 交点 a 和曲线 2 与曲线 3 交点 b 称为临界点。在临界点 a，当 $S = S_a$ 时，投入一台变压器和投入两台变压器所产生的功率损耗是一样的。若 $S < S_a$ 时，一台变压器运行功率损耗最小，最经济；$S > S_a$ 时，则两台变压器并联运行经济。同样，当 $S > S_b$ 时，三台变压器并联运行经济。

根据式 (12-22) 和图 12-5 可知，$(n-1)$ 台和 n 台变压器运行的临界负荷的总损耗为 $\Delta P_{n-1} = \Delta P_n$ 时所对应的总负荷，而 n 台和 $(n+1)$ 台变压器运行的临界负荷的总损耗为 $\Delta P_n = \Delta P_{n+1}$ 时所对应的总负荷。经对式 (12-22) 的推导，求出实际负荷 S 可以从两种情况分析得到确定变压器最经济运行台数的关系。

(1) 当负荷 S 增加，并满足

$$S > S_e \sqrt{n(n+1) \cdot \frac{P_0 + K_q \Delta Q_0}{P_{ke} + K_q \Delta Q_{ke}}} \qquad (12-23)$$

时，应向并联运行的 n 台变压器组再投入一台。

(2)当负荷 S 减少,并满足

$$S < S_e \sqrt{n(n-1)\frac{P_0 + K_q \Delta Q_0}{P_{ke} + K_q \Delta Q_{ke}}} \qquad (12\text{-}24)$$

时,应将并联运行的 n 台变压器中退出一台。

(3)当负荷 S 满足条件

$$S_e \sqrt{n(n+1)\frac{P_0 K_q \Delta Q_0}{P_{ke} + K_q \Delta Q_{ke}}} > S > S_e \sqrt{n(n-1)\frac{P_0 + K_q \Delta Q_0}{P_{ke} + K_q \Delta Q_{ke}}}$$

$$\qquad (12\text{-}25)$$

时,n 台变压器运行经济。

式中,K_q 称为无功经济当量,查表 12-4。

表 12-4

变压器位置	K_q (kW/kvar)	
	系统最大负载	系统最小负载
变压器直接由发电 J 母线供电	0.02	0.02
I 企城市 6~10kV 直接由发电机母线供电	0.07	0.04
I 企城市 6~10kV 由系统电网供电	0.15	0.1
区域电网有电力电容器补偿	0.05	0.08

例 12-6 某变电所有两台变压器,$S_e = 250\text{kVA}$,额定电压 10kV,$P_0 = 0.68\text{kW}$,$I_0 \% = 2.6$,$P_{ke} = 4.1\text{kW}$,$U_k \% = 4.0$,K_q 取 0.1。试决定当总负荷 $S = 210\text{kVA}$ 时,应采用几台变压器运行经济?

解 该变电所有两台变压器,即 $n = 2$

$$\because \Delta Q_0 = I_0 \% \frac{S_e}{100} = 2.6 \times \frac{250}{100} = 6.5 (\text{kvar})$$

$$\Delta Q_{ke} \approx U_k \% \frac{S_e}{100} = 4.0 \times \frac{250}{100} = 10 (\text{kvar})$$

由式(12-24)可得

$$250 \times \sqrt{2(2-1)\frac{0.68+0.1\times6.5}{4.1+0.1\times10}} = 201(\text{kVA}) < 210\text{kVA}$$

所以,当 $S=210\text{kVA}$ 时,以两台变压器运行较为经济。

在变电所中,可根据季节性变化情况,合理投入变压器运行台数,以取得最佳经济效益。对昼夜变化的负荷,一般不采用上述方法,以免减少断路器的开断次数,减少检修工作量。

§12-4 变压器运行中的维护及检查

一、监视仪表及抄表

(一)监视电压

变压器运行中,值班人员应根据控制盘上的仪表监视变压器的运行状况。电压不能过高或过低,希望变压器在额定电压下运行,但由于系统电压随负荷变化波动,往往造成加于变压器的电压偏移额定电压的现象。电压偏移对电气设备运行影响很大,因为用户的感应电机其转矩是与端电压的平方成正比。若加于变压器的电压低于额定值,对变压器不会有任何的不良后果,但是用户不能正常工作,如电压降的多,可能使电动机停止运行。长期低于额定电压10%运行,可使电动机绕组过热而加速老化,缩短其使用寿命。运行电压高于额定值,首先对变压器是有不良影响的,当外加电压增大时,铁芯饱和程度增加,这会使电压和磁通的波形发生严重畸变,变压器的空载电流将会增大。铁芯饱和以后,促使电压波形中的高次谐波值大大地增加,将带来一系列的不良影响,如损坏变压器绝缘;铁损增大,温度升高;引起用户电流波形畸变,增加电机和线路上的附加损耗;可能在系统中造成谐波共振现象等等。所以运行人员应经常注意变压器的电压,使变压器本身不过压,低压电气设备保持接近额定电压的条件下运行。规程规定,变压器外加一次电压可以较额定电压为高,但一般不得超过相应分接头电压值的 5%。不论电压分接头在任何位置,如果所加一次电压不超过其相应额定值的 5%,则变压器二次侧可以带额定电流。

(二)监视负荷

负荷不应超过额定值,因为变压器绕组的发热量与电流的平方成正比,经常保持在额定容量下运行,可以保持其正常的使用寿命。还应使变压器的三负荷接近于平衡,规程规定,三相负荷不平衡度不得超过 25%,当发现有超负荷应及时调整负荷及改变变电所的运行方式。

(三)抄表

在控制盘上的仪表,应每小时抄表一次,若变压器的表计不在控制室,可酌量减少抄表次数,但每班至少抄录两次,若变压器在过负荷下运行,则至少每半小时应抄表一次。对于安装在变压器上的温度计,应于巡视变压器时进行抄录。

对于无人值班的变电所,应在每次定期检查变压器时,抄录其电压、电流和上层油温。

二、变压器外部检查周期

对于经常有人值班的变电所内的变压器,每天至少检查一次,每周应进行一次夜间检查。对无人值班的变电所内容量在 3 150 kVA 及以上的变压器每 10 天至少检查一次,并在每次投入前和使用后进行检查。3 150kVA 以下的变压器每月至少检查一次,并在每次投入前和使用后进行检查。安装在变压器室的 315kVA 及以下的变压器和柱上变压器每两个月至少检查一次。另外根据环境情况如气候激变、尘土、污秽、大雾、雷、雨、结冰等,应增加检查次数。特别应注意变压器油位的变化,对油面进行额外的检查。变压器在瓦斯继电器发出信号时,应进行外部检查。变压器过负荷或冷却装置故障时,应增加检查次数。

三、变压器外部检查的一般项目

(一)声音

变压器一接上电源就有"唔唔"均匀的响声,这是由于交变磁通的存在及铁芯由一片片硅钢片迭成受磁力作用的结果,这是正常现象。有时遇到有异音,说明变压器有点异常,目前,一般根据经验来判断。下面叙述常见的几种声音的表征。

(1)"唔唔"声音加重:这可能过电压(如中性点不接地系统发生单相接地、铁磁共振等)或过电流(如发生过负荷、穿越性短路及大型电动机起动)等引起。较正常的"唔唔"声大,而且沉重,但无杂音。

(2)"叮叮"和"呼……呼……"之声:这可能是夹紧铁芯的螺钉松动,在磁场的作用下会使各部件相互撞击而引发。此时仪表均正常,油色、油温、油位正常。

(3)"沙沙沙"声:变压器油箱与其他物体撞击引起,因铁芯振动导致与变压器接触的外物也振动而相互撞击。如和较小的金属物接触时,发出较清脆的"沙沙沙"声;和其他物体接触时,发出的声音不清脆;因接触的程度不同,其响声可能是连续的,也可能是间歇的。

(4)"嘶嘶""嘘嘘"声:外界气候影响的放电声,如变压器高压套管脏污、表面釉质脱落及有裂纹存在时,大雾天、雪天造成套管处电晕放电或发生表面闪络,夜间可看到蓝色火花。

(5)"咕噜咕噜"响:匝间短路引起。短路处严重发热使油沸腾,像开了水似的。分接开关接触不良局部发热也会引起这种声响。

(6)"爆裂"声:可能是变压器的绝缘有击穿现象。

(二)外部检查

(1)检查油枕内和充油套管内油面的高度及有无漏油。如油面过高,通常是由变压器的冷却装置运行不正常或变压器内部故障等所造成的油温过高引起的。如油面过低,应检查变压器油箱与零部件联接处的密封有无漏油现象或焊件及铸件存在缺陷。

(2)检查油色、油枕的油色应是透明微带黄色,如呈红棕色,可能是由于油位计本身脏污造成的,也可能是由于变压器油运行时间过长,油温高使油变质引起的。

(3)检查变压器上层油温。上层油温应在规程规定的允许范围之内,发现油温不正常应尽快查明原因。

综上所述,在变压器运行中,对现场直观判断变压器故障,因涉及诸多因素,如运行人的经验等,所以要进行综合分析,才能正确地判断出故障的原因,提出正确的处理方法。

§12-5 互感器

互感器分为电流互感器和电压互感器两种。它们的作用是将大电流、高电压变成小电流(5A 或 1A)、低电压(100、100/3V 或 50V),以供给测量仪表和保护继电器使用。互感器可使测量仪表和保护继电器与高压电路隔离,以保证工作人员和设备的安全;还可使测量仪表和保护继电器标准化、系列化和小型化,以利生产和使用;此外,当高压电路发生短路时,还可保护测量仪表和继电器的电流线圈,使其不受大电流的危害。

一、电流互感器

(一)电流互感器工作原理

电流互感器是将大电流变成小电流的设备。电力系统广泛应用的是电磁式电流互感器,它的工作原理与变压器相似。

电流互感器一次线圈匝数很少,串联在被测电路中。因此,一次线圈的电流决定于被测电路负荷的大小,而与电流互感器的二次电流无关。测量仪表和保护继电器的电流线圈与电流互感器的二次线圈串联,如图 12-6 所示。由于电流线圈的阻抗很小,所以正常情况下,电流互感器二次线圈接近于短路状态。

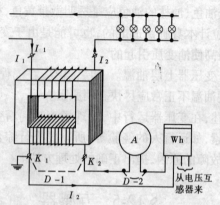

图 12-6　电流互感器原理接线

正常运行时,电流互感器二次电流产生的磁势 I_2N_2 对一次侧电流产生的磁势 I_1N_1 起去磁作用,因此,合成磁势 I_0N_1 不大,铁芯中的磁通 Φ_0 不大。电流互感器的铁芯截面就是按这个磁通设计的。

如果不计电流互感器励磁电流 I_0,则电流互感器一次额定电流 I_{1e} 与二次侧额定电流 I_{2e} 之比 n_{LH} 称为电流互感器的额定变比,即

$$n_{LH} = \frac{I_{1e}}{I_{2e}} \approx \frac{N_2}{N_1} \tag{12-26}$$

式中　N_1、N_2——电流互感器一、二次侧匝数。

(二)电流互感器类型

电流互感器可以从不同角度进行分类:

(1)按安装地点可分为户内式、户外式及装入式三种。20kV

及以下的电流互感器是户内式的;35kV 及以上则制成户外式的,且用瓷套作为箱体,以节省材料,减轻重量和缩小体积。套装在 35kV 及以上的变压器和多油断路器的套管上的电流互感器,称为装入式或套管式电流互感器。

(2)按绝缘结构的不同,可分为干式、浇注式和油浸式三种。干式用绝缘胶浸渍,适用于低压户内式电流互感器。利用环氧树脂作绝缘浇注成型的称为浇注式,目前适用于 35kV 及以下户内电流互感器。油浸式用于户外式电流互感器。

(3)按安装方法的不同,可分为穿墙式和支持式两种。穿墙式电流互感器装在墙壁或金属结构的孔中,可以省去穿墙套管。支持式则在平面上或支柱上安装。

(4)按一次线圈匝数的不同,可分为单匝式和多(复)匝式两种。单匝式一次线圈只有一匝,又有贯穿型(一次线圈是一根铜杆或铜管)和母线型两种。多匝式又有线圈型、"8"字型和"U"字型几种。

(三)电流互感器结构

一条高压电路往往需用很多电流互感器,为了节省材料,经常采用多个没有磁联系的独立铁芯和二次线圈,采用一个一次线圈的办法,组成互感比相同而准确级不一定一样的多二次线圈的电流互感器,这样,一台互感器可以当几台使用。对于 35kV 及以上的电流互感器,为了减少互感器的规格和适应电流变化的需要,常将一次线圈分成几组,各组的互感比不同,使用时可通过各组线圈的切换改变线圈的串、并联,以获得二种或四种互感比。当然,改变一次线圈的接法要在停电后才能进行。

如图 12-7 所示,为具有两个铁芯、二个二次线圈的单匝式和多匝式电流互感器结构原理图。单匝式电流互感器是由载流导体作为一次线圈穿过绕有二次线圈的环形铁芯构成,如图 12-7(a)所示。其优点是结构简单,尺寸小,造价低,内部电动力不大,且热稳定要求易于通过选择一次线圈的导体截面来满足。其缺点是一次线圈只有一匝,当一次电流较小时,一次电流产生的磁势与激磁磁势比较接近,且比较小,不足以产生所需要的磁通,因而误差较大。通常,只有一次额定电流大于 400A 时,才制成单匝式电流互感器。如图 12-7(b)所示为多匝电流互感器,由于一次绕组的匝数较多,即使被测电流小,一次侧磁势也较大,准确度较高。

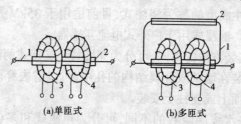

(a)单匝式   (b)多匝式

1——一次绕组;2—绝缘;3—铁芯;4—二次绕组

图 12-7　电流互感器结构原理图

(四)电流互感器误差、准确度

图 12-8 为电流互感器的等效电路和相量图。相量图中以二次电流 $\dot{I}'_2$ 为基准,二次电压 $\dot{U}'_2$ 超前 $\dot{I}'_2$ 一个 φ_2 角(φ_2 为二次负荷功率因数角),$\dot{E}'_2$ 超前 $\dot{I}'_2$ 一个 α 角(二次总阻抗角),铁芯磁通 Φ 超前 $\dot{I}'_2$ 90°,励磁电流 $\dot{I}_0$ 超前 Φ 一个 ψ 角(铁芯损耗角)。

图中 $I'_2 = I_2 \dfrac{N_2}{N_1} = I_2 n_{\mathrm{LH}}$。从相量图可知,$I'_2$ 并不等于 I_1,因此,二次电流的测量值乘以额定互感变比后并不等于实际的一次电流 I_1,即存在电流误差。电流误差通常用百分数来表示,即

$$\Delta I\% = \frac{n_{\mathrm{LH}}I_2 - I_1}{I_1} \times 100 \qquad (12\text{-}27)$$

从相量图中可知,$\dot{I}'_1$ 与 $-\dot{I}'_2$ 相位上也不相同,即存在着角误差。角误差为 $\dot{I}'_2$ 旋转 180°后的二次电流相量与一次电流相量之间的

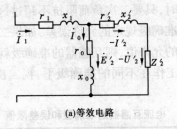

(a)等效电路

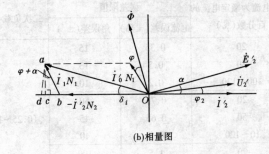

(b)相量图

图 12-8　电流互感器等效电路及相量图

夹角 α_i，规定 $-\dot{I}'_2$ 超前 $-\dot{I}'_1$ 为正角误差,反之为负角误差。

电流互感器产生误差的根本原因是因为存在励磁电流 I_0，互感器的结构和运行情况(一次电流、二次负荷阻抗及功率因数)对误差有直接影响。

在二次负荷功率因数不变的情况下,电流互感器误差与二次负荷阻抗成正比。这是因为一次电流不变时,二次电流随二次负荷阻抗的增大而减小,因而使励磁电流增大的缘因。这也正是电流互感器在正常工作时接近短路状态的原因。

根据误差大小的不同,划分不同的准确度等级(见表 12-5),每个准确级的允许误差,是在规定的二次负荷及一次电流范围内的最大误差。

由于二次负荷阻抗的大小直接影响电流互感器的误差,所以每一准确级的电流互感器均有一个二次负荷阻抗允许值与之对应。使用互感器时,只要二次负荷阻抗不超过这个允许值,则其误差就不会超过该准确级规定的允许误差,如果二次负荷阻抗增大,超过了该准确级的允许值,则互感器的准确级就降低。也就是说,一个互感器可以工作在不同的准确级下,视二次负荷阻抗的大小来定。

表 12-5 电流互感器的准确级和误差限值

准确级	一次电流为额定电流的百分数(%)	误差限值		二次负载变化范围
		电流误差(±%)	角误差(±′)	
0.2	20	0.35	15	
	50	0.3	13	
	100~120	0.2	10	
0.5	20	0.75	50	$(0.25{\sim}1)S_{2e}$②
	50	0.65	45	
	10~120	0.5	40	
1	20	1.5	100	
	50	1.3		
	100~120	1	80	
3	50~120	3	无规定	$(0.5{\sim}1)S_{2e}$
10	50~120	10		
B	100	3	无规定	S_{2e}
	$100n$①	-10		由10%误差曲线确定

注:①n 为一次电流对额定电流的倍数。

②S_{2e}为电流互感器的额定容量。

电流互感器额定二次电流 I_{2e} 的平方与二次负荷阻抗允许值的乘积,即为该准确级对应的额定容量,即

$$S_{2e} = I_{2e}^2 \cdot Z_{2e} \tag{12-28}$$

可见对一个电流互感器而言,不同的准确级有不同的容量。

用于继电保护的电流互感器在正常工作时的准确级要求不像测量用互感器那样高,但在通过短路电流时要求其最大误差不超过-10%。在一定二次负荷条件下,使电流误差达到-10%的一

次电流与一次额定电流的比值 $n = \dfrac{I_1}{I_{1e}}$ 称为 10%倍数。可见,10%倍数 n 与二次负荷阻抗的大小有关。二次负荷阻抗 Z_2 增大,使电流误差不超过 −10%的 10%倍数 n 就减小,它们之间的关系如图 12-9 所示,称为 10%的误差曲线。

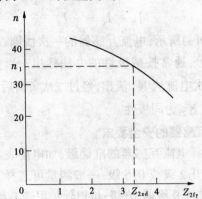

图 12-9　电流互感器的 10%误差曲线示意图

(五)电流互感器接线

常用电流互感器接线,如图 12-10 所示。

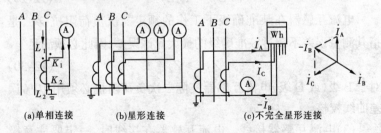

(a)单相连接　　　(b)星形连接　　　(c)不完全星形连接

图 12-10　电流互感器的接线

图 12-10(a)为单相接线,常用于对称三相对称负荷电流,只测量一相电流;图 12-10(b)所示为星形接线,可测量三相负荷电流,

监视各相负荷的不对称情况;图 12-10(c)所示为不完全星形接线,广泛应用于三相负荷平衡或不平衡电路中,当只需用 A、C 两相电流时(如三相两元件功率表或电度表),便可采用此种接线。在不完全星形接线中,流过公共导线上的电流为 A、C 两相电流相量和,即

$$\dot{I}_A + \dot{I}_C = -\dot{I}_B$$

如图 12-10(a)所示,电流互感器的一次线圈、二次线圈端子,都标有极性符号,通常按减极性的办法标出。当一次电流从 L_1 流向 L_2 时,二次电流从 K_1 流出,经过二次负荷后回到 K_2,则 L_1 和 K_1 或 L_2 和 K_2 为同极性。

(六)电流互感器的安全要求

(1)正确选择电流互感器的准确级,如电度表、功率表等做精确测量时,可选 0.2 级或 0.5 级;一般测量可选择 1.0 级;作为一般观察测量可选 3.0 级或 10 级;继电保护可选 B 级、D 级。

(2)确定满足准确级要求的二次负荷阻抗。电流互感器的二次负荷阻抗包括仪表和继电器的电流线圈、连接导线电阻和接触电阻几部分。负荷阻抗与二次容量两者的关系表示为

$$S_2 = I_{2e}^2 Z_2 \qquad (12\text{-}29)$$

电流互感器在某准确级下工作的额定二次负荷阻抗 Z_{2e},是指其测量误差不超过该准确级的最大允许误差,因此必须满足

$$Z_{2e} \geqslant Z_2 \qquad (12\text{-}30)$$

对于 B 级(或 D 级)电流互感器实际二次负荷阻抗必须用 10% 误差曲线校核。

(3)电流互感器接线。电流互感器在接线时,一定要注意极性。否则二次侧所接仪表、继电器中流过的电流就不是预想的电流,会影响正确测量、保护误动,甚至引起事故发生。

(4)电流互感器二次线圈必须有一点接地。为了防止电流互

感器一次线圈、二次线圈绝缘击穿时,高电压传到二次侧,损坏设备或危及人身安全。电流互感器二次线圈必须采用一点接地,接地线不能松动或发热。

(5)电流互感器运行中二次线圈不允许开路。电流互感器的磁势平衡方程为

$$\dot{I}_1 N_1 + \dot{I}_2 N_2 = \dot{I}_0 N_1 \qquad (12\text{-}31)$$

如果二次线圈开路(即 $I_2 = 0$),则电流互感器的励磁磁势将由原来数值很小的 $\dot{I}_0 N_1$ 骤增为 $\dot{I}_1 N_1$。这样,一方面由于磁感应强度剧增,铁芯损耗大大增加,因而有可能使铁芯和线圈过热而损坏。另一方面,虽然因铁芯饱和,铁芯中不会成比例增加,但磁通波形将畸变为平顶波(而不是正弦波)。由于二次线圈感应电势与磁通的变化率成正比,因此,二次线圈将在磁通急剧变化时感应出很高的尖顶波电势,电势的值可达几千伏甚至上万伏,与互感器开路时的一次电流和额定互感比有关,这样高的电压对工作人员的安全、仪表及继电器的绝缘都是危险的。因此,电流互感器在一次线圈有电流时,二次线圈不允许开路。必须注意以下问题:

①电流互感器二次回路不允许安装熔断器,在一次回路发生短路故障,二次回路电流增大,使熔丝熔断,结果造成二次回路开路故障。

②需要在运行中拆除二次线圈所接的仪表或继电器时,必须先用导线将二次线短接,然后才能进行工作。

③当继电保护装置与测量仪表同接在一组电流互感器上,如果需要拆换仪表,应先将仪表盘上连接仪表的端子短接后再拆除仪表。

④运行中的电流互感器二次线圈不接入二次负荷时,应该将 K_1 和 K_2 两端子短接。

二、电压互感器

电压互感器是将高电压变成低电压的设备,按其工作原理可分为电磁式电压互感器和电容分压式电压互感器两种。

(一)电磁式电压互感器

1.电压互感器工作原理

电磁式电压互感器的工作原理与变压器相同,它的高压线圈并接入高压电路,测量仪表保护继电器的电压线圈则与电压互感器的低压线圈并联,如图12-11所示。不同的是电压互感器的容量很小,通常只有几十到几百伏安,类似一台小容量变压器。同时,电压互感器二次负荷比较恒定,且阻抗很大,正常运行时,电压互感器接近于空载状态。

电压互感器一、二次线圈额定电压之比,称为额定互感比,即

$$n_{YH} = \frac{U_{1e}}{U_{2e}} \qquad (12\text{-}32)$$

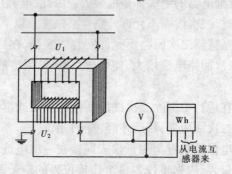

图 12-11　电磁式电压互感器原理接线

电压互感器一次线圈额定电压 U_{1e} 就是电力系统的额定电压,已经标准化。二次线圈额定电压统一规定为 100、100/3V,所以 n_{YH} 是标准化的。

2.电磁式电压互感器类型

(1)按相类的不同,电压互感器可分为单相式和三相式两种。35kV 及以上的电压等级,不制造三相式电压互感器。

(2)按安装地点不同,电压互感器可分为户内式和户外式两种。35kV 以下多制成户内式;35kV 以上则制成户外式;35kV 电压等级的互感器则既有户内式的,也有户外式的。

(3)按线圈数不同,可分为双线圈和三线圈两种。三线圈电压互感器有两个二次线圈,其中用于对测量仪表和保护继电器供电的称为基本二次线圈,另一个剩余线圈用来接入监视电网绝缘状况的保护继电器。

(4)按绝缘结构的不同,可分为干式、浇注式、油浸式和充气式几种。干式(浸绝缘胶)互感器结构简单,无着火和爆炸危险,但体积大,绝缘强度低,只适用于 0.5kV 及以下空气干燥的户内装置。浇注式结构紧凑,维护方便,适用于 3~35kV 的户内装置,随着户外用树脂的发展,亦可能用于 35kV 以上的户外装置中。充气式为 SF_6 气体绝缘,额定电压为 60kV 及以上的户内装置。油浸式电压互感器绝缘性能好,可用于高压各电压级的户内外装置中。

3.串级式电压互感器结构

按结构的不同,油浸式电压互感器又可分为普通结构式和串级结构式两种。3~35kV 都制成普通结构式的,其构造与小型变压器相似。110kV 及以上则制成串级结构,如图 12-12 为 JCC 系列电压互感器原理接线图,图 12-12(a)为两级串联,图 12-12(b)为四级串联。由于这种电压互感器的铁芯线圈采用分级绝缘,且装在瓷箱中,瓷箱既是油箱,又兼作高压出线套管,所以这种互感器可以节省绝缘材料,减轻重量和降低造价。

图 12-12(a)所示为 110kV 串级式电压互感器原理接线图,一次线圈由匝数相等的两部分组成,它们分别套装在一个铁芯的上下柱上。两个线圈按磁通相加的顺序串联起来接在相与地之间,

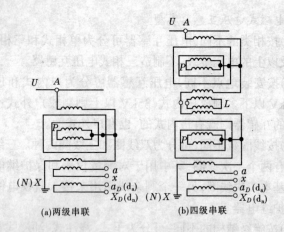

图12-12 JCC系列电压互感器原理接线图

且中间连接点与铁芯相连,这样,上下线圈边缘线匝对铁芯的电位差仅为相电压的$\frac{1}{2}U_x$,而普通结构的互感器是相电压。铁芯对地的电位差也等于相电压的$\frac{1}{2}U_x$,由于铁芯放在充满变压器油的瓷箱中,并用厚的绝缘层压板支撑,因此铁芯对地绝缘是不难解决的。二次线圈$a-x$和剩余电压二次线圈a_D-X_D套装在下铁芯柱一次线圈外面。

二次线圈开路时,相对地电压均匀地分布在上下一次线圈上。二次线圈接通负荷后,由于负荷电流的去磁作用和漏磁通的存在,在下芯柱内的磁通将小于上芯柱内的磁通,从而使上下一次线圈的感抗不等,电压分布不均匀,结果使误差增大,准确度降低,为了提高准确度,在上下铁芯柱上绕有平衡线圈P(上下绕向相同,反相对接)。这样,当上下铁芯柱磁通不等时,平衡线圈内将出现电流,该电流将使磁通较大的铁芯柱(上铁芯柱)去磁,而磁通较小的下铁芯柱将增磁,从而达到上下铁芯柱磁通大致相等,上下一次线圈电压分布比较均匀的目的。

图 12-12(b) 为 220kV 串级式电压互感器原理接线图。由两个铁芯元件构成,各铁芯上的一次线圈串联连接,接在相与地之间,当二次线圈开路时,线圈电位分布均匀,每个线圈的边缘线匝对铁芯的电位差均为 $\frac{1}{4}U_x$。同时,两个铁芯的相邻柱上设有连耦线圈 L,它的作用与平衡线圈相同。

4. 电压互感器误差、准确度

电压互感器二次电压测量值为 U_2,折算到一次侧,则 $U'_2 = n_{YH} \cdot U_2$。理想状态应该是 $U'_2 = U_1$,但实际情况并不相等,即存在着电压误差。电压误差通常用百分数表示,即

$$\Delta U\% = \frac{n_{YH} \cdot U_2 - U_1}{U_1} \times 100 \qquad (12\text{-}33)$$

据电压互感器一、二次侧电压的相量关系,一次电压相量 $\dot{U}_1$ 与旋转 180° 后的二次电压相量 $-\dot{U}'_2$ 之间的夹角 δ_v,称为角误差。规定当 $-\dot{U}'_2$ 超前 $\dot{U}_1$ 时,角误差为正值;反之,则为负值。

电压互感器产生误差的根本原因是因为存在着内阻抗。同时,互感器的结构和运用情况(二次负荷阻抗,功率因数和一次电压的大小)对误差有直接影响。

对投入运行的电压互感器,在一次电压和负荷功率因数不变的情况下,电压误差随二次负荷阻抗的减小而增加。为了使互感器的误差不会过大,必须增大二次负荷阻抗,这也就是电压互感器正常运行时接近空载状态的原因。

根据误差的大小,将电压互感器划分为 4 个准确等级,即 0.2 级、0.5 级、1.0 级、3.0 级。每一准确级允许误差见表 12-6。允许误差是指当负荷功率因数为额定值时,一次电压和二次负荷在规定的范围内变化时的误差最大值。

表 12-6 电压互感器准确级和误差限值

准确级	误差限值		应用	一次电压及二次负载变化范围
	电压误差(±%)	角误差(±′)		
0.2	0.2	10	实验室精测、校验	$(0.85\sim1.15)U_{1e}$
0.5	0.5	20	电度表	$(0.25\sim1)S_{2e}$
1.0	1.0	40	盘式仪表	$\cos\varphi_2=0.8$
3.0	3.0	无规定	继电保护	

由于二次负荷的大小影响电压互感器的误差,所以,每一准确级的电压互感器均有一额定容量相对应。使用电压互感器时,只要二次负荷容量不超过该准确级的额定容量,则其误差就不会超过该准确级允许的误差。如果二次负荷大于该准确级的额定容量,则电压互感器的准确级就要降低。也就是说,同一台电压互感器,随着二次负荷的变化可以工作在不同的准确级下。电压互感器的额定容量 S_{2e} 是指最高准确级相对应的容量。另外,电压互感器按长期发热的允许条件,还规定了它的最大(极限)容量。只有当二次负荷对误差无严格要求时,才允许电压互感器按最大容量使用。

(二)电容分压式电压互感器

随着电力系统电压等级的提高,电磁式电压互感器的体积越来越大,造价也越来越高。与其相比,电容式电压互感器具有重量轻、体积小、成本低、制造简单等优点,而且电压越高,上述优点就越突出。同时,除了作电压互感器使用外,电容式电压互感器还可兼作高频载波通讯的耦合电容。电容式电压互感器的主要缺点是输出容量较小。

电容式电压互感器用于 110kV 及以上的电网中。

如图 12-13 所示,在被测电网的相与地之间接有电容 C_1 和

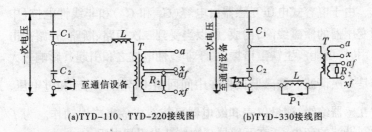

(a)TYD-110、TYD-220接线图　　(b)TYD-330接线图

C_1—主电容器；C_2—分压电容器；P_1、P_2—保护间隙；L—补偿电抗器；

T—中间变压器；R_2—阻尼电阻器

图 12-13　TYD 系列电容式电压互感器接线图

C_2，电容 C_2 上的电压称为中间电压，可用下式计算

$$U_2 = \frac{C_1}{C_1 + C_2} U_1 = K U_1 \qquad (12\text{-}34)$$

式中　$K = \dfrac{C_1}{C_1 + C_2}$，称为空载分压比。

　　改变电容 C_1 和 C_2 的数值，可得到不同的分压比，从而使中间电压 U_2 具有不同的数值。由于中间电压 U_2 与一次电压 U_1 成一定比例，故可通过它测量电网的相对地电压。为了减小分压器的输出电流，减小误差，分压器连接中间变压器 T（电磁式电压互感器），经中间变压器 T 降压变为标准电压 100V 后，再与仪表或继电器连接。补偿电抗器（用于补偿电容器的容抗），以使中间电压 U_2 不随负荷而变化。为使补偿电抗器有较好的线性特性，故一般采用带空气隙的铁芯电抗器。

　　当互感器二次侧发生短路时，由于剩余电抗（$X_L - X_C$）及电阻均很小，因此可能出现比额定电流大几十倍的短路电流。此电流在补偿电抗器 L 和电容 C_2 上将引起很高的共振过电压，为此，在回路中加装了放电间隙 P_1 和 P_2，以使在上述情况下起保护作用。

由于电容式电压互感器由电容(C_1 和 C_2)和非线性电抗(中间变压器的激磁线圈)构成,所以当受到二次短路、断路、开路冲击作用时,可能产生铁磁谐振(由于非线性电抗之和引起),影响较大的是 $\frac{1}{3}$ 次谐波。铁磁谐振将在中间回路中产生大电流和过电压,对互感器绝缘、测量仪表和继电器可能造成危害或误动作。为了抑制谐波的产生,常在互感器二次侧装设阻尼电阻 R_2。

(三)电压互感器的接线

电压互感器的接线方式较多,常用的几种接线方式如图12-14所示。

(1)图 12-14(a)所示为一台单相电压互感器的接线。这种接线可用来测量电网的某一相间电压(35kV 及以下电网)或相对地电压(110kV 及以上电网)。

(2)图 12-14(b)所示为两台单相电压互感器的 V-V 形接线。这种接线可测量各个相间电压,但不能测量相电压,广泛用于35kV 以下的电网中,比采用三个单相式经济,但使用有局限性。

(3)图 12-14(c)所示为一台三相三柱式电压互感器接线。这种接线只能用来测量线电压。如果用来监视电网的绝缘状况,一次线圈中性点必须接地。当电网某一相接地时,其未故障两相对地电压将升高 $\sqrt{3}$ 倍。用对称分量法计算可知,此时三相中将产生零序电压和零序电流,而零序电流将在铁芯中产生零序磁通。由于三个零序磁通大小相等方面相同,所以它们只能通过空气隙和外壳(铁质)形成闭合磁路。磁路的磁阻很大,因此,产生这一磁通的零序电流将远大于电压互感器的正常工作电流。电压互感器在此状态下较长时间工作,将会过度发热,甚至被烧毁。为了避免发生上述情况,电压互感器一次线圈中性点不能接地,不能用来监视电网的绝缘状况。

(4)图 12-14(d)所示为一台三相五柱式电压互感器的接线。

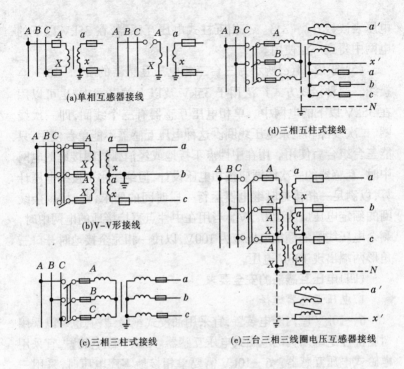

(a)单相互感器接线

(b)V-V形接线

(c)三相三柱式接线

(d)三相五柱式接线

(e)三台三相三线圈电压互感器接线

图 12-14   电压互感器接线

互感器的铁芯制成五柱式,克服了三柱式互感器的缺点,两边的铁芯柱为零序磁通提供了磁阻很小的闭合回路,因此,零序电流不大,不会危害电压互感器的正常工作。这样,一次线圈的中性点允许接地,用来监视电网的绝缘状况。互感器的一次线圈接成星形,且中性点接地。二次线圈也接成中性点接地的星形,可测量相电压和线电压。剩余线圈每相电压按 100/3V 设计,接成开口三角形(为了安全,有一点接地)。正常时,开口三角形两端电压为零。一相完全接地时,开口三角形两端出现 100V 电压(零序电压的三倍),以供给绝缘监视的继电器,使其动作,发出信号。另接在二次线圈的电压表读数发生变化,接地相的电压表读数为零,未接地相电压表读数升高$\sqrt{3}$倍。三相五柱式电压互感器,在 35kV 以下的电网中得到广泛使用。

(5)图 12-14(e)所示为三台三相电压互感器的 $Y_0 - Y_0 - \triangle$ 接线。这种接线方式广泛用于 35kV 及以上的电网中,也可以用在 35kV 以下的电网中。单相电压互感器有三个线圈,即一次线圈、二次线圈和剩余电压线圈。这种电压互感器不能单台使用,只能三台组合后使用。用在中性点不接地或经消弧线圈接地的电网中时,互感器的一次线圈应按相电压设计,但绝缘水平按线电压计算,以满足一相接地时继电器运行一段时间的要求,此时,剩余线圈的额定电压应为 100/3V。当用在中性点直接接地的电网中时,剩余电压线圈的额定电压应为 100V,以使一相完全接地时开口三角形两端出现 100V 电压。

(四)电压互感器的安全要求

1.电压互感器选择

6～10kV 屋内配电装置,宜采用油浸式绝缘结构,也可以采用树脂浇注绝缘结构的电磁式电压互感器。35kV 配电装置,宜采用电磁式电压互感器。6～10kV 需要单相接地零序电压时,采用三相五柱式电压互感器。

2.电压互感器的准确级与二次负荷

根据测量误差的大小,电压互感器有 0.2 级、0.5 级、1.0 级、3.0 级 4 个等级。在重要场所需要装设 0.2 级,电度计量需要精确度较高,一般不低于 0.5 级,对于电压表、功率表应不低于 1.0级,对于一般的测量可采用 3.0 级,继电保护装置应用 3P 级。实际二次负荷阻抗应大于或等于相应准确级的额定二次负荷阻抗,才能保证误差在允许的范围内。

3.电压互感器的保护

由于 110kV 及以上的高压熔断器价格昂贵(220kV 及以上的熔断器不生产),且高压电网可靠性较高,110kV 及以上的电压互感器采用串级式结构,绝缘程度较好,工作比较可靠,所以不用熔断器。

4.电压互感器一、二次侧连接时应注意极性

电压互感器在接线时,应注意一、二次线圈接线端子上的极性。极性接错了,将会影响测量的准确性及保护动作的正确性。

5.电压互感器运行时预防铁磁谐振

一次线圈接成星形且中性点直接接地的电压互感器,每相的线圈电感 L 与对地分布电容 C_0 并联。正常运行时,可视为对地的三相平衡负载。若电网突然受到(如断路器合闸、发生故障等原因)冲击时,电网的一相或两相电压,突然升高,电压互感器的励磁电流随之增大使铁芯迅速达到饱和状态,电感 L 将减小,破坏了对地的三相平衡负载。若此时的 L 和 C_0 的数值满足了谐振条件就会发生谐振,使电网中性点的电压急剧上升,产生危险的过电压。这种状况称之为铁磁谐振。谐振引起电压互感器一次线圈过电流,可能使熔断器熔断,严重时电压互感器会发生爆炸。

对于已经投入运行的电压互感器,可在剩余绕组的开口上加装阻尼电阻,可以消除铁磁谐振。并联电阻 $50 \sim 60\Omega$,容量为500W。

§12-6　开关电器及配电装置的运行

一、开关电器概述

在发电厂和变电所中,当改变运行方式、检修设备或发生故障时,通常需要将一些电路或设备接通或断开,而这个任务是由开关电器来完成的。根据担负的任务不同,开关电器可分为以下几种类型:

用来接通或断开正常工作电流的开关电器,如高压负荷开关、低压接触器、磁力起动器和闸刀开关等。

用来断开故障情况下的过负荷电流或短路电流的开关电器，如高、低压熔断器。

既可以用来断开或接通正常工作电流，又可以用来断开过负荷电流和短路电流的开关电器，如高压断路器和低压断路器等。

不能断开或接通正常工作电流和过负荷电流及短路电流，只用于检修设备时隔离电压用的开关电器，如隔离开关等。

开关电器是发电厂和变电所中的重要设备，其中断路器担负的任务最繁重，地位最重要，而结构也最复杂。用开关电器断开有电流通过的电路时，在触头间会产生电弧。电弧是高温高导电率的气体，一旦产生后不易自行熄灭。电弧存在的危害一是电路不能断开；二是电弧的高温可能烧坏开关触头，或破坏触头附近的绝缘材料，从而可能危及电力系统的运行安全。为此，必须尽快地熄灭电弧。下面讨论断路器在切断交流电路时是怎样灭弧的。

二、高压断路器运行

(一)电弧的熄灭条件

断开支流电路时，开关触头间将产生交流电弧。由于交流电弧每半周期要经过一次零点，而电弧不可能在没有电流的情况下燃烧，所以交流电弧每半个周期要自然熄灭一次。

电流过零时，电源停止向弧隙(动静触头之间)输入能量，所以弧隙的温度剧烈下降，弧隙介质的绝缘电阻迅速增大。由于电流经过零时的时间很快，而弧隙温度的降低和弧隙介质恢复到绝缘的正常情况需要一定的时间，并不可能立即实现，所以在电流经过零之后很短的时间内，弧隙的温度还比较高，弧隙仍具有一定的电导。在此同时，电弧熄灭后，加在触头间的电压也在不断上升。如果电弧不重燃，此电压最后将过渡到电源电压。如果电压上升到一定程度后将触头之间的空间重新击穿，则电弧重燃，电路中又继续有电流流通。

可见,电流经过零点电弧自然熄灭后,弧隙中有两个对应的恢复过程在同时进行。一是弧隙介质的绝缘能力的恢复过程,一是弧隙外加电压的恢复过程。电弧能否重燃,取决于这两个过程的竞争结果。换句话说,为了熄灭电弧,必须提高弧隙介质绝缘能力的恢复速度,减小外加电压的恢复速度。

弧隙介质绝缘能力所能承受而不被击穿的最高电压称为介质强度(又称电气强度)。它的恢复过程主要与弧隙的冷却条件有关。而弧隙外加电压的恢复过程,则主要与电路参数有关。

1. 介质强度的恢复

介质强度的恢复速度,主要与弧隙的冷却条件有关,同时还与电弧电流的大小有关。冷却条件愈好,电流经过零点时的弧隙温度下降越快,介质强度恢复也越快。电弧电流越大,弧隙温度越高,则介质强度的恢复就越慢。此外,介质强度的恢复还与所采用的介质的性质有关。采用介质强度高的气体,提高气体的压力等,都可以提高介质强度的恢复速度。加快触头的分离速度,使电弧很快被拉长,使弧隙电阻迅速增大,也可以提高介质强度的恢复速度。

2. 弧隙电压的恢复

弧隙电压的恢复主要与电路参数有关。由于电路中存在电感或电容,电流与电压一般不同相,所以电流经过零点电弧熄灭时,电源电压并不等于零。又由于电容的存在,电压不能突变,所以弧隙电压不可能立即由熄弧时(电流过零点时)的电压上升到电源电压,它需要一段的恢复过程。这个过程以图 12-15 为例讨论。

图 12-15 中,F 表示电源(或发电机),R 和 L 代表电源、连接导线的电阻和电感,C 代表电源、连接导线对地的电容,DL 表示断路器。为了便于讨论,假设电弧熄灭时弧隙电阻为零,而在电流经过零点电弧熄灭时,触头间电阻为无限大。

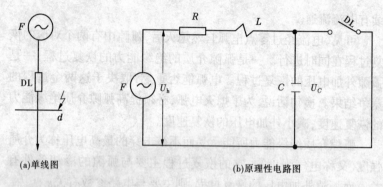

(a)单线图　　　　　　　　　　　(b)原理性电路图

图 12-15　弧隙外加电压恢复示意图

如图 12-15(a)所示,在电源用线上发生三相短路,因为对称性短路,此时可只讨论其中一相。设大地为假想中性线,便得到图 12-15(b)所示的原理性电路。短路后,要求断路器迅速断开电源电路,结果在断路器触头间便产生电弧。短路电流经过零点时,电弧自然熄灭。此时的电源电压瞬时值以 U_h 表示,称为工频恢复电压,即

$$U_\mathrm{h} = U_\mathrm{m}\sin\varphi \qquad (12\text{-}35)$$

式中　U_m——电源相电压的最大值,kV;

　　　φ——功率因数角。

短路时,电阻比电抗小得多,$\varphi = 90°$,则 $\sin\varphi \approx 1$,所以 $U_\mathrm{h} \approx U_\mathrm{m}$。

短路发生前,电容 C 上有电压 U_C。短路后,向短路点放电,可以认为 U_C 降为零。断开电路以后,由于电弧的存在,根据前面的假设,所以在电弧熄灭前 U_C 可以认为仍为零。电流经过零点电弧熄灭后,U_C 不可能立即变为 U_h,而要有一个过程。从图 12-15(b)可见,电容 C 的电压就是断路器触头间的电压,因此,讨论 U_C 的变化即是讨论触头间电压的恢复过程。

由于电压的恢复过程在很短的时间内完成,因此可以认为电源电压 U_h 在此过程中保持不变。于是电压恢复过程就相当于在电压为 U_h 的直流电源突然合闸,电容 C 的充电过程。

根据电路理论,求解出 U_C 的变化式为

$$U_C = U_h(1 - \cos\omega_0 t) = U_m(1 - \cos\omega_0 t) \qquad (12\text{-}36)$$

式中　U_C——电容 C 上(即触头间)的电压,kV;

ω_0——电容 C 充电过程的振荡频率,$\omega_0 = 2\pi f_0 = \dfrac{1}{\sqrt{LC}}$,

由电路基数决定,一般大于 50Hz。

由式(12-36)可知,恢复电压由两部分组成。一部分为工频恢复电压,又称为强制分量。因为假定其在恢复过程中不变,所以是恒定的,即 $U_h = U_m$。另一部分 $U_m\cos\omega_0 t$ 为高频分量,其振荡频率为 $\omega_0 = \dfrac{1}{\sqrt{LC}}$,又称为自由分量。自由分量的存在可解释为:由于电路存在着电容 C,而电容上电压又不能突变,因此在电弧自然熄灭瞬间必有一大小与强制分量相等而方向相反的自由分量电压加在电容 C 上,使此刻电容 C 上的电压仍保持不变。恢复电压是周期性等幅振荡的,当 $\omega_0 t = \pi$ 时,$U_C = 2U_h = 2U_m$,即恢复电压的最大值等于 2 倍的工频恢复电压。

振荡频率 ω_0 越高,电压恢复速度就越快,对灭弧不利。L 及 C 值增大,ω_0 减小,有利于熄灭电弧。实际上,电路中总存在电阻 R,高频振荡是衰减的。同时,在电弧自然熄灭后,弧隙电阻不可能立即变为无限大,弧隙电阻同样对高频振荡起衰减作用。因此,恢复电压的最大值要小于 $2U_h$,一般只达到 $(1.2\sim1.8)U_h$。应该注意,当短路点距电源较近时,电源电压不可能保持不变,此时,U_h 小于 U_m。

在三相系统中,三相电流并不同时过零点。因此,三相电弧不

会同时熄灭。设 A 相电流先经过零点，则 $U_A = U_m$。此时 B、C 两相电弧仍在燃烧，相当于两相短路，而 $U_B = U_C = \frac{1}{2} U_m$。结果加在 A 相触头间的电压，即 A 相的工频恢复电压为

$$U_{hA} = U_m + \frac{1}{2} U_m = 1.5 U_m \qquad (12\text{-}37)$$

可见，在三相系统中，工频恢复电压与短路类型有关，所以三相短路时，首先短开相工频恢复电压最高，情况最为严重，其最大值为

$$U_{hmax} = (1.2 \sim 1.8) \times 1.5 U_m$$
$$= (1.8 \sim 2.7) U_m \qquad (12\text{-}38)$$

由前面的分析可知，电压恢复过程对电弧能否熄灭有很大的影响。恢复电压上升速度愈小，电弧就容易熄灭。为了限制恢复电压的上升速度，在断路器触头两端并接电阻，就会人为减慢恢复电压上升速度，不会出现高频振荡。

图 12-16 为具有并联电阻断路器的原理接线。断路器每相有两对触头，DL_1 为主触头，DL_2 为辅助触头。断开电路时，主触头 DL_1 先断开关，并联电阻 r 接入电路，促使主触头 DL_1 间的电弧熄灭。主触头 DL_1 间的电弧熄灭后，辅助触头 DL_2 接着分开，因为此时电阻 r 已经串接在电路中，结果使电路的电流减小，功率因数提高，使电弧易于熄灭。辅助触头电弧熄灭后，电路便被打开。

（二）熄灭电弧的基本方法

现代开关电器中采用的灭弧方法，有下列几种。

1.快速拉长电弧

电弧被快速拉长，使其长度和表面积迅速增大，有利于冷却电弧，降低弧隙的温度，加快了介质强度的恢复。提高触头的分离速度由断路器的操动机构完成。

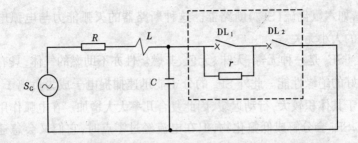

图 12-16　具有并联电阻的断路器断开短路故障时的电路图

2. 用气体吹弧

断路器中常制成各种形式的灭弧室,以提高吹弧气体的压力,以便更有效地吹弧。

吹弧的方法有纵吹和横吹两种。纵吹即是沿电弧的轴向吹,使电弧冷却,横吹即是沿电弧径向吹,使电弧拉长,增大电弧的表面积。有的断路器将纵吹和横吹两种方式结合使用。

油断路器用变压器油作为灭弧介质。电弧在油中燃烧,其周围的油被加热而分解出大量气体。分解出的气体,按预先设计好的不同形式的灭弧室结构,使灭弧室内的压力增高。随着动触头向下运动,喷弧口被开放,在高压气体的作用下,便产生强烈的吹弧。

可见,油断路器是利用电弧本身的能量产生大量气体而实现灭弧的。这种靠电弧本身能量来熄灭电弧的灭弧室,称为自能式灭弧室。自能式灭弧室在灭弧过程中不需要外界供给能量,灭弧能力与电弧电流的大小有关。电流愈大,灭弧能力愈强,燃弧时间愈短。反之,电流很小时,产生的气体少,压力低,灭弧能力就弱。由于弧隙电压并不因电流小而降低,因此,油断路器的燃弧时间随断开电流的减小而增大。在断开小电流时,往往靠拉长电弧的方法来熄灭电弧。

利用其他能量熄灭电弧的断路器,其灭弧室称为外能式灭弧室,如六氟化硫（SF_6）断路器。这种断路器的灭弧能力与电弧电流的大小无关。

SF_6是一种无毒、无味、无色、非燃烧性亦不助燃的气体,具有良好的绝缘性能。此外SF_6的分子能迅速捕捉电子成为负离子,由于其体积较大,行动迟缓,因此复合几率大大增加。在电弧作用下,SF_6会分解成低氟化物,但在电流经过零点时,它们又会急速再结合成SF_6,因此,介质强度恢复速度极快。综上所述,SF_6亦具有良好的灭弧性能,其灭弧能力相当于同等条件下空气的100倍。还应注意,在电弧作用下分解出的低氟化物具有剧毒,在操作和检修时必须特别注意安全。

由于SF_6绝缘性能和灭弧性能均较好。故使用的压力较低。SF_6断路器一般采用纵吹方式。

3. 采用多断口灭弧

将断路器制成每相有两个或多个串联的断口,使电弧被分割成多个小短弧。这样,在相同的触头行程下,多断口的电弧比单断口的电弧拉的更长,并且使电弧拉长的速度更快,从而加快了弧隙介质强度的恢复。此外,由于电源电压加在几个断口上,每个断口上的电压较低,即弧隙的恢复电压降低,因此有助于熄灭电弧。

110kV以上电压等级的断路器,可由相同型号的灭弧室(每个灭弧室即有一个断口)串联组成,称为积木式或组合式断路器。如用两个具有双断口的110kV断路器串联,即组成了具有四个断口的220kV断路器。

多断口断路器在断开过程中,会出现恢复电压在各个断口上分配不均匀的现象,主要是存在对地电容。图12-17(a)为具有双断口的断路器,图12-17(b)为该断路器断开电路后的等值电路。电弧熄灭后,每个断口间可看做是一个电容C_d,两断口间的导电部分与底座和大地间存在着对地电容C_0,设电源电压为U,每个

断口上的分布电压可按图 12-17 电路进行计算,结果得

$$U_1 = U \frac{C_d + C_0}{2C_d + C_0} \\ U_2 = U \frac{C_d}{2C_d + C_0} \Bigg\}$$

(12-39)

可见,$U_1 > U_2$。这样,就可能使第一个断口首先被击穿,然后电源电压加在第二个断口上,使三相相继击穿,电弧重燃。

为了使两个断口上的电压分配较均匀,可在每个断口上并联一个比 C_d 和 C_0 大得多的电容 C,如图 12-17(c)所示。电容 C 称为均压电容,此时各断口上的电压根据图 12-17(c)电路进行计算,由于 $C_d + C \gg C_0$,所以可将 C_0 忽略

$$U_1 = U \frac{(C + C_d) + C_0}{2(C + C_d) + C_0} \approx U \frac{(C + C_d)}{2(C + C_d)} = \frac{U}{2} \\ U_2 = U \frac{(C + C_d)}{2(C + C_d) + C_0} \approx U \frac{(C + C_d)}{2(C + C_d)} = \frac{U}{2} \Bigg\}$$

(12-40)

由此可见,只要均压电容足够大,电源电压将均匀分配在两上断口上。

4.利用真空灭弧

气体间隙的击穿电压与气体压力有关,但当压力低于 10^{-4} mmHg 时,击穿电压较高,且不随压力的变化而变化。真空是指气体压力在 10^{-4} mmHg 以下的空间。这种气体稀薄的空间,具有很高的绝缘强度,比变压器油、1 个大气压下 SF_6 和空气的绝缘强度要高得多。

用真空断路器断开电路时,产生电弧的主要原因是触头上蒸发出来的金属蒸气。只要触头表面有微小的突起部分,在断开过程中就会引起能量集中,就会使这部分金属发热产生金属蒸气。因此,材料的性质及表面状况对电弧的燃烧起主要作用。

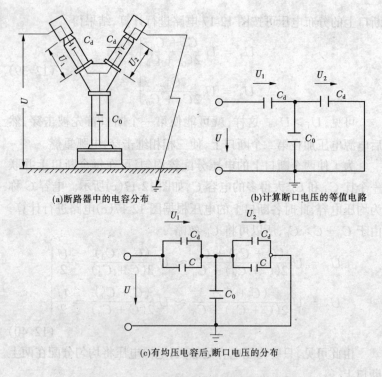

(a)断路器中的电容分布

(b)计算断口电压的等值电路

(c)有均压电容后,断口电压的分布

图 12-17 多断口断路器各断口间电压分布

(三)断路器安全使用条件

1. 高压断路器的主要参数

1)额定电压 U_e

额定电压是保证设备长期安全运行的线电压,它反映设备的绝缘水平。额定电压标明在铭牌上。国产断路器的额定电压等级有:3、6、10、20、35、60、110、220、330、500kV。由于在同一电压等级下的输电线路的始端电压与末端电压不同,并考虑到电力系统调压的要求,因此,又规定了断路器和其他电气设备的最高工作电压。最高工作电压一般比额定电压高 10%～15%,断路器(及其他电气设备)可在此电压下长期而又正常地工作。

断路器绝缘材料尺寸的大小取决于其额定电压,对于 35kV
以上的断路器,额定电压几乎决定着断路器的结构尺寸。

断路器的绝缘试验及断流能力试验都是在最高工作电压下进
行的,因此,断路器的选择按额定电压即可,而不必考虑最高工作
电压。

2)额定电流 I_e

额定电流是断路器在规定的环境温度下长期允许通过的最大
电流。触头的尺寸及其接触电阻大小对额定电流的大小有直接影
响。所连接设备的工作电流不应大于其额定电流,否则会使触头
发热增加,接触电阻增大,导致触头烧坏。

断路器额定电流的环境条件是:周围空气温度为 +40℃,海拔
高程不超过 1 000m。如果所使用的环境条件与上述规定的条件
不相符时,工作电流值应做修正。

(1)当使用的环境温度高于 +40℃ 时,每增高 10℃ 相应降低
其额定电流 1.8%。环境温度最高不许超过 +60℃。

(2)当使用的环境温度低于 +40℃ 时,每降低 1℃ 相应增加额
定电流 5%,但最大电流不允许超过额定电流值的 20%。

3)额定开断电流 I_{dn}

断路器在额定电压下能可靠地断开的最大短路电流,其值决
定于触头分开瞬间通过断路器的电流的有效值,是表征断路器开
断能力的参数。

当低于额定电压时,断路器的额定开断电流可相应增大。由
于灭弧室机械强度的限制,开断电流有一极限值。一般如未特别
注明或得到制造厂的同意,在使用电压低于额定电压时,断路器的
额定开断电流不要增大,以免损坏。

4)额定断流容量 S_{dn}

额定断流容量也是表征断路器开断能力的参数。由于断路器

的开断能力既与开断电流有关,又与额定电压有关,因此,引进一个综合参数,用于表征断路器的开断能力。在三相电路中,额定断流容量用下式计算

$$S_{dn} = \sqrt{3}\, U_e I_{dn} \qquad (12\text{-}41)$$

如果断路器使用的电压低于其额定电压,而又不能增大其额定开断电流,则断流容量相应降低。在实际使用电压下的断流容量为

$$S'_{dn} = \frac{U}{U_e} S_{dn} \qquad (12\text{-}42)$$

式中 U——断路器的实际使用电压。

5)额定动稳定电流 i_{dn}

额定动稳定电流又称为极限通过电流,是表征断路器承受短路电流电动力作用能力的参数。它是指断路器在接通状态下,允许通过的短路电流最大瞬时值(峰值)。显然,只要通过断路器的短路电流最大瞬时值不超过额定动稳定电流,断路器就不会由于电动力的作用而损坏。断路器的额定动稳定电流与其导电部分和支持绝缘部分的机构强度及触头的结构形式有关。

6)额定热稳定电流 I_t

在规定的比较短的时间内(一般有 1 秒、2 秒和 4 秒),断路器通过此电流时引起温度升高,不允许超过短时发热的允许温度,且无触头熔接等现象的发生,这一电流的极限值称为热稳定电流。因此,热稳定电流是表明断路器承受短路电流引起高温作用能力的参数。断路器的热稳定电流 I_t 一般等于其额定开断电流 I_{dn}。

7)额定短路开合电流(峰值) i_{gh}

断路器在合闸之前或重合闸动作,线路上存在着短路故障,此时短路器合闸时,将有大的短路电流通过导电部分,并产生很大的电动力。在断路器合闸过程中,动、静触头还未接触时便在其间产

生电弧,严重时也会使触头烧损或熔接。因此,额定短路升合电流是断路器的一个重要参数。额定开合电流(峰值)等于额定动稳定电流 i_{gh}。

8)动作时间

(1)分闸时间 t_f。断路器从接到分闸命令起动静触头分开电弧熄灭为止的时间,称为分闸时间。分闸时间包括断路器的固有动作时间 t_g 和电弧持续时间(燃弧时间)t_h 两部分,即 $t_f = t_g + t_h$。固有动作时间是指从断路器接到分闸命令起到动静触头分开的瞬间为止的时间,电弧持续时间是指从动静触头分开瞬间起到各相电弧熄灭为止的时间。分闸时间是表明断路器断开过程快慢的参数。从快速切除故障的要求出发,希望该分闸时间尽量的短。

(2)合闸时间。对于有操动机构的断路器,自发出合闸信号起到断路器接通时为止的时间,称为断路器合闸时间。一般合闸时间大于分闸时间,希望合闸时间也应愈短愈好。

2.断路器的选择条件

断路器是发电厂和变电所中最重要的开关电器,它担负着正常时接通和断开电路(又称合闸和分闸)以及在故障时断开故障电路的任务。断路器类型、型号和参数要选择正确,是保证断路器安全运行的条件之一。如果所选择的断路器与安装使用条件不符,也会因为其本身电气等方面的原因不能安全运行或出现严重事故。选择断路器时,必须满足以下条件:

(1)按额定电压选择。断路器的额定电压 U_e 应不低于设备安装地点电网的工作电压 U_g,即

$$U_e \geqslant U_g \tag{12-43}$$

(2)按额定电流选择。断路器的额定电流 I_e 应不小于设备安装回路的最大持续工作电流 I_{gmax},即

$$I_e \geqslant I_{gmax} \tag{12-44}$$

当断路器安装地点的环境温度不同于规定的环境温度时,对额定电流 I_e 要予以修正。设实际的环境温度为 θ,则

$$当\ 40° < \theta \leqslant 60°\quad I'_e = I_e[1 - (\theta - 40°) \times 1.8\%]$$

$$(12-45)$$

$$当\ \theta < 40°\quad I'_e = I_e[1 + (40° - \theta) \times 5\%] \leqslant 1.2I_e$$

$$(12-46)$$

式中　I'_e——断路器使用在实际环境温度为 θ 时的修正电流,kA。

(3)按安装地点选择。断路器安装在户内或户外以及海拔高程应该与断路器设计所规定的使用场所相适应。

(4)断路器开断电流校验。断路器额定短路开断电流 I_{dn} 应大于通过断路器最大短路电流的有效值 I_d(或为暂态电流 I''),即

$$I_{dn} \geqslant I_d \quad (或\ I'')$$

$$(12-47)$$

(5)断路器动稳定校验。断路器的额定极限电流 i_{dn} 应大于通过断路器的最大三相冲击短路电流值 i_{ch},即

$$i_{dn} \geqslant i_{ch}$$

$$(12-48)$$

(6)断路器热稳定校验。断路器通过短路电流时,其短路发热的最高温度,不应超过允许值。即应该满足

$$I_t^2 t \geqslant I_\infty^2 t_j$$

$$(12-49)$$

式中　I_t——t 秒内允许通过的短路电流值,kA;

　　　t——厂家提供的热稳定计算时间,一般为 1 秒、2 秒、4 秒等;

　　　I_∞——通过断路器的三相稳态短路电流,kA。

　　　t_j——短路电流假想时间。

(四)断路器的操动机构

操动机构是独立于断路器的,即不属于断路器本身的机构。操动机构用来驱动断路器完成合闸和分闸的动作,并使断路器在

完成合闸动作后保持在合闸位置。操动机构与断路器的传动机构之间通过拐臂和连杆连接起来。在整个动作过程中,就是使合闸或分闸元件获得动能,然后通过拐臂和连杆机构将动能传给动触头使其运动,从而完成合闸和分闸的动作。由于在合闸过程中要克服机构阻力,还要使分闸弹簧拉伸,因此合闸时要消耗较大的功率。反之,在分闸时只需释放机构,故消耗的功率很小。

断路器操动机构主要有以下几种:

(1)手动操动机构。是一种依靠人力合闸的机构,这种机构结构简单,但合闸时间长,且随工作人员的体力不同而不同。该类机构不能实现运动操作和自动重合闸,因此,只用在小容量的断路器上,如 SN_{10}-10 型。

(2)弹簧操动机构。其原理是由贮能电动机使弹簧贮能,合闸时贮能弹簧释放能量完成合闸。这种机构不需要配备附加设备,但结构复杂,加工工艺要求比较高。随着操作功的增大,各部零件尺寸强度相应增加,因而通用性较差。该机构配断路器的电压等级 10kV、35kV。

(3)电磁操动机构。这种机构利用电磁铁将电能变为机械能作为断路器合闸和分闸的动力,具有结构简单,运行可靠的优点。操作机构的电源一般为直流,因此必须装设有足够容量的蓄电池组成整流设备来供电。电磁操动机构应用在 10、35、63、110kV 断路器。

(4)气动操动机构。这是一种用压缩空气贮能并传送能量来操纵断路器的结构。具有功率大,速度快的特点,但结构比较复杂,需配备空气压缩设备。该机构目前应用在 10、35、63、330、500kV 断路器。

(5)液压操动机构。用压缩气体贮存能量,以液压油作为传递能量的媒质,将油装入带活塞的工作缸中,推动活塞运动带动断路器传动机构使断路器合闸和分闸。采用这种机构的断路器不必装设分闸弹簧。选择液压操动机构的有 63、110、220、330kV 断路器。

(五)断路器运行中发生故障的原因

断路器运行中发生故障大致可分为拒绝合闸、拒绝分闸、误动分闸以及断路器爆炸等。根据对造成断路器故障的原因分析,一般有以下几个方面:

(1)机械方面的原因。如操作机构失灵,传动机构卡涩失灵,辅助触点切换不到位,各零部件有缺陷不正常工作,各零部件变形、折断,螺母松动或销钉脱落,由于振动自行脱扣,气压或油压过低等。

(2)电气方面的原因。直流回路电压低,控制回路断线,微动开关失灵,继电保护接线错误或误动作,继电气接点粘接等。

(3)巡视和维护的原因。未及时发现断路器渗油,漏油、油位不正常(不在规定范围内),压油装置压力不正常,由于污秽造成断路器生锈,动静触头之间接触电阻大,油温过高等。

运行维护人员应该及时地发现和处理设备的缺陷,做好反事故的预想,平时就要做好有针对性的维护工作。

三、高压隔离开关

隔离开关是一种没有灭弧装置的开关电器,不能用来断开短路电流和负荷电流,它的主要用途是隔离电源,以保证检修工作的安全。

(一)隔离开关的类型

(1)按安装地点可分为户内式和户外式。

(2)按绝缘支柱的数目可分为单柱式、双柱式和三柱式。

(3)按极数可分为单极式和三极式。

(4)按闸刀的运动方式可分为水平旋转式、垂直旋转式、摆动式和插入式。

(5)按有无接地入可分为有接地入式和无接地入式。

(二)隔离开关的安全使用条件

(1)额定电压：$U_e \geqslant U_g$。

(2)额定电流：$I_e \geqslant I_{gmax}$。

当设备安装地点的环境温度不同于规定的温度（40℃）时，按式(12-45)、式(12-46)进行修正。

(3)热稳定电流：$I_t^2 t \geqslant I_\infty^2 t_j$。

(4)动稳定电流：$i_{dn} \geqslant i_{ch}$。

以上参数的意义与断路器参数的意义相同。

(5)按配电装置的类型进行选择。

(三)隔离开关运行安全操作

(1)隔离开关在断开位置时，触头之间必须具有空气绝缘的可见间隔，且达到规定的位置。

(2)隔离开关与断路器配合使用时，必须遵守"先通后断"的原则，即在接通电路时，应该先接通隔离开关，然后接通断路器；断开电路时，应让断路器先分闸后，再断开隔离开关，这样保证在隔离开关动静触头分开时不会产生电弧。

(3)切换母线操作。对于单断路器双母线接线的电路，在改变运行方式时，不停电。将连接其中一组母线的电源和出线经隔离开关的操作，倒换到另一组母线运行，要严格按操作程序进行，防止误拉和误合隔离开关的错误操作。

(4)隔离开关可以进行切断和接通小电流电路操作。如：电压互感器和避雷器电路；励磁电流不超过2A的空载变压器；电容电流不超过5A的空载线路。

(5)对于装有接地刀的隔离开关，必须装设联锁机构，以保证隔离开关断开后，接地刀才闭合；先断开接地后，再合隔离开关的操作顺序。

四、高压负荷开关

负荷开关是介于断路器和隔离开关之间的高压开关电气。由于它的灭弧装置结构比较简单,灭弧能力小,所以不能用于断开短路电流。负荷开关通常与高压熔断器配合使用,在正常情况下,由负荷开关断开和接通电路;在故障情况下则由熔断器切断短路电流。

负荷开关分为户内式(FN 型)和户外式(FW 型)两种。其价格比同一电压等级的断路器低得多,且结构简单,又不需要任何继电保护附加装置。在小型变电所中,负荷开关可用于代替结构复杂,价格较贵的高压断路器。

负荷开关的安全使用条件如下:

(1)按工作电压:$U_e \geqslant U_g$。

(2)按工作电流:$I_e \geqslant I_{gmax}$。

(3)动稳定校验:$I_{dn} \geqslant I_{ch}$;

$\qquad$ 或:$i_{dn} \geqslant i_{ch}$。

(4)热稳定检验:$I_t^2 t \geqslant I_\infty^2 t_j$。

以上参数意义与断路器参数意义相同。

(5)如果与熔断器配合使用,可不检验热稳定,但必须检验短路容量,即

$$S_d \geqslant S'' = \sqrt{3} U_e I''$$

式中　S_d——高压熔断器最大开断容量,MVA;

$\qquad$ S''——计算次暂态短路电流容量,MVA;

$\qquad$ I''——计算次暂态短路电流有效值,kA。

负荷开关的最大开断电流有的即等于其额定电流,有的则大于其额定电压。如果是大于额定电流,则通过的过负荷电流不大于负荷开关的最大开断电流,则可用负荷开关切断电路的过负荷

电流。

(6)开断电缆或限定长度的架空充电电流,其值不大于 10A。

(7)开断1 250kVA 及以下配电变压器的空载电流。

(8)开合负荷开关的额定"短路开合电流"。

五、高压熔断器

(一)熔断器的作用及类型

熔断器即是开关电气,又是保护电气。使用时将它串接在电路中,当电路中出现过负荷电流或短路电流时,利用电流在其本身产生的热量将其熔化,从而断开电路。

熔断器的种类很多。按电压可分为低压和高压两类;按装设地点可分为户内式和户外式两类;按是否有限流作用可分为限流和不限流两类。

RN_2 系列熔断器用于保护户内安装的电压互感器。

RW_g - 35/0.5、RWJ - 35/0.5 熔断器用于保护户外安装 35kV 电压互感器。

其他系列熔断器用于保护输电线路和变压器的短路与过负荷。

(二)熔断器结构及安全使用

熔断器由金属熔件(又称熔体)、触头和熔件管组成。熔件是导电部分,触头用来支持和连接熔件,熔件管两端固定触头,将熔件封闭起来。熔件在熔化时的金属和金属蒸气封闭在熔件管内,不会危及工作人员和附近的设备。熔件管采用能在电弧作用下产生气体的纤维管作外壳,或在熔件管内填装石英砂,有助于熄灭电弧。

熔件熔断时间与通过电流之间的关系曲线为熔件的安秒特性曲线,又称为保护特性曲线(如图 12-18 所示)。通过熔件的电流愈大,熔断时间就愈短。熔件的截面不同,通过的电流相同,安秒

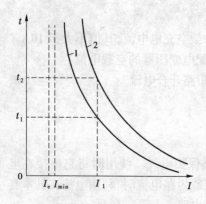

1—熔件截面较小;2—熔体截面较大

图 12-18　熔断器的安秒特性

特性曲线也不同。图 12-18 中曲线 2 的熔件截面大于曲线 1 的熔件截面,当通过同一电流 I_1 时,截面较小的熔件熔断时间短,先熔断,故可按熔件的保护特性实现有选择地断开故障电路。

熔件的保护特性与触头和熔件本身的状况有关,接触不良或熔件表面氧化,都会降低其最小熔断电流。因此其保护特性很不稳定。

熔件通过最小熔断电流 I_{min} 时的熔断时间为无穷大,这是使熔件保持稳定发热的最大电流,熔件的额定电流 I_e 应小于 I_{min}。应该注意,熔断器的额定电流与熔件的额定电流是两个不同的量。熔断器的额定电流,是指熔断器接触部分和导电部分的长期发热温度不超过允许值的电流。而熔件的额定电流则是依据熔件的材料和截面而确定的电流,当通过此电流时,熔件能长期稳定地工作而不被熔化。可见,同一熔断器内,可分别装入不同额定电流的熔件,但最大熔件的额定电流不得大于熔断器的额定电流。

熔断器通过断路电流时,熔件很快被熔化,在断口间产生电弧。为了断开电路,熔断器必须很快熄灭电弧。不同的熔断器采用不同的熄灭电弧的方法。有的熔断器灭弧能力较强,短路后能在出现冲击电流以前就熄灭电弧,断开电路。这样的熔断器称为限流熔断器。所以用限流熔断器保护电路,短路后不会出现冲击电流。

熔断器的参数有:额定电压 U_e;额定电流 I_e;额定开断电流 I_{dn};额定电流容量 S_{dn} 共四项,其意义与断路器相同。熔断器无热稳定电流这个参数。选择熔断器时,应注意使用场所和额定值大于等于安装点的实际参数值。

六、低压开关

常用的低压开关有刀开关、接触器和自动开关。

(一)刀开关

刀开关是一种最简单的低压开关,分为单投开关(HD)和双投开关(HS)两种。按操作又可分为中央手柄式、侧面操作手柄式、中央正面杠杆式操作、侧方正面杠杆式操作、旋转操作式五种方式;按极数又可分为单极、两极、三极三种。刀开关手动操作,若没有安装灭弧罩,不能切断带有负荷的电路,仅用作隔离开关。若带有灭弧罩,可用于接通或断开额定电流下的负荷电流。灭弧原理是刀开关触头中电弧电流产生的磁场对电弧产生向上作用的电动力,结果使电弧迅速向上移动而被拉长并且进入灭弧罩,电弧在灭弧罩被分割成很多短弧使电弧迅速冷却直至熄灭。

刀开关可与低压熔断器配合使用,由熔断器切断短路电流或过负荷电流。

刀开关按线路的额定电压、计算电流(小于等于额定电流)及断开电流选择,按短路时的动、热稳定校验。

刀开关断开的负荷电流不应大于制造厂允许的断开电流值。

(二)接触器

接触器可分为直流接触器和交流接触器两大类。

接触器可以用来远距离接通或断开电路的正常工作电流,并可以用于频繁起动及控制低压电动机。由于接触器不能反应短路及过负荷等不正常工作状态,且由于它的灭弧能力小,故不能切断短路电流和过负荷电流。因此,接触器通常与熔断器配合使用。

如果接触器的吸引线圈由接触器控制的电路供电,则接触器可起到欠电压保护作用。当电路电压降低时,由于电磁力不足,接触器欠压释放,结果使电路断开。

接触器的灭弧罩由陶土材料制成,根据狭缝灭弧原理熄灭电弧。

接触器额定工作电流或额定控制功率随使用条件(如额定电压、使用类别、操作频率、工作制等)不同而变化。只有根据不同使用条件正确选用其容量等级,才能保证接触器在控制系统中长期可靠运行。

接触器的选择:

(1)根据控制对象和用途的不同,选择接触器使用的类别。

(2)按电动机的额定功率或负荷的计算电流选择接触器的容量等级。

(3)按短路时检验动稳定和热稳定,当使用接触器切断短路电流时,应校验接触器的开断能力。

(4)接触器吸引线圈的额定电流、电压及辅助触头的数目应满足控制回路接线的要求。

(5)根据操作次数检验接触所允许的操作频率。

应注意,根据使用条件的影响,选择接触器容量等级要留有适当的余量。

接触器加热继电器组合使用,称为磁力起动器。热继电器用于电动机的过载保护。

(三)自动开关

自动开关或称为低压空气断路器、断路器,按其结构型式可分为框架式(DW 万能式)和塑壳式(DZ)两大类;按电源种类不同,可分为交流和直流两种。

自动开关可以切断负荷电流,也可以切断短路电流。当电路中出现过负荷、短路和欠电压时,自动开关能自动断开电路。因此,自动开关是性能最完善的低压开关,常用于低压大电流电路中。由于自动开关着重在结构上提高其灭弧能力,故不适用于频繁操作。

自动开关的选择方法如下:

1. 按额定电流选择

$$I_e \geqslant I_{js} \tag{12-50}$$

式中　I_e——自动开关额定电流,A;

　　　I_{js}——回路负荷计算电流,A。

2. 按短路电流检验

(1)开关动作时间大于 0.02s。

$$I_{zh} \geqslant I'' \tag{12-51}$$

式中　I_{zh}——自动开关的额定开断电流,A;

　　　I''——回路短路电流周期分量有效值,A。

(2)开关动作时间小于 0.02s。

$$I_{zy} \geqslant I_{ch} \tag{12-52}$$

式中　I_{zy}——自动开关额定开断冲击电流有效值,A;

　　　I_{ch}——回路短路电流第一周期内全电流有效值,A。

3. 自动开关脱扣器整定电流

(1)对于单台电动机回路。

$$I_z \geqslant KI_q \tag{12-53}$$

式中　I_z——脱扣器瞬时动作整定电流,A;

　　　K——可靠系数,对于动作时间大于 0.02s 的自动开关,取
　　　　　　$K = 1.35$,对于动作时间小于 0.02s 的自动开关,取
　　　　　　$K = 1.7 \sim 2$;

　　　I_q——电动机起动电流,A。

(2)对于馈电干线。

$$I_z \geqslant 1.35 \left[I_{q1} + \sum I_{js(n-1)} \right] \tag{12-54}$$

式中　I_{q1}——回路最大 1 台电动机起动电流,A;

　　　$\sum I_{js(n-1)}$——回路中除去最大 1 台电动机外的计算电流,A。

七、高压配电装置

(一)配电装置的类型

配电装置是用来接受和分配电能的电气装置,它包括开关设备、互感器、保护电器(如避雷器和电抗器)、连接母线及辅助设备,是按照一定的要求连接和建造而成的电工建筑物。由于电压等级不同,绝缘安全距离不一样、电气主接线方式及地理环境等因素,配电装置有不同的型式。按电气设备的安装地点、配电装置可分屋内式和屋外式两种型式;按组装方式,又可分为装配式和成套式。将有关的电气设备,如开关设备、保护电器等在安装现场进行组装的称为装配式配电装置;由制造厂预先将主接线每一回路的电气设备安装在金属框中,成套运到安装地点称为成套配电装置。一般来说,10kV 及以下采用屋内配电装置,35kV 以上采用屋外配电装置,35kV 配电装置两种型式都采用。

1.屋内配电装置的特点

电气设备安装在屋内,因此要建筑特殊的房屋,土建工程量大,投资多。由于允许的安全净距小,设备布置紧凑,使占地面减小。设备在屋内不受气候、污秽空气的影响,运行条件好,可减少维护工作量。另外,维护、操作和巡视都在室内,对工作人员有较多的便利。

2.屋外配电装置的特点

将电气设备安装在露天的场地,称为屋外配电装置。不需要建造特殊房屋而减少了土建工程的费用,且扩建比较容易。相邻设备之间距离增大,使占地面积较大。电气设备要经受日晒、雨淋、风雷、雾雪、温度变化和各种污秽等自然条件的侵袭,使设备的运行条件较差,需加强绝缘。不良的气候给工作人员对设备的巡视、维护和操作带来影响,设备与设备的间距大,便于带电作业。

3.成套配电装置的特点

具有可靠性高、运行安全、操作方便、维护工作量小、占地少、建设工期短、便于搬运和扩建等特点,但耗用的钢材较多,造价较高。

(二)对配电装置的基本要求

(1)保证运行可靠,布置力求整齐、清晰。

(2)具有足够的安全距离,保证操作、维护、检修的方便。

(3)在保证安全的前提下,布置紧凑,经济合理。

(4)确保工作人员的人身安全。

(5)符合防火的要求。

(三)配电装置的安全运行

1.防止导体连接处过热

导体连接处是薄弱环节,接触电阻应符合要求,否则通过正常负荷电流时,其最高温度会超过允许值。其螺栓紧固要适当,接触面要压紧,但不要使导体发生塑性变形。否则,当负荷电流减小,导体温度降低,由于连接处已经变形,结果会使接触表面压力减小,甚至会出现间隙,造成接触电阻急剧增加,当再通过负荷电流时,连接处发热更为严重。

当有铜铝连接时,要采用铜铝过渡接头或铝接头采用超声波搪锡处理后再连接。

2.母线涂刷漆要求

对硬母线涂刷漆可以增加热辐射能力,有利于母线散热,又可防止母线表面氧化,对于钢母线涂漆还可以防锈。为了使工作人员便于识别直流极性和交流的相别,母线涂刷漆应为不同的颜色标志。

对于直流电路:正极用红色(或棕色),负极用蓝色。

对于交流三相电路:A相用黄色,B相用绿色,C相用红色。

对于交流单相电路:与引出线颜色相同,独立的单相母线用黄色和红色。

交流电路的中线性用紫色。

软母线和封闭母线在两端要有相别标志。

接地线涂刷黑色漆。

3.绝缘子的安全运行

绝缘子用来支持和固定架空导线,配电装置母线以及电气设备的带电部分,使之与地绝缘或作为相与相间的绝缘。在运行中,绝缘子承受着工作电压和各种电压的作用;承受着导线重量、履冰重量、风力、短路电流电动力、设备机械操作力及振动力等作用,此外,由于绝缘子大多暴露在大气中,还受到大气条件变化和环境污染的影响。要求绝缘子其绝缘性能好,化学性能稳定,有较高的热稳定性和机械强度。

为了使绝缘子安全运行,要做到以下几点:

(1)检查绝缘子某些尖角部位是否有局部放电现象。

(2)绝缘子表面是否有严重污秽物,应该定期清洁。

(3)绝缘子表面有无爬电痕迹。

(4)绝缘子表面是否有裂纹。

(5)金具是否有生锈、损坏、缺少开口销和弹簧销的情况。

发现问题,应做好记录,问题严重时,要及时处理。在多灰尘和有害气体的地区,绝缘子应采用特殊结构的防污绝缘子。

§12-7　配电线路的运行维护

一、电力线路的允许负荷

线路电压的高低,关系到供电质量,如果电压一定,输送距离太远,电力就不足,用电设备就不能正常工作。因此,电压、负荷容量与输送距离有一定的关系。在一般情况下,不同电压、输送容量和输送距离的参考范围,见表12-7。

表 12-7　不同电压级输配电线路输送容量及距离的参考范围

额定电压(kV)	输送功率(kW)	输送距离(km)
3	100～1 000	1～3
6	100～1 200	4～15
10	200～2 000	6～15
35	2 000～10 000	15～40
110	10 000～50 000	40～150

当电流流过输电线时,会产生电压损耗和电能损耗。在相同的负荷电流下,选用的截面较大,可以减小电能损耗,但使线路的投资增大;若选用的截面较小,不仅使电能的损耗增加,还会引起导线机械强度的破坏,直接影响安全可靠供电。因此,合理地选择导线截面,既可以保证电能质量又可以满足安全经济方面的要求。

(一)按经济电流密度选择导线截面

何为经济电流密度,即综合考虑线路投资和电能损耗这两方面的影响,从经济角度可以确定出一个比较合理的导线截面,称为经济截面,与之对应的电流密度,称为经济电流密度。对应于不同的金属导线和不同的最大负荷利用小时数,目前我国现行的经济电流密度,如表 12-8 所示。

表 12-8　　　　导线的经济电流密度　　　（单位:A／mm²）

导 线 材 料	最大负荷使用时间 T_{zd}(h)		
	3 000 以下	3 000～5 000	5 000 以上
铜裸导线和母线	3.0	2.25	1.75
铝裸导线和母线,钢芯铝线	1.65	1.15	0.9
铜芯电缆	2.5	2.25	2.0
铝芯电缆	1.92	1.73	1.54

随着供电负荷的发展,线路输送容量也在逐年增加。一般根据经济的发展,做出 5～10 年的规划负荷作为该线路的输送容量。根据已知的导线材料及最大负荷利用小时,可从表 12-8 查出经济电流密度 J,用下式计算导线截面:

$$S_J = \frac{I_{gmax}}{J} \tag{12-55}$$

式中　S_J——导线的经济截面,mm^2;

　　　J——经济电流密度,A/mm^2;

　　　I_{gmax}——5～10 年规范的最大负荷电流,A。

若使用环境温度超过 25℃,电流要进行修正。

最后,根据计算出的导线截面,选择与其最接近的标准截面。为了节省投资和有色金属消耗量,选择的标准截面可适当小于经济截面。

(二)按允许电压损耗选择导线截面

当负荷电流通过线路时,由于线路具有阻抗,因而要产生电压损耗,而电压是电能质量的指标之一。为了满足电能质量的要求,输电线路电压损耗不能超过允许值。电压损耗常用相对于额定电压的百分数表示。

图 12-19 是带一个集中负荷的线路,线的长度 L,电阻 R、电抗 X 标在图上,所带负荷为 $p + jq$,则线路电压损耗相对值为:

$$\delta U = \frac{1}{10 U_e^2}(p_0 R + q \cdot x)\% \tag{12-56}$$

式中　U_e——额定电压,kV;

　　　δU——电压损耗百分数。

如图 12-20 为带 2 个集中负荷的线路,各参数均标在图上,由图可知

$$P_1 = p_1 + p_2, Q_1 = q_1 + q_2, P_2 = p_2, Q_2 = q_2$$

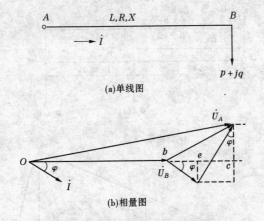

(a)单线图

(b)相量图

图 12-19 带一个集中负荷的线路

$$L_2 = l_1 + l_2, R_2 = r_1 + r_2, X_2 = x_1 + x_2$$

$$L_1 = l_1, R_1 = r_1, X_1 = x_1$$

则线性电压损耗的百分数为:

$$\delta U = \frac{1}{10U_2^2}[P_1r_1 + P_2r_2) + (Q_1x_1 + Q_2x_2)] \times 100\%$$

$$(12\text{-}57)$$

或

$$\delta U = \frac{1}{10U_e^2}[P_1R_1 + P_2R_2) + (q_1x_1 + q_2x_2)] \times 100\%$$

$$(12\text{-}58)$$

线路允许的电压损耗应大于计算的电压损耗,说明所选的导线截面是合理的,即

$$\delta U_{xu} \geqslant \delta U \qquad (12\text{-}59)$$

式中 δU_{xu} ——线路允许电压损耗百分数,见表 12-9。

导线要承受着机械力的作用,按上述所选择的导线,若承受力超过其机械强度时,就会发生断线事故。为了保证导线的安全运

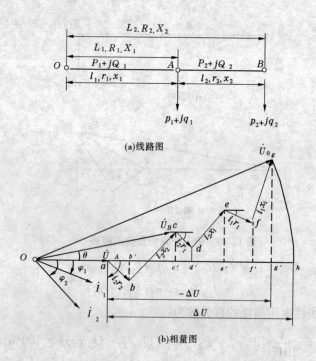

(a)线路图

(b)相量图

图 12-20　带二个集中负荷的线路

行,规定了不同电压等级架空线路,使用不同材料导线时允许的最小截面(如表 12-10)。

表 12-9　　　　　　　线路电压损耗允许值

名　　　称	允许电压损失(%)
从配电变压器二次侧母线算起的低压线路	5
从配电变压器二次侧母线算起的供给有照明负荷的低压线路	3~5
从 110(35)/10(6)kV 变压器二次侧母线算起的10(6)kV 线路	5

表 12-10 机械强度要求的导线最小截面 （单位:mm²）

导线种类	高压配电线路		低压配电线路
	居民区	非居民区	
铝绞线及铝合金线	35	25	16
钢芯铝线	25	16	16
铜 线	16	16	（直径 3.3mm）

如果按计算公式所选择的导线截面小于表中的截面,应按表中所列截面选取。

60kV 及以下的线路一般不会产生电晕,故不必进行电晕检验。

二、架空线路和电缆线路的运行维护

(一)架空线路的运行维护

巡视检查的目的是为了掌握线路设备的运行情况和周围的环境情况,及时发现线路故障,消除故障,保证安全运行。

线路运行巡视种类如下:

(1)定期巡视。市区一般一月一次,郊区及农村至少一季一次,认真查看线路设备的运行状况及沿线路环境变化情况。

(2)特殊巡视。在气候异常变化时或某些特殊情况下,应对线路的全线或某些地段或某些保护装置进行巡视。

(3)夜间巡视。检查线路接点有无发热打火,绝缘子是否放电等现象。一般每年至少一次,选择无月光时进行。

(4)故障巡视。线路发生故障,应立即查明发生故障的地点原因,消除故障,尽快恢复供电。

巡视的内容一般有:

(1)杆塔基础有无下沉和倾斜,混凝土杆有无裂纹、酥松、断裂;防护设施是否有损坏,坍塌;有无树枝或蔓藤等植物危害线路安全。

(2)横担及金具有无锈蚀、歪斜、变形,螺栓是否紧固,螺母、开口销有无脱落。

(3)绝缘子有无闪络痕迹或损坏。

(4)导线有无断股;有无过紧过松,三相弛度是否平衡;导线上有无杂物,导线接头有无烧损现象;导线与绝缘子的绑线是否松开、脱落。

(5)拉线是否松弛、断股、锈蚀。

(6)接地线是否脱落或过热烧伤;接地体有无外露、严重腐蚀等。

(7)避雷器固定是否牢固,表面是否污秽;表面有无裂纹;损伤、闪络痕迹;保护间隙有无锈蚀,被其他物短接,间隙的距离是否满足要求。

(二)电缆线路的运行维护

1. 电缆线路的巡查

(1)电缆外护层是否有放电烧损情况。

(2)电缆头是否清污,接地线是否良好,有无松动拧股现象。

(3)敷设在地下电缆线路沿线有无地面沉陷,地面有无机械施工、堆置建筑材料、笨重物件、对电缆有腐蚀性液体等。

(4)电缆隧道及电缆沟内不应积水或堆积污物。

(5)电缆支架必须牢固、无松动或锈烂现象。

(6)接头套管或终端盒是否完整,有无水分侵入痕迹;引出线接头应无松动现象,接触良好;端头有无污闪。

2. 电缆线路运行监视

(1)温度监视。电缆导体的温度与负荷密切相关,但是周围环境如散热条件不好,也会影响电缆的正常工作。测量电缆温度时应在电缆最大负荷和在散热条件最差的线段进行。电缆导体的温度不可能直接测量,只能采用间接的方法,如用热电偶等。

(2)负荷监视。电缆在运行时的负荷不应超过其允许的载流量。

配电线路故障种类很多,认真做好线路巡视检查和维护工作,可以减少或杜绝故障的发生,提高供电的可靠性和运行的安全性。

三、电力线路故障分析

(一)架空配电线路常见故障和分析

1.导线的断线

由于外界原因或施工质量低,造成倒杆或严重倾斜,将导线拉断;导线在制造上有缺陷,在外界环境的影响下,使其氧化、生锈变质而减弱机械强度,遇有恶劣天气会引起断线;导线受风吹会引起上下振动,导致导线的应力小于极限拉断强度时便出现断股或断线,断线使三相电路变为缺相运行。

2.单相接地

单相断线接地,雷电过电压造成一相对地的绝缘击穿;树枝碰及导线。单相接地后可能会引起弧光过电压,使三相不平衡,系统受到破坏;非故障相对地电压升高$\sqrt{3}$倍,对非故障相绝缘造成危害。

3.两相短路

单相断线接地,若又有另一相发生单相接地,就会发生两相接地短路,线路的相间距离不足,导线弧度较大,在受风吹的摆动过程中,可能会引起混线使相与相相碰;操作过电压、弧光接地过电压、雷电过电压使相间的绝缘破坏、击穿,引起相间短路;某些外力破坏等。两相短路使流过导线的电流增大许多倍,使某些部位过热或者烧毁。

4.三相短路

在线路的同一点三相间直接搭接在一起,即为三相短路。如倒杆、隔离开关未拆接地线等。三相短路故障出现的机会很少,但是最为严重的故障。

5. 缺相

缺相和单相断线不接地对负荷所造成的不良后果是相同的。如一相熔断器熔断,一相连接触头烧断等。缺相使三相负荷不能正常运行,如电动机因缺相可能停止运转甚至烧毁电动机。

(二)电缆线路常见故障和分析

1. 机械损伤

电缆直接受外力损坏,如施工时不慎而使电缆损坏;因震动引起护套的疲劳损坏,因地面下沉承受过大的拉力,使电缆弯曲过度等。

2. 绝缘受潮

终端或连接盒设计不合理,施工不良(如铅封不密等)使水分侵入,或因其他外物刺穿受损致使潮气侵入,使绝缘降低或击穿。

3. 绝缘老化

电缆在运行过程中,温度有时会超过其允许温度,绝缘物的物理及化学性能会发生变化,导致绝缘降低,介质损耗增大而导致局部过热击穿。

4. 护层腐蚀

某些腐蚀性液体的侵入使护层损坏。

5. 过电压

雷击或其他过电压使电缆击穿。

电缆线路的故障,原因是多方面的,但主要原因是设计有缺点、选择不当、制造上不合格、施工不按要求进行操作,运行维护不负责任及检修质量差等造成的。

电力线路在运行过程中,发生上述故障,则应尽快地切断故障部分,防止故障扩大。寻找故障点,认真进行检查分析,对于故障线路尽快做出修理措施。检修完后,要做试验,确定故障消除后方可恢复供电。

§12-8 异步电动机的起动、运行维护和故障分析

异步电动机使用得最为广泛。因为其构造简单、价格便宜、工作可靠、坚固耐用和使用维修方便。在工农业生产中,异步电动机占有绝对的优势。

一、电动机的起动方式

电动机从接通电源开始,一直到转速达到正常,这一过程称为起动过程。

异步电动机的起动参数包括起动电流、起动转矩、起动时间、起动能耗、绕组的发热程度等。其中起动电流和起动转矩是最重要的。异步电动机的起动电流较大,其定子电流可达其额定值的4~7倍,转子起动电流可达额定值5~8倍。故 $I_起/I_额$ 是衡量电动机起动性能的重要指标,称为起动倍数。

(一)鼠笼式感应电动机的起动方式

1.直接起动

电动机直接接上电源起动,称为直接起动或全电压起动。

电动机直接起动时,在配电系统上引起的电压波动不应破坏与其连接同一母线上的用电设备正常运行。交流电动机起动时,其端子上的计算电压应符合下列要求:

(1)电动机频繁起动时,不宜低于额定电压的90%;电动机不频繁起动时,不宜低于额定电压的85%。

(2)电动机不与照明或其他对电压波动敏感的负荷合用变压器,且不频繁起动时,不应低于额定电压的80%。

(3)当电动机由单独的变压器供电时,其允许值应按机械要求的起动转矩确定。

低压电动机应保证接触器线圈的电压不低于释放电压。

满足以上要求时,电动机可以直接全电压起动。

直接起动具有所用开关设备简单、操作方便、起动时间短等优点。经常使用的设备有刀开关、铁壳开关和交流接触器等。

2.降压起动

如果电动机的容量较大,直接起动时影响线路和其他设备的正常运行,可以采用降压起动的方法来起动。

降压起动即电压不是直接接在电动机上,而是采取一定措施,将电源电压降压后再加到电动机的定子绕组上,以限制电动机的起动电流。当电动机转速达到额定值时,再转换到额定电压。降压起动的方法通常有:星形—三角形起动、自耦降压起动、延边三角形起动三种。

(1)星形—三角形起动。电动机在星形接线时先起动,达到一定转速后,再把定子绕组改接成三角形接法使电机在额定电压下运转(如图 12-21)。这种方法无额外耗能,设备简单,是常见的起动方法,特别是中小型电动机。

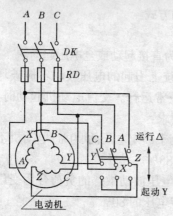

图 12-21 Y-△起动

(2)自耦降压起动。此法利用自耦变压器来降压起动。自耦减压起动常用的设备为自耦减压起动器或称起动补偿器。

起动时,将开关转到"起动"位置,电动机便与自耦变压器线圈抽头相接,因此在低电压下起动,待电动机接近额定转速后,即将开关转到运行位置。停止时按停止按钮。这种起动方法在较大容量电动机中可以多级降低起动,故容易起动,起动电流小(如图 12-22)。

(3)延边三角形起动。在定子绕组中多抽出三个抽头,这样电动机有九个抽头,根据一定的接法,来达到降压起动的目的(如图12-23)。起动时,将定子绕组的 ZX'、XY'、YZ' 相连,A、B、C 接电源,即成为延边三角形接法。一次起动完毕,再将 X 换接到 B,Y 接到 C,Z 接到 A,成为三角形接法运行。

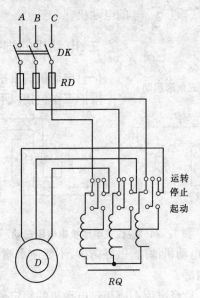

图12-22 自耦降压起动

(二)绕线式感应电动机起动方式

绕线式感应电动机具有良好的起动特性,可在转子中串联电阻或频繁电阻器,以达到减小起动电流,增加起动转矩的目的,并且提高转子电路的功率因数(见图12-24)。

1.串联电阻

变阻器的改变可以是有级的或无级的。这种起动方法不但减少了起动电流,还将显著增大起动转矩。故特别适用于需重载起

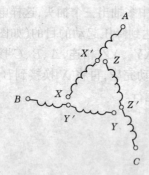

动的场合,如起重机等。

2.频繁变阻器

在转子电路中串接一种电阻阻值随频率变化,无触点的起动设备,可以实现无级起动。它最适合于轻载起动的电动机。

图 12-23 延边三角形起动

二、电动机的维护和检查

(一)电动机的维护

维护工作包括以下内容:

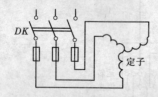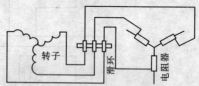

图 12-24 绕线式电动机串电阻起动

(1)应保持电动机清洁,做好防护,不要使水滴、油污或其他杂物落入电动机内部。

(2)运行时,负载电流不应超过电动机的额定值。

(3)要经常检查轴承的温度、漏油等情况,按规定更换润滑油。

(4)电动机的各部分的温度应保持在规定值以下。

(5)电动机在运行中观察其有无不正常的声音。

(6)绕线式电动机的电刷与滑环应接触良好,不应产生火花。

(7)电动机的通风要良好。

(二)电动机投入运行前的检查

运行前应检查以下内容:

(1)电动机的绝缘是否良好。

(2)电动机内部应无杂物。

(3)电动机轴承应有润滑油,并达到规定的油位。

(4)电动机外壳是否可靠接地。

(5)绕线式电动机的电刷与滑环接触压力应正常。

(6)电动机的电源接线是否正确。

(7)固定电动机的螺栓及各连接部件是否紧固可靠。

三、电动机的常见电气故障及原因

使用中的电动机所出现的各种故障,归纳起来有电气、机械两大类。但引发故障的原因是多方面的,所涉及的面比较广,有直接的,也有间接的。如设计、制造、贮运、安装、使用、维护等,都有可能产生故障。下面介绍几种电气方面的故障及产生的原因。

(一)电动机不能起动

(1)电源未接通。

(2)定子或转子绕组断路。

(3)定子绕组接地或相间短路。

(4)定子绕组接线错误。

(5)熔断器的熔体熔断。

(6)绕线转子电动机误操作。

(7)过流继电器整定值太小。

(8)控制设备接线错误。

(二)电动机带负载运行时转速低于其额定值

(1)电源电压过低。

(2)笼型转子断条。

(3)绕线转子电刷与滑环接触不良或起动变阻器接触不良。

(4)绕线式转子一相断路。

(5)三角形连接错接成星形。

(三)电动机空载或负载时电流表指针来回摆动

(1)绕组转子电动机有一相电刷接触不良。

(2)鼠笼转子断条。

(3)绕线转子一相断路。

(四)电动机外壳带电

(1)电源相线与接地线接错。

(2)绕组绝缘损坏并与铁芯或外壳接触,或引出线与接线盒碰壳。

(五)电动机温升过高或冒烟

(1)电源电压过高或过低。

(2)定转子铁芯相擦。

(3)两相运转。

(4)负载过大。

(5)定子绕组匝间短路或相间短路。

(6)风扇故障,或电机通风道堵塞。

(7)环境温度增高。

(六)绕线式转子滑环火花过大

(1)电刷牌号及尺寸不合适。

(2)滑环表面有污垢杂物。

(3)电刷与滑环间压力太小。

(4)电刷在刷握内扎住。

第十三章　电气安全保护

§13-1　电力变压器的保护

一、变压器的故障种类和不正常工作状态

变压器是电力系统中重要的供电元件,它的故障将会对供电的可靠性和系统的正常运行带来严重的影响。因此,必须根据其容量和重要程度,设置性能良好、动作可靠的保护装置。

变压器的主要故障种类有:

(1)线圈内及引出线上的相间短路。

(2)线圈内一相匝间短路。

(3)线圈或其外部引出线的接地。

经验证明,引出线上及变压器线圈内的匝间短路较多,因为相间绝缘强度很高,故一般发生相间短路的机会很少。

变压器最常发生的不正常工作状态有:由外部短路或过负荷引起的电流升高和温度升高以及不能允许的油面降低。

对于以上各种故障和不正常工作状态,都必须装设相应的保护得到及时处理,否则前者将会引起内部发生电弧,使绝缘物猛烈气化,将导致变压器油箱的爆炸;后者将使绝缘材料迅速老化,绝缘强度降低,并可能延伸成内部故障或缩短其寿命。

二、变压器保护的种类

变压器保护装置常用的有以下几种:

(1)过负荷保护装置。用以保护过负荷所引起的过电流。

(2)过电流保护装置。用以保护由于外部短路所引起的过电流。

(3)差动保护装置。用以保护线圈内部及引出线上的相间短路及匝间短路。

(4)瓦斯保护装置。用以保护因油面降低或由于变压器内部故障而分解出瓦斯气体的故障。

(5)电流速断装置。用以加速断开由变压器内部或引出线上发生故障所引起的过电流。

以上几种保护的选用,须视变压器容量、重要性及其类型而定,对于不同容量的变压器应装设的保护种类有:

对于容量为 10 000kVA 及以上的变压器,或多台 1 000kVA 并联运行总容量在 10 000kVA 以上的变压器群,应设过流保护、瓦斯保护、差动保护及过负荷保护。

对于容量为 1 000～7 500kVA 的变压器,应设计过电流保护、瓦斯保护及电流速断保护。

对于容量低于 1 000kVA 的变压器,应装设过电流保护及电流速断装置,当过电流保护的时间为 0.7s 及低于 0.7s 时,允许不装设电流速断装置。

三、变压器的过负荷保护

变压器过负荷,一般都是三相对称的。因此,过负荷保护只用一个电流继电器接入一相电流来实现,并经延时动作于信号,如图 13-1 所示。降压变压器装设在高压侧,动作电流(I_{dz})按躲过变压器额定电流整定,即

$$I_{dz} = \frac{K_k}{K_{fh}} I_e \qquad (13-1)$$

式中　K_k——可靠系数,取 1.05;

　　　K_{fh}——电流继电器返回系数,取 0.85;

I_e——保护安装侧额定电流,kA。

过负荷保护的动作时间应比电流保护的动作时间大一个时间级差 Δt。

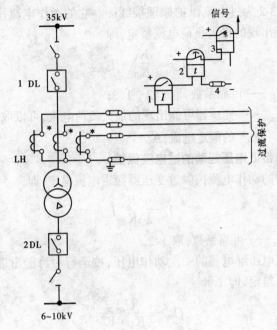

1—电流继电器 DL‑11/6 型;2—时间继电器 DS‑113C/220 型;
3—电压信号继电器 DX‑11/220 型;4—连接片

图 13-1　变压器过负荷保护接线圈

四、变压器的过电流保护

为了防止外部短路引起的过电流和作为变压器的后备保护,可在降压变压器高压侧装设过电流保护。这样当变压器内部故障,主保护(如差动保护或电流速断保护等)拒绝动作时,它可以动作切除故障,起到后备保护的作用。为了使保护动作有选择性,过电流保护必须带有一定延时。

(一)过电流保护

图 13-2 为过电流保护原理接线图。它的动作电流按躲过变压器可能出现的最大负荷电流整定,即

$$I_{dz} = \frac{K_k}{K_{fh}} \cdot I_{fmax} \tag{13-2}$$

式中　K_k——可靠系数,取 $1.2 \sim 1.3$;

　　　I_{fmax}——变压器可能出现的最大负荷电流,可以取 1.05 倍的额定电流,A。

(二)带低电压起动的过电流保护

保护的动作电流按躲过变压器额定电流整定,即

$$I_{dz} = \frac{K_k}{K_{fh}} I_e \tag{13-3}$$

式中　K_k——可靠系数,取 1.2。

对低电压继电器的一次动作电压,按运行中可能出现的最低工作电压整定,即

$$U_{dz} = \frac{U_{g \cdot zx}}{K_k \cdot K_{fh}} \tag{13-4}$$

式中　$U_{g \cdot zx}$——最低工作电压,取为 $0.7 U_e$(U_e 为额电压),kV;

　　　K_k——可靠系数,取为 $1.1 \sim 1.25$;

　　　K_{fh}——低电压继电器的返回系数,取 $1.15 \sim 1.25$。

带低电压起动的过电流保护原理接线,如图 13-3 所示。

五、变压器的电流速断保护

对于中、小容量的配电变压器,可以在其电源侧装设电流速断保护作为主保护,其保护范围为变压器电源侧线圈和电源侧套管及引出线故障。

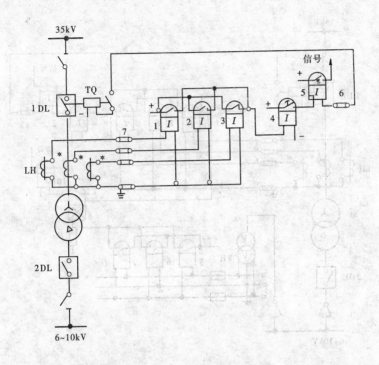

1、2、3—电流继电器 DL - 11/20 型;4—时间继电器 DS - 112/220 型;
5—电流信号继电器 DX - 11/1 型;6—跳闸连接片;7—电流试验端子

图 13-2 过电流保护原理接线图

图 13-4 为变压器电流速断保护原理接线图,电流互感器安装
在电源侧。电源侧为中性点直接接地系统时,保护采用完全星形
接线方式,电源侧为中性点不接地或经消弧线圈接地系统时,则采
用两相不完全星形接线方式。

变压器电流速断保护的动作电流按躲过变压器二次侧母线三
相短路时最大短路电流整定,即

$$I_{dz} = K_k \cdot I_{dmax} \tag{13-5}$$

式中　K_k——可靠系数,取 1.2~1.3;

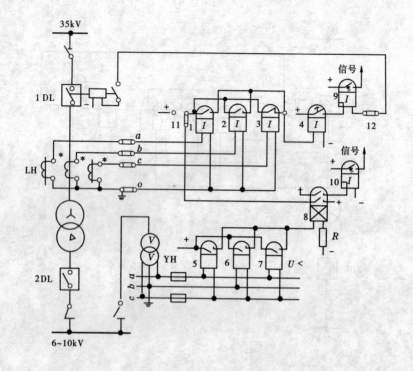

1、2、3—电流继电器 DL—11/20;4—时间继电器 DS-112/220 型;
5、6、7—低电压继电器 DJ-122/160 型;8—中间继电器 DZ-17/110 型,
　　串电阻 20WK2000Ω;9—电流信号继电器 DX-11/1 型;
　　10—电压信号继电器 DX-11/220 型;11、12—切换连接片

图 13-3　带低电压起动的过电流保护原理接线图

I_{dmax}——变压器二次侧母线三相短路时的最大短路电流,
　　　　A。

电流速断保护的动作电流还应躲过变压器空载合闸的励磁涌流,按上式整定的动作电流能够满足这一要求。

电流速断保护的整定值比较高,要躲过变压器低压侧短路时最大短路电流,又要躲开变压器空载投入时的励磁涌流,因此,只

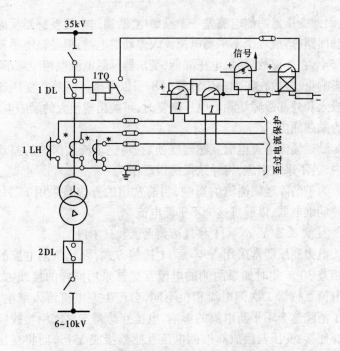

图 13-4 变压器电流速断保护原理接线图

能保护变压器高压线圈及以上部分,而对变压器低压侧线圈和引出线故障不能保护,其保护装置必须在过电流保护和瓦斯保护相配合下使用。

六、变压器差动保护

(一)变压器纵差动保护的不平衡电流

由于变压器的特殊结构,在实现纵差动保护时,有很大的不平衡电流,其产生的原因有以下几个方面:

1. 变压器的励磁涌流

变压器在正常运行时的励磁电流 I_{LC} 只流过变压器的电源

侧,因此变压器两侧电流差一个励磁电流,通过电流互感器反应到差动回路,造成一个不平衡电流流入差动继电器,但是该不平衡电流很小,在外部故障时,电压降低,变压器励磁电流也相应减小,它的影响更小,故在实际整定计算时不予以考虑。但是在变压器空载投入和外部故障切除后电压恢复时,可能出现很大的励磁电流,称为励磁涌流。

励磁涌流通过电流互感器变换后,将完全流入保护的差动回路中,若不采取措施,将导致保护误动作。

为了消除励磁涌流的影响,当前常用的方法是采用 BCH - 2 型差动继电器,以躲过这个不平衡电流。

2. 变压器 Y/△ - 11 接线两侧电流相位不同

电力变压器常采用 Y/△ - 11 接线方式,因此两侧电流的相位相差 30°。此时如果两侧的电流互感器采用同样的接线方式,则电流互感器二次侧电流相位不同,会产生差电流流入继电器。为了消除这个不平衡电流的影响,电流互感器二次绕组接线应当这样连接:变压器接成△形侧电流互感器接成 Y 形,而将变压器接成 Y 形侧电流互感器接成△形。根据电流互感器的极性,考虑适当的连接方式后,即可在电流互感器的二次侧电流的相位校正过来。

但是,电流互感器采用上述接线的方式后,在互感器接成△侧的差动臂中,电流增大了 $\sqrt{3}$ 倍。在正常及外部故障的情况下差动回路应无电流通过,故电流互感器的变化必须增大 $\sqrt{3}$ 倍,这样减小二次电流并与另一侧的二次电流相等。为此,电流互感器的变比应该这样选择:

变压器 Y 形接线侧,电流互感器接成△形的变比

$$n_{\mathrm{LH}(\triangle)} = \sqrt{3}\, \frac{I_{\mathrm{e}(\mathrm{Y})}}{5} \tag{13-6}$$

变压器△形接线侧,电流互感器接成 Y 形的变比

$$n_{\text{LH(Y)}} = \frac{I_{\text{e}(\triangle)}}{5} \tag{13-7}$$

式中 $I_{\text{e(Y)}}$——变压器 Y 形接线的线圈的额定电流；

$I_{\text{e}(\triangle)}$——变压器△形接线的线圈的额定电流。

3. 变压器两侧电流互感器的型号不同

由于变压器两侧的电压、电流不相等,所选择的电流互感器型号不同,其磁化特性不一样。因此,在差动回路中也会有不平衡电流流入继电器,最大值出现在两侧电流互感器通过外部最大短路电流时,一侧电流互感器饱和,另一侧电流互感器不饱和,所产生的不平衡电流较大。当按照 10% 误差曲线来选择两侧电流互感器的负荷后,此不平衡电流不会超过外部短路电流的 10%。

4. 变压器带负荷调整分接头时将引起一个不平衡电流

变压器带负荷调整分接头是调压的一种方法,实际上改变分接头就是改变了变压器的变比 n_B。电流互感器的变比是按变压器两侧额定条件选择的,而额定电流是在额定变比下计算出来的。当变压器分接头改变时,就破坏了计算条件,从而产生一个不平衡电流入继电器。要消除这个不平衡电流,再采用改变运行中差动继电器平衡线圈的方法是不可能的,因为变压器的分接头经常在改变,而差动保护回路在带电的情况下是不可能再操作的。因此,对由此而产生的不平衡系统,应在差动保护整定计算中给予考虑。

(二) BCH-2 型变压器纵差保护整定计算

1. 动作电流的整定

(1)躲过变压器空载投入和切除外部故障后电压恢复时的励磁涌流,动作电流为

$$I_{\text{dz}} = K_{\text{k}} \cdot I_{\text{e}} \tag{13-8}$$

式中 K_{k}——可靠系数,取为 1.3;

I_{e}——变压器额定电流。

(2)躲过外部短路时的最大不平衡电流,则

$$I_{dz} = K_k(K_{tx} \cdot 10\% + \Delta U + \Delta f_{ph})I_{dmax} \tag{13-9}$$

式中　K_k——可靠系数,取 1.3;

K_{tx}——同型系数,同型号 $K_{tx}=0.5$,不同型号 $K_{tx}=1$;

ΔU——由调压引起的相对误差,取调压范围的一半;

10%——电流互感器允许的最大相对误差;

Δf_{ph}——采用的电流互感器变比或平衡线圈匝数与计算值不同时,所引起的相对误差,在计算之初不能确定时可取 0.05;

I_{dmax}——保护范围外部三相短路时的最短路电流值。

(3)躲过电流互感器二次回路断线引起的不平衡电流

$$I_{dz} = 1.3I_{fmax} \tag{13-10}$$

式中　I_{fmax}——变压器正常运行时的最大负荷电流,不能确定时取额定电流,A。

上述三者中的最大者,为确定动作电流的整定值。继电器的动作电流为

$$I_{dz \cdot jb} = \frac{K_{fx} \cdot I_{dz}}{n_{LH}} \tag{13-11}$$

式中　$I_{dz \cdot jb}$——基本侧继电器动作电流,A;

K_{fx}——电流互感器接线系数,星形接线时,$K_{fx}=1$,三角形接线时,$K_{fx}=\sqrt{3}$;

n_{LH}——电流互感器变比。

2. 确定基本侧继电器匝数

基本侧继电器匝数为

$$W_{cd \cdot jb \cdot js} = \frac{60}{I_{dz \cdot jb}} \tag{13-12}$$

式中　60——BCH-2 型差动继电器动作等匝。

基本侧的实际工作线圈匝数为：

$$W_{g \cdot jb \cdot z} = W_{cd \cdot z} + W_{ph \cdot jb \cdot z} \qquad (13\text{-}13)$$

式中　$W_{cd \cdot z}$——差动线圈的整定匝数；

　　　$W_{ph \cdot jb \cdot z}$——基本侧平衡线圈整定匝数；

　　　$W_{g \cdot jb \cdot z}$——工作线圈整定匝数。它是根据工作线圈匝数的
　　　　　　　　计算匝数 $W_{cd \cdot jb \cdot js}$ 选用较小而相近的匝数。

根据选用的 $W_{g \cdot jb \cdot z}$ 可算出继电器的实际动作电流 $I_{dz \cdot jb}$ 和保护的一次动作电流，即

$$I_{dz \cdot jb} = \frac{60}{W_{g \cdot jb \cdot z}} \qquad (13\text{-}14)$$

$$I_{dz} = \frac{I_{dz \cdot jb} \cdot n_{LH}}{K_{fx}} \qquad (13\text{-}15)$$

3. 确定非基本侧平衡线圈

$$W_{ph \cdot fj \cdot js} = W_{g \cdot jb \cdot z} \cdot \frac{I_{2e \cdot jb}}{I_{2e \cdot fj}} - W_{cd \cdot z} \qquad (13\text{-}16)$$

式中　$W_{ph \cdot fj \cdot js}$——非基本侧平衡线圈的计算匝数；

　　　$I_{2e \cdot jb}$、$I_{2e \cdot fj}$——基本侧和非基本侧电流互感器二次回路额
　　　　　　　　定电流，A。

选用接近 $W_{ph \cdot fj \cdot js}$ 的匝数作为非基本侧平衡线圈的整定匝数 $W_{ph \cdot fj \cdot z}$。

4. 确定 Δf_{ph}

$$\Delta f_{ph} = \frac{W_{ph \cdot js} - W_{ph \cdot z}}{W_{ph \cdot js} + W_{cd \cdot z}} \qquad (13\text{-}17)$$

经计算，如果 $\Delta f_{ph} < 0.05$ 时，则以上计算告一段落，若 $\Delta f_{ph} > 0.05$，则应根据 Δf_{ph} 的大小代入式(13-9)重新计算动作电流。

5. 校验灵敏度

$$K_{lm} = \frac{I_{d \cdot min}}{I_{dz \cdot jb}} \qquad (13\text{-}18)$$

式中　$I_{d \cdot min}$——保护范围短路时,归算到基本侧的最小短路电流,A;

　　　I_{dz}——基本侧实用匝数的一次动作电流,A。

七、变压器的瓦斯保护

变压器的内部故障不大时,常常只流着不大的故障电流,以致于差动保护和过电流保护都难以反应。因此,对于充油的而且具有油枕的变压器,采用了对油箱以内所有故障都起作用的瓦斯保护装置。

当变压器内部故障时,常由于绝缘材料受电弧放电作用而分离并排出气体。当故障轻微,引起汽化作用也微弱时,排出的气体缓慢上升,气体将通过变压器油箱与油枕间的导管而进入油枕。如果故障严重到引起强烈的汽化,则在大量排出气体的作用下,一部分油将从变压器油箱被挤到油枕,因而在导管中产生强烈的油流。

瓦斯保护就是利用上述气体的作用而构成的保护装置。其基本元件是瓦斯继电器,装在连接变压器油箱与油枕的导管之间。瓦斯继电器内有两个密封的金属圆筒浮子,浮子被适当地安置在轴上,借以轴承浮子可以转动。浮子里边有玻璃泡,其中封入接点并注入一定的水银。正常时继电器壳内充满油,使浮子浮起,玻璃泡内接点不被水银接通。

当发生能引起微弱气体的故障时,气泡进入继电器且集聚于上部,使继电器内的油面降低。当气体达到足够的数量时,上浮子开始倾斜,玻璃泡内的水银也随之倾斜而将接点接通。因为它反应了轻微故障的性质,故此接点连于信号回路,使之动作于信号。

当强烈汽化出现时,导管内将引起强烈的油流,使下浮子立刻倾斜,此时玻璃泡的接点也被水银接通。由于强烈汽化反映了严重故障性质,故接点应接至跳闸回路,故障时立即动作于跳闸。

瓦斯保护装置的优点是动作灵敏,结构简单,故在各种容量变压器上都得到广泛应用。由于它只能保护油箱内部故障,而对变压器套管以及保护区外故障均不能反应,故需要有其他保护配合。

§13-2 10kV 及以下配电线路的保护

一、10kV 配电线路保护

10kV 配电网属中性点非直接接地系统,其中性点不接地或经消弧线圈接地。对于相间短路和单相接地均应装设相应的保护。下面简述放射性网络线路继电保护整定计算。

(一)无时限电流速断保护

1. 按躲开本线路末端母线故障整定

在本线路末端为配电所,有多条出线或有几台变压器接在配电所母线上,为了保证相邻下一级出线或变压器故障时,保护不致越级动作。本保护应该躲开末端配电所母线上发生三相短路时最大短路电流进行整定。其计算公式为:

$$I_{dz} = K_k \cdot I_{dz \cdot max}^{(3)} \qquad (13-19)$$

式中　K_k——可靠系数,DL 型继电器取 1.2~1.3,GL 型继电器取 1.5~1.6;

　　　I_{dz}——本保护装置的一次动作电流整定值,A;

　　　$I_{dz \cdot max}^{(3)}$——本线路末端最大运行方式下三相短路电流,A。

2. 按与变压器速断保护配合整定

本线路末端连接的只有变压器而无出线,变压器采用电流速断保护。本保护的动作电流应躲开变压器速断保护的整定值。如果是一台变压器,其计算公式为:

$$I_{dz} = K_k \cdot I_{dz \cdot T} \qquad (13-20)$$

式中　K_k——可靠系数,取 1.1;

　　　$I_{dz \cdot T}$——被配合变压器无时限电流速断保护一次电流动作值,A。

如果本线路末端接有两台同容量的变压器并联运行,其保护采用无时限电流速断保护,其计算公式为:

$$I_{dz} = K_k \cdot 2I_{dz \cdot T} \tag{13-21}$$

式中　K_k——可靠系数,取 1.3。

无时限电流速断保护灵敏系数:

$$K_{lm} = \frac{I_{dl \cdot min}^{(2)}}{I_{dz}} \geqslant 2 \tag{13-22}$$

式中　$I_{dl \cdot min}^{(2)}$——最小运行方式下本保护安装处两相短路电流,A。

(二)带限时电流速断保护

(1)保护装置动作电流按躲过相邻元件末端短路时的最大三相短路电流计算。

$$I_{dz} = K_k \cdot I_{d3 \cdot max}^{(3)} \tag{13-23}$$

式中　K_k——可靠系数,DL 型继电器取 1.2~1.3,GL 型继电器取 1.5~1.6;

　　　$I_{d3 \cdot max}^{(3)}$——最大运行方式下相邻元件末端最大三相短路电流,A。

(2)保护装置的动作电流与相邻元件的电流速断保护的动作电流相配合整定。

$$I_{dz} = K_{ph} \cdot I_{dz \cdot 3} \tag{13-24}$$

式中　K_{ph}——配合系数,取 1.1;

　　　$I_{dz \cdot 3}$——相邻元件电流速断保护的一次动作电流,A。

带限时电流速断保护的灵敏系数与无时限电流速断保护相同。

保护装置的动作时限,应比相邻元件电流速断保护大一个时段,一般取 $0.5\sim0.7s$。

(三)过电流保护

保护装置的动作电流应躲过线路的最大负荷电流,其继电器动作电流计算公式为:

$$I_{dz\cdot j} = K_k \cdot K_{jx} \frac{I_{fh\cdot max}}{K_h \cdot n_{LH}} \tag{13-25}$$

式中　K_k——可靠系数,DL 型继电器取 1.2,GL 型继电器取 1.3;

K_{jx}——接线系数,接于相电流时取 1,接于线电流时取$\sqrt{3}$;

K_h——返回系数,取 0.85;

n_{LH}——电流互感器变比;

$I_{fh\cdot max}$——流过被保护线路(包括电动机起动时所引起的)最大负荷电流,A。

保护装置灵敏系数:

$$K_{lm} = \frac{I_{dz\cdot min}^{(2)}}{I_{dz}} \geqslant 1.5 \tag{13-26}$$

式中　$I_{dz\cdot min}^{(2)}$——最小运行方式下线路末端两相短路电流,A。

保护装置的动作时间,应较相邻元件的过电流保护大一个时段,一般取 $0.5\sim0.7s$。

(四)单相接地保护

保护装置的一次动作电流应躲开外部发生单相接地故障时,从被保护元件流出的电容电流,即

$$I_{dz} = K_k \cdot I_{Cl} \tag{13-27}$$

式中　K_k——可靠系数,无时限时取 4~5,带时限时取 1.5~2;

I_{Cl}——当外部单相接地故障时,从被保护元件流出的电容电流,A。

保护装置的灵敏系数：

$$K_{lm} \geqslant \frac{I_C - I_{Cl}}{I_{dz}} = 1.25 \qquad (13\text{-}28)$$

式中 I_C——电网的总单相接地电流,无补偿装置时,为自然电容电流;有补偿装置时,为补偿后的剩余电流,A。

二、低压配电线路保护

低压配电线路应装设短路保护、过载保护和接地故障保护,作用于切断供电电源或发生报警信号。

配电线路短路保护,保护电器应在短路电流对导体和连接件产生热作用和机械作用造成危害之前切断短路电流。

配电线路保护电器应装设在每条线路的电源侧,且上下级保护电器,其动作应具有选择性,各级之间应协调配合。

配电线路保护电器的动作值整定参见第十二章第六节低压开关部分。

§13-3 高低压异步电动机的保护

一、高压异步电动机的保护

(一)保护装设原则

根据高压异步电动机的故障和异常运行方式,装设的相应保护装置有:①定子绕组的相间短路;②定子绕组单相接地;③定子绕组过负荷;④定子绕组低电压。

(1)对于 2 000kW 以下的电动机,装设电流速断保护。保护装置宜采用两相式,保护装置动作于跳闸。

(2)当接地电流大于 5A 时,应装设单相接地保护,当单相接地电流为 10A 及以上时,保护装置动作于跳闸;单相接地电流在

10A 以下时,保护装置可动作于跳闸,也可动作于信号。

(3)对于易发生过负荷的电动机,应装设过负荷保护。保护装置带时限动作于信号,也可动作于跳闸。

(4)对于电压降低时应该断开的电动机,应装设低电压保护,保护装置动作于跳闸。

(二)继电保护整定计算

1.电流速断保护

保护装置动作电流应躲开异步电动机的起动电流,继电器的动作电流为:

$$I_{dz \cdot j} = K_k \cdot K_{jx} \cdot \frac{I_q}{n_{LH}} \tag{13-29}$$

式中　K_k——可靠系数,DL 型继电器取 1.5~1.6,GL 型继电器,取 1.8~2.0;

　　　K_{jx}——接线系数,接于相电流时取 1.0,接于线电流时取 $\sqrt{3}$;

　　　n_{LH}——电动互感器变比;

　　　I_q——电动机起动电流,A。

保护装置灵敏系数:

$$K_{lm} = \frac{I_{d \cdot min}^{(2)}}{I_{dz}} \geqslant 2 \tag{13-30}$$

式中　I_{dz}——保护装置一次动作电流,A;

　　　$I_{d \cdot min}^{(2)}$——最小运行方式电动机端子两相短路电流,A。

2.电动机过负荷保护

保护装置的动作电流应躲开电动机额定电流,其继电器的额定电流为:

$$I_{dzj} = K_{jx} \cdot K_k \cdot \frac{I_e}{K_h \cdot n_{LH}} \tag{13-31}$$

式中　K_k——可靠系数,动作于信号取 1.05~1.1,动作于跳闸取 1.2~1.25;

I_e——电动机额定电流,A;

K_h——继电器返回系数,取 0.85;

n_{LH}——电流互感器变比。

保护装置动作时间:

(1)避开电动机起动时间,保护装置动作时间(t_{dz})应大于电动机实际起动时间(t_{qd}),即 $t_{dz} > t_{qd}$;

(2)避开自身起动时间,对一般电机,$t_{dz} = (1.1~1.2)t_{qd}$,对于风机型负荷电机,$t_{dz} = (1.2~1.4)t_{qd}$。

3．电动机单相接地保护

保护装置动作电流按灵敏系数条件:

$$I_{dz} = \frac{I_C - I_{Cd}}{K_{lm}} \tag{13-32}$$

式中　I_C——单相接地时,接地点的自然电容电流,A;

I_{Cd}——电动机电容电流,可以忽略不计,A;

K_{lm}——灵敏系数,取 1.25。

4．电动机低电压保护

保护装置动作电压,对不需要或不允许自起动的电动机,其电压继电器的动作电压为:

$$U_{dz \cdot j} = \frac{U_{ed}}{\sqrt{m} \cdot n_{YH}} \leqslant (0.6~0.7) \frac{U_{est}}{n_{YH}} \tag{13-33}$$

式中　U_{ed}——电动机额定电压;

n_{YH}——电压互感器变比;

U_{est}——网络额定电压;

m——电动机的最大力矩倍数,$m = 0.9M_{max}/M_e$;

M_{max}——电动机最大力矩;

M_e——电动机额定力矩；

0.9——电动机力矩的公差系数。

保护装置的动作时限,一般取 0.5～1.5 秒。

二、低压异步电动机的保护

(一)保护配置

1. 所有电动机构应装设相间短路保护

短路保护电器宜采用熔断器或低压断路器的瞬动过流脱扣器,必要时可采用带瞬动元件的过流继电器。安装设零序保护时,熔断器应在每个相线上装设,过电流脱扣器或继电器应至少在两相上装设。当只在两相上装设时,在有电气联系的同一网络中,保护电器应装设在相同的两相上。

2. 电动机的过载保护

运行中容易过载和连续运行的电动机,以及起动或自起动条件严酷而要求限制起动时间的电动机,应设置过载保护,过载保护宜动作于断开电源。

运行中的电动机可能发生堵转时,应装设堵转保护,其时限应不大于允许电动机的堵转时间。

过载保护电器宜采用热继电器或低压断路器的长延时脱扣器。必要时,也可以采用过电流继电器。

3. 电动机的断相保护

连续运行的三相电动机,用熔断器保护者或用低压断路器保护者装设断相保护。

3kW 以上的电动机,应装设断相保护。

电动机的断相保护宜采用专用的断相保护装置。

4. 电动机的单相接地保护

一般每台电动机宜单独装设单相接地保护,保护装置自动断开电源。

5. 电动机的低电压保护

对于不允许自起动的电动机或电压降低需要切除的电动机，应装设低电压保护。

不允许或不需要自起动的重要电动机应装设短延时的低电压保护，其时限一般取 0.5~1.5 秒。

按安全条件在长时间停电后不允许自起动时，应装设长延时低电压保护，其时限一般为 9~20 秒。

低电压保护电器宜采用低压断路器的欠电压脱扣器或接触器的电磁线圈。

(二)保护电器选择计算

1. 相间短路

(1)熔断器保护。

$$I_{er} \geqslant K \cdot I_{qd} \tag{13-34}$$

式中　　I_{er}——熔断器熔体的额定电流，A；

I_{qd}——电动机的起动电流，A；

K——小于 1 的计算系数，取决于电动机起动状况和熔断器特性。一般情况下，电动机轻载起动时间 $t \leqslant 3$ 秒，则取 $K = 0.25 \sim 0.45$；电动机重载起动时间 $t = 3 \sim 8$ 秒，取 $K = 0.3 \sim 0.5$；当电动机起动时间 $t > 8$ 秒，或频繁起动，可取 $K = 0.5 \sim 0.6$。

熔断器的最大开断电流 I_{kd} 应大于被保护范围内最大三相短路冲击电流有效值 $I_{ch}^{(3)}$，即

$$I_{kd} \geqslant I_{ch}^{(3)} \tag{13-35}$$

(2)低压断路器保护。

瞬时动作过流脱扣器的整定电流

$$I_{zd} \geqslant K_k I_{qd} \tag{13-36}$$

式中　　I_{zd}——瞬时动作过流脱扣器的整定电流，A；

I_{qd}——电动机的起动电流,A;

K_k——可靠系数,低压断路器动作时间大于 0.02 秒,取
$K_k = 1.35$,动作时间小于 0.02 秒(如 D_z 型),取
$K_k = 1.7 \sim 2$。

低压断路器按短路条件校验开断能力:

开断时间大于 0.02 秒的低压断路器的极限开断能力为

$$I_{fd} \geqslant I_d^{(3)} \tag{13-37}$$

式中　$I_d^{(3)}$——保护范围三相短路电流周期有效值,A。

开断时间小于 0.02 秒的低压断路器的开断电流峰值为

$$I_{kd} \geqslant I_{ch} \tag{13-38}$$

式中　I_{ch}——短路开始第一周期内的全电流有效值。

2．过负荷保护

(1)用热继电器保护。对于连续工作或断续工作的电动机可用热继电器作过负荷保护。一般情况下,按电动机的额定电流选择热继电器,也可根据实际负荷或工艺要求,按下式选择:

$$I_{er} = (0.95 \sim 1.05) I_{ed} \tag{13-39}$$

式中　I_{er}——热继电器的额定电流,A;

I_{ed}——电动机的额定电流,A。

(2)用低压断路器保护。低压断路器的长延时过流脱扣器作电动机的过负荷保护,整定电流应按电动机额定电流选择,即

$$I_{zd} \geqslant I_{ed} \tag{13-40}$$

式中　I_{zd}——低压断路器长延时过流脱扣器整定电流。

第十四章 绝缘监察

§14-1 小电流接地系统的绝缘监察装置

在工矿企业内部,架空线路和电缆线路的供电电压均为 6～35 kV,变压器的中性点为非直接接地,因而当发生单相接地故障时,只在接地点流过不大的电容电流。

规程规定,6～10kV 系统的电容电流大于 30A、35kV 电网中电容电流大于 10A 时,在变压器中性点应经消弧线圈接地,以单相接地时经过消弧线圈的感性电流来补偿接地点的容性电流,从而使接地点电流减小,不致产生断续电弧。

由于单相接地故障,并不破坏电力系统电压的对称性,所以不影响三相用电设备的工作,允许电气设备继续运行。一相接地,另外两相对地电压升高 $\sqrt{3}$ 倍,这对电路的绝缘是没有多大威胁的(因为中性点不接地系统中,相与地间的绝缘是按线电压设计的);但此时若另一相再发生接地,就形成两相接地短路,会产生很大的短路电流,所以,不允许输电线路一点接地长期运行。一般都在中性点不接地的系统中安装专门的接地保护,而在变电所母线上安装单相接地的绝缘监察装置。

一、单相接地的绝缘监察装置

工矿企业 6～10kV 系统的绝缘监察,一般是在变电所的 6～10kV 的母线上安装一台三相五柱式电压互感器(JSJW－10 型);对 35kV 系统则采用三个单相三线圈电压互感器(JDJJ－35 型),接线如图 14-1 所示。电压互感器一次绕组接成完全星形,其中性点接地。电压互感器二次侧有二组线圈,其中一组接成完全星形,中性点接地,三只电压表接成相对地接线;另一组附加线圈接成开口三角形(即零序电压滤过器接线),并在开口处接一个过电压继电器,借此反应出接地时出现的零序电压。

正常运行时,系统的三相电压对称,没有零序电压,三相对地电压表读数相等,过电压继电器不动作。

当变电所母线上任一条出线发生接地故障时,接地相的电压变为零,该相电压表读数为零,而另外两相的对地电压升高$\sqrt{3}$倍,电压表读数为线电压值。开口三角形的三相电压之和不为零,在开口处出现100V的电压,使过电压继电器动作,发出交流单相接地信号。值班人员可根据信号和电压表的指示,判断系统发生接地和那一相接地。但不知那条线路接地,这时可采用依次(先次要后重要)断开各条线路的办法,来寻找接地线路,其原理是拉开接地线时,系统接地消失,三个电压表指示相同。找出接地线路,派人查出具体接地点,转移负荷,停电处理。

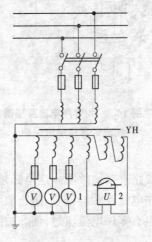

1—电压表;2—电压继电器

图14-1 绝缘监察装置接线图

三相三芯式电压互感器不能作为绝缘监察装置,因其无零序磁通的通路。

二、有选择性的零序过电流保护

零序过电流保护是利用接地线路测得的零序电流,比正常线路测得的零序电流大这个特点组成的。零序过流保护一般应用在电缆线路或经电缆引出的架空线路上,常用 LJ－ϕ75 型零序电流

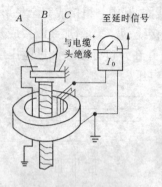

图 14-2　用零序电流互感器
构成的零序电流保护

互感器和零序电流继电器（DL－11/0.2 或 DD－11/60 型）组成，其接线原理如图 14-2 所示。图中，把零序电流互感器的铁芯套在电缆外面，其一次侧即为被保护的三相导线，二次侧接电流继电器。在正常运行时，一次侧三相电流对称，电流之和为零。二次侧只有由于导线排列不对称而引起的不平衡电流，而无零序电流。当发生接地故障时，零序电流反应至二次侧，并流入电流继电器，并使其动作，指示出那条线路有接地故障。这里必须指出，电缆头上的接地线必须穿过零序电流互感器铁芯；防止故障时，非故障线路的电缆外壳金属皮上也有零序电流流过，使非故障线路产生误动作。

§14-2　低压电网的绝缘监察

　　低压不接地电网的绝缘监察，是用三只相同的高内阻电压表，接成图 14-3 的接线，对地绝缘正常时，三相对称，三只电压表的读数相等；当一相接地时，接地相的电压表读数下降为零，其他两相的电压表读数升高 $\sqrt{3}$ 倍。即使低压系统没有直接接地，而是一相或二相对地绝缘下降时，三只电压表的读数也不同。

　　上述低压电网绝缘监察的缺点是，当三相绝缘同时降低且绝缘差别相同时，三只电压表的指示并无异常，而三相绝缘在允许范围内、但相互有差别时，反而会给出错误的指示。在低压电网中，还可采用漏电继电器或漏电开关作绝缘监察和触电保护用。

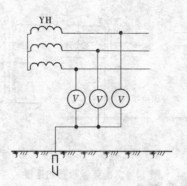

图 14-3　低压不接地电网的绝缘监察

§14-3　高压窜入低压的防护

当变压器或电压互感器的高压侧因导线折断或绝缘损坏,高电压窜入低压系统,整个低压系统的对地电压会升高到高压系统的对地电压,而且这种故障可能在较长时间内存在(小电流接地系统允许在单相接地时继续运行,保护不动作),为了消除高压窜入低压侧的危害,应把低压侧不接地的电网和电压互感器二次侧的中性点或者一相(如电压互感器 V-V 形接线的 b 相)经 JB0 型击穿保险器接地,如图 14-4 所示。

击穿保险器的间隙由一对平板电极和一云母片组成,其放电电压大于相应的额定电压。一旦发生过电压,达到保险器的放电电压时,间隙即行放电,将过电压限制在一定数值下,故障电流经接地装置流入大地。若高电压侧为直接接地系统,这个电流即为高电压系统的接地短路电流,使高压侧的保护装置动作,切除故障,断开电源。

正常情况下,击穿保险器必须保持绝缘良好。否则,不接地系统将变成接地系统。因此,要经常检查击穿保险的绝缘,也可用高

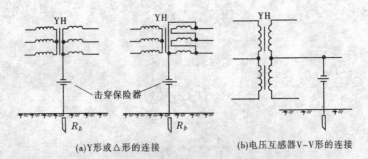

(a)Y形或△形的连接　　　(b)电压互感器V-V形的连接

图 14-4　击穿保险器的连接

内阻电压表,如图 14-5 所示,进行经常性监察。正常运行时,两只电压表的读数各为相电压的一半。如击穿保险器内部短路时,V_1电压表读数为零,V_2 电压表读数升至相电压。

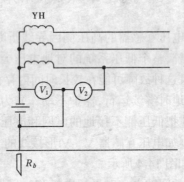

图 14-5　击穿保险器的绝缘监察

§14-4　直流系统绝缘监察

有的变电所的继电保护、自动装置、断路器的操作信号设备等采用直流电源。当直流系统发生一点接地时,并不引起任何危害,但必须及时去除。否则,当发生另一点接地时,有可能使信号、保护和控制等回路发生误动作。

对直流系统的绝缘监察,可采用 ZJJ－1A 型直流绝缘监察继电器,其接线如图 14-6 所示。

ZJJ－1A 继电器由单管干簧继电器 LJJ、出口元件 ZJ 和平衡电阻 $1R$、$2R(1R = 2R)$组成。当直流系统正常运行时,直流系统对"＋"对地和"－"对地的绝缘电阻分别为 R_{jd}^{+} 和 R_{jd}^{-},且 $R_{jd}^{+} = R_{jd}^{-}$,$1R$、$2R$ 和 R_{jd}^{+}、R_{jd}^{-} 组成四臂电桥。此时,电桥平衡,接在电桥对角线上的 LJJ 无电流通过。当

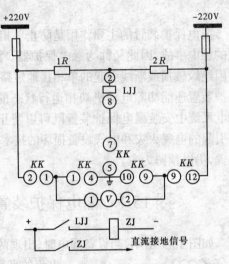

图 14-6　直流绝缘监察接线

任一侧的绝缘电阻值下降时,即产生不平衡电流,通过 LJJ,两侧对地绝缘电阻值相差越大,通过电桥对角线上的不平衡电流越大。当达到一定值时,LJJ 动作,接通 ZJ,发出报警信号。

ZJJ－1A 型直流绝缘监察继电器,额定电压为 220V、动作电流为 1.5mA,在母线任一相的对地绝缘电阻值下降到 25～15kΩ 时,继电器就能可靠动作,发出预报信号。

第十五章　漏电保护

漏电保护装置的主要作用是防止单相触电事故和设备漏电造成的触电事故,因此又称为触电保护器。漏电保护装置还可以防止因绝缘破损或断线引起的单相接地短路和火灾事故。有的漏电保护装置还能切除电动机缺相运行状态的电源。因此,在低电压配电系统中安装漏电保护装置既可以防止电击事故,也是防止漏电引起的电气火灾和电气设备损坏的技术措施。但安装漏电保护装置,仍以预防为主。

§15-1　漏电保护装置的原理

如图 15-1 所示,当设备漏电时,出现两种异常现象:一是三相电流的平衡遭到破坏,出现零序电流,即:$i_0 = i_a + i_b + i_c$,二是某些正常时不带电的金属部分出现对地电压,即:$U_d = i_0 R_d$。

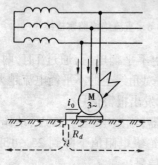

图 15-1　设备漏电图

漏电保护装置就是通过检测机构取得这两种异常信号,经过中间机构的转换和传递,促成执行机构动作,并通过开关设备断开电源,从而防止了电击事故和电气设备的损坏。

§15-2 JD 型漏电继电器及接线

JD1 型漏电继电器适用于交流 50～60Hz,电压为 380V 以下,电流 100～200A,电源中性点接地的电路中。继电器有一对常开和一对常闭接点,能与带有分励脱扣器或失压脱扣器的自动开关、交流接触器、磁力起动器等组合成漏电开关作漏电或触电保护用,也可与蜂鸣器、灯泡等各种声光指示器结合成漏电报警装置。

一、漏电继电器的型号含义

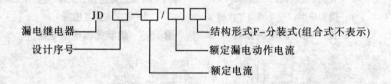

二、结构与工作原理

JD1 系列漏电继电器系电流动作型纯电磁式快速动作漏电保护继电器,有组装式和分装式两种。它由零序电流互感器、漏电脱扣器、接点及操作机构等组成,全部零件均安装在塑料外壳中。JD1 系列漏电继电器结构如图 15-2、15-3、15-4。

JD1 系列漏电继电器的零序电流互感铁芯用高导磁材料(坡莫合金)制造,漏电脱扣器采用极化释放式结构,因此动作灵敏、正确可靠。当被保护电路无漏电时,漏电脱扣器的永久磁铁所产生的磁通将衔铁吸合在磁轭上,零序电流互感器二次线圈无输出,漏电继电器处于正常工作状态;当被保护电路对地漏电时,只要漏电电流达到继电器的漏电动作电流值,零序电流互感器二次线圈就有输出,这样使脱扣线圈的电流所产生的磁通,有半个周期抵消了

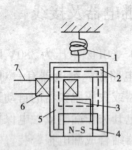

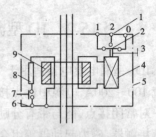

1—弹簧;2—衔铁;3—分磁板;
　4—永久磁铁;5—磁轭;
　6—脱扣线圈;7—互感器二次侧

图 15-2　漏电脱扣器

1—接点回路接线端子;2—接点系
　统;3—合闸按钮;4—漏电脱扣器;
　5—塑料外壳;6—试验电压接线
　端子;7—试验按钮;8—试验电阻;
　9—零序电流互感器

图 15-3　组装式漏电继电器

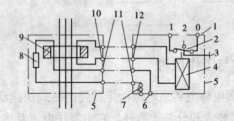

1—接点回路接线端子;2—接点系统;3—合闸按钮;
　4—漏电脱扣器;5—塑料外壳;6—试验电压接线端子;
　7—试验按钮;8—试验电阻;9—零序电流互感器;
　10—信号输出接线端子;11—试验回路接线端子;12—信号输入接线端子

图 15-4　分装式漏电继电器

永久磁铁的磁通,借释放弹簧的作用使衔铁释放,漏电脱扣器动
作,并使继电器接点在 0.1 秒内接通或开断。

三、JD1 系列漏电继电器实用接线图

JD1－100、JD1－200 系列漏电继电器的实用接线见图 15-5～15-10。

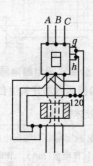

图 15-5　和带分励脱扣器的自动
开关组合使用

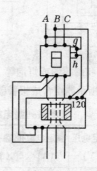

图 15-6　和带失压脱扣器的自动
开关组合使用

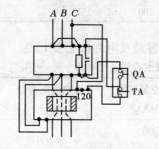

图 15-7　和磁力起动器组合使用

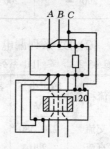

图 15-8　和交流接触器组合使用

四、技术数据

(1)JD1 系列漏电继电器型号规格技术数据见表 15-1。

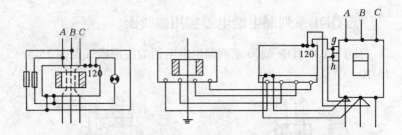

图 15-9　和蜂鸣器或灯泡等
声光指示器组合成报警器

图 15-10　分装式漏电继电器和带
分励脱扣器的自动开关组合使用

表 15-1　　　　　JD1 系列漏电继电器型号规格技术数据

型　号	额定电压(V)	额定电流(A)	贯穿孔直径(mm)	额定漏电动作电流(mA)	额定漏电不动作电流(mA)	漏电脱扣全动作时间(s)
JD1－100	220,380	100	30	100 200	50 100	≤0.1
JD1－200		200	40	200 500	100 250	

(2)JD1 系列漏电继电器的接点容量及电寿命见表 15-2。

表 15-2　　　　　JD1 系列漏电继电器的接点容量及电寿命

电流种类	额定电压(V)	额定电流(A)	额定控制容量(VA)	继电器电寿命(次)
交流	220,380	5	300	6 000
直流	220		60	

§15-3　JC 型和 DZ 型漏电开关

一、JC 型漏电开关

JC 型漏电开关适应于交流 50~60Hz,电压 500V 及以下的电路中,作接地漏电保护之用。JC型漏电开关在电路和电气装置绝缘不良的情况下,带电部分和地接触,引起伤害人身、损坏设备以及发生火灾时,提供可靠的保护。

（一）JC型漏电开关的型号含义

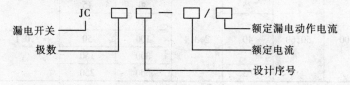

（二）结构与工作原理

JC型漏电开关是电流动作型纯电磁式漏电开关,主要由零序电流互感器、漏电脱扣器及主开关组成。全部元件都安装在一个塑料外壳中,其原理接线图如15-11。

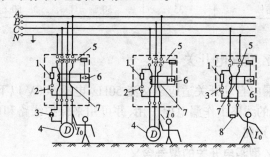

1—试验电阻;2—试验按钮;3—信号灯;4—电动机;
5—主开关;6—漏电脱扣器;7—零序电流互感器;8—负荷
图 15-11　JC型漏电开关原理接线

（三）技术数据

(1)JC型漏电开关技术数据见表15-3。

(2)JC型漏电开关在安装时必须配装熔断器,其熔体电流见表15-4。

表 15-3　　　　　　　　　JC 型漏电开关技术数据

额定电压 (V)	额定频率 (Hz)	额定电流 (A)	极数	额定漏电 动作电流 (mA)	额定漏电 不动作电流 (mA)	全动作时间 (s)
500	50,60	25	2,3,4	30	15	<0.1
		40		50	25	
				100	50	
				300	150	
		63		500	250	

表 15-4　　　　　　　JC 型漏电开关配装熔断器的熔体电流

熔体种类	开关电流(A)		
	25	40	63
快速熔体	50	63	63
慢速熔体	35	50	50

二、DZ 型漏电开关

DZ 型漏电自动开关适应于交流 50Hz、电压 380V 以下,电流 60A 及以下的线路中作漏电保护用,并可用来保护线路和电动机的过负荷及短路。

(一)DZ 型漏电开关的型号含义

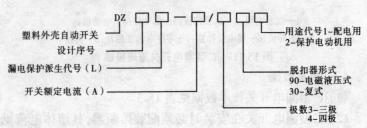

塑料外壳自动开关
设计序号
漏电保护派生代号（L）
开关额定电流（A）

DZ □□ — □ / □□□

用途代号1-配电用
　　　　2-保护电动机用

脱扣器形式
90-电磁液压式
30-复式

极数3-三极
　　4-四极

(二)结构与工作原理

DZ 型漏电开关系电流动作型电磁式快速漏电保护开关,主要由零序电流互感器、漏电脱扣器和带有过负荷及短路保护的自动开关组成。当被保护电路中有漏电或人身触电时,只要触电或漏电电流 I_0 达到漏电动作电流值,零序电流互感器 LH 的二次线圈就输出一个信号,并通过漏电脱扣器 TQ 使自动开关 DZ 动作切断电源,从而起到漏电和触电保护作用。其工作原理接线如图15-12(以 DZ15L 为例)。

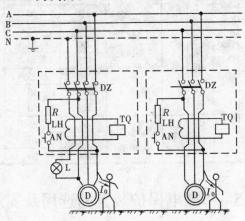

DZ—漏电自动开关;TQ—漏电脱扣器;

LH—零序电流互感器;R—试验电阻;

AN—试验按钮;L、D—电灯、电动机或其他负荷

图 15-12 DZ15L 系列漏电自动开关工作原理

(三)技术数据

以 DZ15L 系列漏电开关为例,其漏电开关的技术数据见表15-5。

表 15-5　　　　　　　　DZ15L 系列漏电开关技术数据

型　号	额定电压(V)	额定电流(A)	极数	过电流脱扣器额定电流(A)	额定漏电动作电流(mA)	额定漏电不动作电流(mA)	漏电脱扣全动作时间(s)
DZ15L-40/390□	380	40	3	10,15,20,30,40	30	15	<0.1
					50	25	
					75	40	
DZ15L-40/490□			4		50	25	
					75	40	
					100	50	
DZ15L-60/390□		60	3	10,15,20,30,40	30	15	<0.1
					50	25	
					75	40	
				60	50	25	
					75	40	
					100	50	
DZ15L-60/490□		60	4	10,15,20,30,40,60	50	25	<0.1
					75	40	
					100	50	

§15-4　漏电保护装置的选用及安装

一、漏电保护装置的选用

漏电保护装置的选用,应根据系统保护方式、使用目的、安装场所、电压等级、被控制回路的泄漏电流以及用电设备的接地电阻数值等因素确定。

(1)根据使用目的进行选择。用于防止人身触电事故的漏电保护装置,一般根据直接接触保护和间接接触保护两种不同的要求进行选用,在选择动作特性时也有区别。

(2)根据使用场所进行选择。一般在 380/220V 的低压回路中,如果用电设备的金属外壳等金属部件容易被人触及,同时这些设备又不能按用电规程要求使其接地电阻小于 4Ω 或 10Ω 时,则应按间接接触保护的要求,在用电设备的供电回路中安装漏电保护装置。同时,应根据不同的使用场所,合理选择不同的动作电流。

如果在潮湿的场所,例如电镀车间、清洗工场、露天工作的潮湿场所等,当发生触电事故时,通过人体的电流比干燥的场所大,危险性也高,因此适宜安装 15～30mA 并能在 0.1s 内动作的漏电保护装置。当在用电场所人体大部分浸在水中时,例如游泳池的照明电路,也宜安装漏电保护装置,并且应安装动作电流在 15mA 以下和在 0.1s 内动作,或动作电流为 6～10mA 的反时限特性的漏电开关。

(3)漏电保护装置的选择,必须考虑用电设备和电路正常泄漏电流的影响。低压电路的泄漏电流,随电路的绝缘状况、对地静电电容、温度、湿度等因素的变化而不同。根据资料显示,一般情况下,额定电流在 25A 的各种用电设备,在正常情况下,其泄漏电流在 0.1mA 以下,电动机在起动瞬间,泄漏电流约为正常运行时的 3 倍左右。泄漏电流和变压器的容量的关系并不大,但供给生活用电的户数越多,泄漏电流就越大。因此,农村电网中装设漏电开关时,应考虑这个因素的影响。在选择漏电保护装置的灵敏度时,要避免由于正常泄漏电流所引起的不必要的动作而影响正常供电。

一般对单机配用的漏电保护装置,选用的动作电流应大于正常运行中实测泄漏电流最大值的 4 倍;对分支路的漏电保护装置,选用的动作电流应大于正常运行时实测泄漏电流最大值的 2.5 倍,同时还应满足其中泄漏电流最大的一台用电设备正常运行时,泄漏电流最大值的 4 倍。对于主干线或用来进行全网保护的漏电开关选用的动作电流应大于实测泄漏电流最大值的 2 倍。最大泄漏电流一般选阴雨天在早、中、晚投入运行后 15 分钟进行测量。测量应在最大供电负荷状态下进行。

(4)根据用电设备的供电方式进行选择。单机 220V 电源供电的电气设备,应选用二极二线式或单极二线式漏电保护装置。三相三线式 380V 电源供用的电气设备,应选用三极式漏电保护装置。三相四线式 380V 电源供用的电气设备,或单相设备与三相设备共用的电路,应选择三极四线式或四极四线式漏电保护装置。

(5)在国产的漏电保护装置中,具体适用情况为:

DZL16 - 40/2 型和 DZL18 - 20 型属于不带过载和短路保护装置的漏电开关。适宜作家用电器和移动电器具进线处的漏电开关。

DZ5 - 20L 型和 DZ15L 型漏电开关不仅可用作漏电保护,并可用来保护线路和电动机的过载及短路。

DZL21 型是中性点接地式漏电开关,适用于中性点接地系统。其零序电流互感器的一次线圈接在变压器中性点和地之间,主要功能是提供间接接触保护。

JD1 型漏电继电器适用于中性点接地系统,使用时三根相线或再加上一根中性线同时穿过零序电流互感器的贯穿孔。

JD2 型漏电继电器,使用方法类似于 DZL21 型漏电开关。

二、保护装置的安装

(一)安装前的检查

(1)检查额定电压是否符合实际使用要求。

(2)检查额定工作电流是否符合实际使用要求。

(3)检查漏电保护装置极限通断能力或短路电流是否和工作电路的短路电流相匹配,带短路保护的漏电保护装置的极限通断能力必须大于电路短路时可能产生的最大短路电流;不带短路保护的漏电保护装置,因不具备短路分断能力,所以在电路中应有短路保护装置,如熔断器等作为后备保护。

(4)正确判断辅助电源和主回路的接线端,特别是漏电保护装置的主回路、辅助回路、辅助触头等,不同的接线端,也应加以判断。

(5)检查保护装置动作是否灵活,有无卡住现象。

(6)明确手柄、按钮的标志,弄清保护装置操作手柄对应于主触头开、闭的位置。

(7)检查漏电动作电流和动作时间,是否和电路要求安装设备的动作电流和时间符合。

(8)接入额定电压电源,在空载状态下按动试验按钮,检查漏电保护装置是否能正常动作。

(二)安装接线

漏电保护安装的接线必须正确接线,接线前要依次查清:

(1)电源是否采取接地保护还是接零保护。

(2)接到漏电保护器上的用电设备是单相还是三相。

(3)接线时要分清:中线和相线;主回路和辅助电源的接线端子。

避免因接线错误或接地不当引起的误动作。在不同的系统接地形式的单相、三相三线、三相四线供电系统中漏电保护装置均应正确接线。

(三)安装漏电保护装置的施工要求

(1)漏电保护装置应安装在无腐蚀气体、无爆炸危险的场所,并应注意防潮、防尘、防震和防止阳光直射。

(2)保护装置的安装位置应避免邻近导线和电气设备的磁场干扰。

(3)保护装置使用穿心式零序电流互感器时,各相一次导线宜绞在一起穿过互感器,并在两端部保持适当距离后才可分开,以防止在正常工作条件下的不平衡磁通引起保护装置误动跳闸。

(4)组合式保护装置的外部连接控制线应采用铜导线,截面不应小于 $1.5mm^2$。

(5)组合式保护装置的漏电继电器宜安装在配电盘的正面,距地面一般 $800\sim1\,500mm$ 为宜。

(6)漏电保护装置标有负载侧和电源侧,应按规定正确接线,不得反接。

(7)带有短路保护的漏电保护装置,安装时必须保持在电弧喷出方向有足够的飞弧距离,飞弧距离的大小按漏电保护装置生产厂家的规定。

(8)安装漏电保护装置后,不能撤掉低压供电线路和电气设备的接地保护措施。但应按有关规程的要求进行检查和调整。

(9)安装时必须严格区分中性线和保护线,三极四线式或四极式漏电保护装置的中性线应接入漏电保护装置。经过漏电保护装置的中性线不得作为保护线,不得重复接地或接设备外露可导电部分,保护线不得接入漏电保护装置。

(10)对接有漏电保护装置的低压电网的技术要求:①漏电保护装置负荷侧的中性线,不能与其他回路共同。②装有漏电保护装置的线路和电气设备,其泄漏电流必须控制在允许的范围之内;若泄漏电流大于允许值时,应及时处理绝缘不合格的线路和电气设备。③电动机和其他电气设备的金属外壳应有保护接地,接地电阻应符合要求。④三相负荷应力求对称供电,尽量减少因不对称负荷引起的不对称电流。⑤漏电保护装置的保护范围较大时,为便于寻找故障点或缩小故障时的停电范围,应在配电网中的适当地点装设分段开关。⑥安装前,应检查低压系统的对地绝缘电阻。

(四)漏电保护装置安装后的试验

漏电保护装置安装后,只有通过下列试验,才能投入运行。

(1)检查漏电保护装置的合闸性能,可在不接通电源的情况下,将漏电保护开关合上,用万用表 R×1 挡检查触头的接触电阻应为零。

(2)在带负荷情况下,分合闸 3 次应无误跳闸现象。

(3)用漏电保护装置的试验按钮试验 3 次,均应正确动作。

(4)逐相用试验电阻做接地动作试验,均应正确动作。

(5)实测漏电保护装置的动作电流,测量时应按照带电作业的要求做好安全措施。

§15-5　保护装置使用和维护

为了能使漏电保护装置正常工作,保持良好的状态,从而起到保护作用,必须做好以下几项使用和维护工作:

(1)漏电保护装置投入运行后,使用单位应建立运行记录和相应的管理制度。

(2)漏电保护装置在新安装和运行一段时间后,每月需在通电状态下,按动试验按钮,检查漏电保护装置是否可靠,雷雨季节应增加试验次数。

(3)巡视检查和定期检查维修时,应清除附在保护装置上面的灰尘,以保证绝缘良好。

(4)若漏电保护装置因被保护电路发生故障而分断电路时,要查明原因。凡有白色漏电指示按钮的开关,应先检查一下该按钮。若漏电指标按钮已跳起,说明线路中已出现漏电和触电故障,应查明原因并排除故障后才能将漏电指示按钮复位,再合开关。若漏电指标按钮没跳起,则是过载故障。

(5)漏电保护装置在使用了一定次数后,在转动机构部分应加润滑油,保证操动机构动作灵活、可靠。

(6)漏电保护装置因被保护电路发生故障时,须打开盖子进行内部清理(主要清理消弧室和触头),消弧室的内壁和栅片上要清理干净;要仔细清理触头上的毛刺、颗粒,保证接触良好。当触头磨损到原来厚度的 1/3 时,要更换触头。

(7)为检验漏电保护装置在运行中的动作特性及变化,应定期进行动作特性试验。主要内容有:①测试漏电动作电流值;②测试漏电不动作电流值;③测试分断时间。

(8)退出运行的漏电保护装置再次使用之前,要对其进行动作特性试验。

(9)定期分析漏电保护器装置的运行情况,及时更换有故障的保护装置。

(10)漏电保护装置动作后,经查未发现事故原因时,允许试送电一次,如果再次动作,应查明原因找出故障,必要时对其进行动作特性试验,不得连续强行送电,除经检查确认保护装置本身发生故障外,严禁私自撤除漏电保护装置强行送电。

(11)在漏电保护装置的保护范围内发生电击伤亡事故时,应检查漏电保护装置的动作情况,分析未能起到保护的原因,在未调查前应保护好现场,不得拆动漏电保护装置。

§15-6 保护装置故障分析与维修

漏电保护装置常见故障的原因分析和维修方法列表说明,见表 15-6。

漏电保护装置的维修,应由专业人员进行,运行中遇有异常现象应找电工处理,以免扩大事故范围。

表 15-6   **漏电保护装置故障原因分析及维修方法**

序号	故障现象	故障原因分析	维修方法
1	漏电开关或漏电继电器不能闭合	(1)贮能弹簧变形,导致闭合力减小 (2)操作机构卡住 (3)机构不能复位、再扣 (4)漏电脱扣器不能复位	(1)更换贮能弹簧 (2)重新调整操动机构 (3)调整再扣部位 (4)调整漏电脱扣器
2	漏电开关或漏电继电器不能带电投入	(1)过电流脱扣器没有复位 (2)漏电脱扣器没有复位 (3)漏电脱扣器不能复位 (4)漏电脱扣器不能保持闭合 (5)漏电动作电流值调整太小,而漏电过大	(1)等待过电流脱扣器自动复位 (2)按复位按钮,使漏电脱扣器复位 (3)查明原因,排除线路故障,调整漏电脱扣器 (4)更换漏电脱扣器 (5)适当调大额定漏电动作电流值
3	有一相触头不能闭合	(1)一相触头支架断裂 (2)灭弧室有金属颗粒将触头卡住	(1)更换触头支架 (2)清除金属颗粒或更换灭弧室
4	漏电开关(漏电继电器)打不开	(1)触头发生熔焊 (2)操作机构卡住	(1)排除熔焊故障,修理或更换触头 (2)排除卡位现象,修理受损零件
5	操作试验按钮后,漏电开关(漏电继电器)不动作	(1)试验回路不通 (2)试验电阻已烧坏 (3)试验按钮接触不良 (4)操作机构卡住 (5)漏电脱扣器不能推动漏电开关(漏电继电器)机构自由脱扣 (6)漏电脱扣器不能正常工作	(1)检查试验回路,接好连接导线 (2)更换试验电阻 (3)清理试验按钮触头 (4)调整操作机构 (5)调整漏电脱扣器及弹簧 (6)更换漏电脱扣器
6	相间短路	(1)尘埃堆积或粘有水气油垢 (2)外接导线没有接好 (3)灭弧室损坏	(1)经常清理,保持清洁 (2)按紧螺钉,保证相间距离 (3)更换灭弧室

序号	故障现象	故障原因分析	维修方法
7	温升过高	(1)触头压力过小,接触不良 (2)触头表面过分磨损或触头损坏 (3)导电零件连接处螺钉松动 (4)触头超程太小	(1)调整触头压力和接触面,或更换触头压力弹簧 (2)清理或更换触头 (3)拧紧螺钉 (4)调整触头超程
8	起动电动机时,漏电开关立即分断	(1)过电流脱扣器瞬时整定电流值太小 (2)过电流脱扣器动作过快 (3)过电流脱扣器整定电流值选择不对	(1)调整过电流脱扣器瞬时值整定弹簧 (2)适当调大整定电流值 (3)重新选用
9	过电流脱扣器烧坏	(1)短路时机构卡住,漏电开关不能及时分断 (2)过电流脱扣器不能正确动作	(1)定期检查操动机构,使其动作灵活 (2)更换过电流脱扣器
10	工作一段时间后分断	(1)过电流脱扣器长延时整定值不对 (2)热元件变质 (3)故障	(1)重新选用、调整 (2)更换热元件 (3)查明原因,排除故障后重新投入
11	触头过度磨损	(1)三相触头动作不同步 (2)负载侧短路	(1)调整至同步 (2)排除故障,更换触头

第十六章　接地接零

§16-1　TT、TN、IT 系统安全原理

在电力系统中,电源侧的接地称为"系统接地"(工作接地),接地的另一组成部分,是负载接地。与低压电路相连的电气设备的金属外壳和底座是不带电的,只有当其绝缘老化或损坏时,才有可能出现故障电压。如果预先使这些金属外壳及底座接地,则可防止触电事故的发生。这种负载侧的接地,通常称为"保护接地",在 IEC[❶] - T$_{64}$ 中称它为"外露导电部分的接地"。

IEC - T$_{64}$ 对低压系统接地的形式的表示方式作了规定,并将接地方式分为 TT 系统、TN 系统和 IT 系统 3 种。

一、TT 系统

(一)TT 系统简介

TT 电力系统有一个直接接地点,装置的外露可导电部分接至电气上与电力系统的接地点无关的接地极上(如图16-1)。

---

❶　IEC 是最具权威性的国际电工电子标准机构——国际电工委员会的英文名称简称(International Electrotechnical Commission)。它拥有 42 个会员国,其会员国人口数占世界人口的 80%,IEC 与 ISO(国际标准化组织)一起被称为世界两大标准化机构,都是联合国的甲级咨询机构。

迄今为止,IEC 共有 85 个技术委员会(Technical Committee 简称 TC)。IEC 的许多标准都与建筑电气设计有关,而其中关系最为密切的是建筑物电气装置标准,它是在 1967 年成立的,旨在制定一个国际性的电气布线规范的 TC64 规约。其现在的工作内容,已大大超过此范围了。

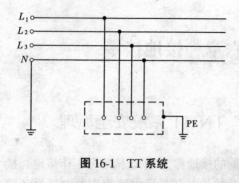

图 16-1 TT 系统

（二）TT **系统的特点及存在问题**

TT 系统之所以能防止触电,是因为接地电阻与触摸带电设备外壳的人体是并联相连的。由于分流作用,使得人体接触到的电流仅为故障电流的一部分,从而减少了触电的危险性(如图 16-2)。如果接地电阻足够的小,使得流过人体的故障电流在安全值以内,这样触电的人就得到了保护。

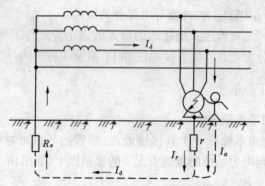

图 16-2 TT 系统原理图

日本是采用 TT 系统的国家。根据不同环境的安全电压极限值,将保护接地分为三级,其相应的接地电阻值的要求见表16-1。

表 16-1 中所指的第一、二、三级类别的接触状态是与表 16-2 中的第二、三、四种接触状态相对应的。

表 16-1 日本《电气设备技术标准》规定的
保护接地种类及相应的接地电阻值

级 别	安全电压极限值(V)	接 地 电 阻(Ω)
第一级	25	$r \leqslant \dfrac{25}{U_\phi - 25} R_2$
第二级	50	$r \leqslant \dfrac{50}{U_\phi - 50} R_2$
第三级	无限制	$r \leqslant 1\,000$

表 16-2 日本《低压电路接地保护导则》规定的接触电压

种 类	接 触 状 态	允许接触电压(V)
第一种	人体大部分浸入水中	2.5 以下
第二种	人体十分潮湿,人体的一部分时常和电气设备的金属装置及构件相接触	25 以下
第三种	除上述第一、二种场合外,人体在通常状态下接触电压有较大危险性的场所	50 以下
第四种	除上述第一、二种场合外,人体在通常状态下接触电压危险性较小或无危险性的场所	没有限制

图 16-3 是 TT 系统的等值电路图。

由图 16-3 可知:

$$U_\phi = I_d(R_2 + r) \tag{16-1}$$

$$U_d = I_d \cdot r \tag{16-2}$$

则

$$r = \frac{U_d}{U_\phi - U_d} R_2 \tag{16-3}$$

式中 U_ϕ——低压系统的相电压,V;

R_2——低压系统中性点接地电阻值,Ω;

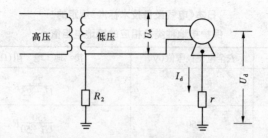

图 16-3　TT 系统接地保护等值电路图

r——负荷侧接地电阻的最大值，Ω；

U_d——故障电压，如前所述，它根据不同的接触状态可分
别取 25V 或 50V。

在我国，也有部分低压配电系统采用 TT 方式。此时，$U_\phi =$
220V，设 $R_2 = 4\Omega$，$r = 4\Omega$，当系统发生单相接地短路时，其短路电
流为

$$I_d = \frac{220}{4 + 4} = 27.5(\mathrm{A})$$

这种数量级的短路电流，虽可使人丧命，却无法使容量稍大的
电气设备保护开关动作跳闸。

我国原城乡建设环境保护部颁布的《建筑电气设备技术规程》
JGJ16－83(以下简称《规程》)7.4.6 条规定："在中性点直接接地
网络中的单相接地短路，其短路电流不应小于熔断器熔体额定电
流的 4 倍"。这就是说，上述 27.5A 的单相接地短路电流仅能熔
断熔体额定电流为 27.5/4＝6.9A 的熔断器。

《规程》的 7.4.8 条规定："在中性点直接接地网络中的单相接
地短路，其短路电流不应小于自动开关瞬时或短延时过电流脱扣
器整定电流的 1.5 倍"。也就是说，27.5A 的单相接地短电流只能
使脱扣器电流小于 $\dfrac{27.5}{1.5} = 18.3\mathrm{A}$ 的自动开关跳闸。而在实际使用
中，电气设备的容量往往是大于上述熔断器熔体或自动开关脱扣

器的值。一旦发生单相接地故障,开关无法动作,故障电压一直存在。

此时,用电设备的对地电压为

$$U_d = I_d \cdot r = 27.5 \times 4 = 110(V)$$

对地电压 $U_d = 110V$ 是远远大于安全电压值的。这时,人若触及该设备外壳,流过人体的电流为

$$I_r = \frac{U_d}{R_r} = \frac{110}{1\,000} = 110(mA)$$

式中,R_r 为人体电阻,取平均值 $1\,000\Omega$。

$I_r = 110mA$ 的触电电流无疑会危害人的生命。为了不让故障电压危害触及设备的人,应使其值小于或等于安全电压,即通称电压极限 U_L。IEC-TC$_{64}$ 在 413.1.4.2 条文中作了明确规定,即

$$R_A \cdot I_a \leqslant U \tag{16-4}$$

式中 R_A——用于外露可导电部分的接地极电阻;

I_a——按照预期接触电压,保护装置应在表 16-3 所示的切断时间内动作的电流;

U——通称电压极限 U_L,即安全电压。其值可参照表16-4及表 16-5。

当取 $U_d = 50V$, $R_2 = 4\Omega$, 已知 $U_\phi = 220V$, 从式(16-3)可求出 $r = 1.18\Omega$。

表 16-3   最大接触电压持续时间(1982 年 IEC 标准)

预期接触电压 (V)	允许切断时间 (s)	预期接触电压 (V)	允许切断时间 (s)
50	5		
75	1	150	0.1
90	0.5	220	0.05
110	0.2	280	0.03

表 16-4　　　　**IEC-TC$_{64}$规定的通用接触电压极限**

电流种类	通用接触电压极限 V_L(V)	
	在常规环境下	在潮湿情况下
交流 15～100Hz	50	25
直流、非脉动波	120	60

注:对于全身浸没在导电的液体中或全身接触导体,如在水中或锅炉炉膛内,则必须采用更低的安全电压,一般为12V。

表 16-5　　　　　　**我国安全电压等级及选用举例**

安全电压(交流有效值,V)		选用举例
额定电压	空载上限值	
42	50	在有触电危险的场所使用的手持式电动工具等
36	43	在矿井、多导电粉尘等处所使用的行灯
24	29	
12	15	可供某些会使人体偶然触及的带电体设备使用
6	18	

采用 TT 系统时,负荷侧接地电阻 r 随系统接地电阻变化而有所不同,其要求的最大限值,如表 16-6 所示。由表 16-6 可知,从人身安全出发,要求的负荷侧接地电阻值是很小的。在土壤情况较差的地区,达到如此小的接地电阻,难度是非常大的。

在 TT 系统中,当无法满足式(16-4)的要求时,可按照 IEC-TC$_{64}$规定,采用残余电流保护装置或采取辅助等电位连接。此时式(16-4)中的 I_a 应为额定动作残余电流 $I_{\Delta n}$。

二、TN 系统

(一)TN 系统简介

TN 电力系统有一点直接接地,装置的外露导电部分用保护线与该点连接。按照中性线与保护线的组合情况, 公认的 TN 系

表 16-6 　　　　TT 系统负荷侧接地电阻的最大限值

对地电压	系统接地的接地电阻(Ω)	不同的接触电压要求的接地电阻最大限值		
		2.5V	25V	50V
220V	1	0.012	0.128	0.294
	2	0.023	0.256	0.588
	3	0.034	0.385	0.441
	4	0.046	0.531	1.176
	5	0.057	0.641	1.470
	6	0.069	0.769	1.764
	7	0.081	0.897	2.059
	8	0.092	1.026	2.353
	9	0.103	1.154	2.647
	10	0.115	1.282	2.941

统有以下 3 种形式:

(1)TN－S 系统。整个系统的中性线与保护线是分开的,如图 16-4 所示。

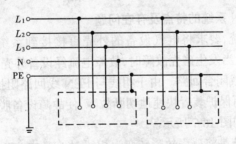

图 16-4　TN－S 系统

(2)TN－C－S 系统。系统中有一部分中性线与保护线是合一的,如图 16-5 所示。

(3)TN－C 系统。整个系统的中性线与保护线是合一的,如图 16-6 所示。

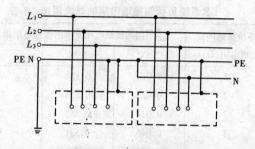

图 16-5　TN-C-S系统

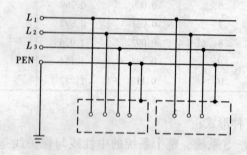

图 16-6　TN-C系统

(二)TN 系统的特点及存在问题

　　TN 系统,要求将电气设备的外壳直接接到系统的 PE 线或 PEN 线上。当发生碰壳故障时,故障电流经设备外壳和 PE 线(或 PEN 线)形成闭合回路。由于相线与 PEN 线回路阻抗较小,短路电流大,从而保护装置快速地切断故障,使故障设备脱离电源。其保护原理,如图 16-7 所示。

　　TN 系统是将碰壳故障转变为相线对 PE(或 PEN 线)的单相短路,并依赖短路电流使保护装置动作。也就是说,它是以设备的过电流保护兼作单相短路保护的。所以,有时又将接零保护方式称为过电流保护方式。

　　新中国成立以前,我国低压系统多为 TT 系统。新中国成立

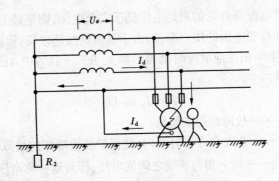

图 16-7　TN 系统保护接零原理图

以后,随着工农业迅速的发展,用电量增大,供电范围也随之扩大。在向苏联学习的基础上,有关规程规定,低压网络需采用接零保护。《规程》18.1.4条仍推荐:"在中性点直接接地的低压电力网中,电力装置宜采用低压接零保护。"也就是 TN 系统。

在 IEC 标准中,对 TT、TN、IT 系统提出了相应的要求,但未规定在何种情况下,应采用哪种系统。我国的规程也只作出推荐性意见,对各类接地系统应用范围未作出有关规定。有人提出,最好是研究各种系统的改进措施,使其达到安全运行的要求,然后再进行技术经济比较。笔者认为,在目前的情况下,这是一种切实可行的办法。

TN 配电系统结构较为简单,与 TT 系统相比,发生接地故障时短路电流大,能快速切除保护装置,具有一定的安全性和可靠性,曾被各国广泛采用,被认为是一种较好的接地方式。

然而,随着用电负荷日趋增加,供电系统结构发生了很大的变化。长期运行经验证明,TN 系统,特别是 TN－C 系统很不完善,存在许多不安全因素乃至缺陷,下举例说明。

1.不能可靠地切断所有的单相故障

在工程设计中,如果能保证在单相接地时快速地切断故障,又能保证带电设备外壳的对地电压低于安全电压,则是最为理想的。但对于远离变电所的用户来说,由于其供电线路较长,回路阻抗值较大,发生单相接地故障时是难以满足 IEC－TC$_{64}$ 中 413.1.3 提出的要求:

$$Z_s \cdot I_a \leqslant U_0 \tag{16-5}$$

式中　Z_s——故障回路的阻抗;

　　　I_a——在安全许可时间内,使保护装置动作的故障电流;

　　　U_0——每一相与零线之间的电压,即对地标称电压。

在配电设计中,即使根据相—零回路的短路检验,按照式(16-5)提出对相—零阻抗的要求,但在实际使用中,由于种种原因,例如维护操作人员不了解设计意图,随意加大熔丝安培数;调换自动开关,增大脱扣器的整定值;或者由于设备增加,容量变大,各级保护设备的额定电流或动作电流发生变化等,都无法保证 I_a 大于或等于 4 倍熔丝的额定电流,或 1.5 倍自动开关整定电流的要求,造成保护装置不能切断单相接地故障。这时,电源中性点和设备外壳都将呈现故障电压。

设相线、PEN 线材质相同,长度相等,且截面积 $S_{PEN} = S_{相}/2$。从图 16-8 可知,保护装置不能切断单相故障时,电源中性点和设备外壳呈现故障电压。即

$$U_d = U_N = \frac{1}{1 + 0.5} \times 220 = 147(V)$$

保护装置不能切断单相故障,若进行负荷侧重复接地,则可降低设备外壳的故障电压,缓解危险程度。设重复接地电阻 $R_c = 10\Omega$,此时 $R_2 = 4\Omega$,$r_L = 0.5\Omega$,$r_N = 1\Omega$(如图 16-9),则

$$I_d = \frac{220}{0.5 + \frac{(10 + 4) \times 1}{(10 + 4) + 1}} = 153(A)$$

$$I_{dN} = 153 \times \frac{(10 + 4)}{(10 + 4) + 1} = 143(A)$$

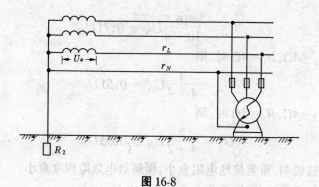

图 16-8

$$U_N = I_{dN} \cdot r_N = 143 \times 1 = 143(V)$$

电源中性点对地电压为

$$U_2 = U_N \cdot \frac{R_2}{R_2 + R_c} = 143 \cdot \frac{4}{4 + 10} = 40.8(V)$$

设备外壳的故障电压为

$$U_d = U_N \cdot \frac{R_c}{R_2 + R_c} = 143 \cdot \frac{10}{4 + 10} = 102.2(V)$$

可以看出，U_d 的大小与 R_c 及 R_2 的比例有关。

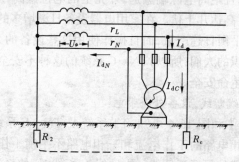

图 16-9

当 $R_2 = 4\Omega$, $R_c = 10\Omega$ 时，则

$$U_d = \frac{10}{10+4}U_N = 0.71U_N$$

当 $R_2 = 4\Omega, R_c = 4\Omega$ 时,则

$$U_d = \frac{4}{4+4}U_N = 0.51U_N$$

当 $R_2 = 4\Omega, R_c = 2\Omega$ 时,则

$$U_d = \frac{2}{4+2}U_N = 0.33U_N$$

这说明,重复接地电阻愈小,缓解触电危险程度愈小。

2.正常运行时,设备金属外壳带电位

在 TT 系统中,用电设备的金属外壳是直接接至大地;在 TN-S 系统中,则是让专用的 PE 线与设备金属外壳相连。在正常运行时,这些保护线中均无电流流过,设备金属外壳是不带电位的。

在我们大量使用的 TN-C、TN-C-S 系统中,情况就不一样了,与设备外壳相连的是中性线 N 与保护线 PE 合用的 PEN 线。正常运行时,由于负荷不平衡和三次谐波电流的作用,PEN 线中有电流流过。这样一来,即使是正常运行情况,设备金属外壳也会带电位,且距离电源端愈远,外壳上的电位愈高,对地电压也愈大,往往可高达几十伏。在家用电器设备日渐增多的今天,生活用电负荷不平衡日趋严重,而且操作使用这些设备的又多是缺乏安全用电知识的人们,所以,TN-C 系统的这种不安全因素,无疑会危及人的生命安全。

3.PEN 线断线,设备外壳带电

从图 16-1 和图 16-4 可知,TT 系统及 TN-S 系统的中性线 N 是作为单相电路的工作电流和三相电路不平衡工作电流,以及三次谐波电流的导通返回线。中性线 N 断线时,使系统负荷侧中性点偏移将导致这些电气设备不能正常工作,但不会产生危险的接触电压。而图 16-5 和图 16-6 所示的 TN-C-S 及 TN-C 系统,由于其中性线与保护线合二为一,一旦断线,不仅使设备不能

正常工作,而且设备外壳将带 220V 的危险电压(见图 16-10)。

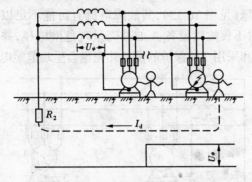

图 16-10　无重复接地,PEN 线断

当然,如在负荷侧设备重复接地,则接触电压有所降低,并且重复接地电阻愈小,接触电压愈低(见图 16-11)。

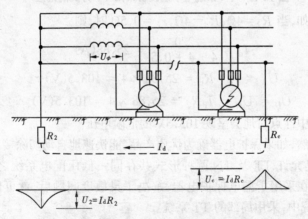

图 16-11　有重复接地,PEN 线断

4. 在同一个低压配电系统中,会同时出现 TT 及 TN 系统,即接地及接零两种保护系统

当企业变压器兼作邻近住宅供电时,在同一低压配电系统中

会同时出现 TT 及 TN 两种系统。这时如果采有 TT 系统的设备发生单相故障(见图 16-12),其故障电流有可能不足以使保护装置动作,此时不仅故障设备 A 的外壳呈现危险电压,并且整个系统的中性线和采用 TN 保护的设备外壳也会呈现危险电压。

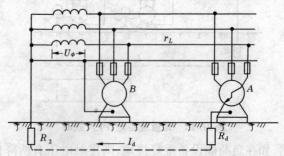

图 16-12　TN 系统中个别设备采用 TT 方式的危险

例如,当 $R_2 = 4\Omega, R_d = 4\Omega, r_L = 0.5\Omega$ 时,则

$$I_d = \frac{220}{4 + 4 + 0.5} = 25.88(A)$$

$$U_A = I_d \cdot R_d = 25.88 \times 4 = 103.5(V)$$

$$U_B = U_N = I_d R_2 = 25.88 \times 4 = 103.5(V)$$

即中性点对地会呈现 103.5V 的危险电压。

当然,如果保护电器确为优质产品,能快速地自动切除接地故障,仍是允许 TT 及 TN 两种形式共存同一低压配电系统之中。特别是在采用了漏电保护电器,解决了灵敏度问题后,就可以在 TN 系统中,采用局部的 TT 系统。

以上是 TN - C、TN - C - S 系统的缺陷实例。TN 系统为我国现行广泛采用,但如何克服或改进该系统的种种不足以至缺陷,仍需引起有关部门的密切关注。

三、IT 系统

在 IT 系统中(如图 16-13),系统的中性点不直接接地,电气装置与大地是隔离的,或由足够高的阻抗通过系统的中性点(星形点)或人工中性点(星形)与地相连。如果总的零序阻抗很高,则人工中性点应与大地直接相连,当发生一点故障时,流入外露可导电部分或地中的故障电流很小,因此不要求把电路强行切断,但同时存在双重故障时,必须采用措施以避免有人触及易接近的导电部分所造成的危害。

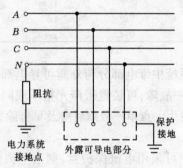

图 16-13　IT 系统

IT 系统中,电气装置的带电体严禁直接接地。为了降低过电压或抑制振荡电压,电气装置必须通过高阻抗或人工中性点接地。但接地后的性能必须符合用电装置的要求。

外露可导电部分必须单独接地或成组接地、集中接地。但必须满足:

$$U_{jc} \geqslant R_A I_d \tag{16-6}$$

式中　U_{jc}——接触电压的上限值,即如表 16-7 所列的两种情况,但如在同一电气装置中,具有不同接触电压的某些外露可导电部分接于同一接地极上时,U_{jc}应按第二种情况取值；

R_A——外露可导电部分的接地电阻，Ω；

I_d——在相线与外露可导电部分之间的一点短路故障所产生的电流。I_d 的值与相线的漏电电流及电气装置的总阻抗有关。

表 16-7　　　　　　　　IT 系统中允许的最大切断时间

U_e(V)	t(s)	
	在 U_{je} 的上限值不超过 50V 时	在 U_{je} 的上限值不超过 24V 时
110	0.8	0.4
220	0.4	0.2
380	0.2	0.1

为监视 IT 系统中带电部分与外露可导电部分或与大地之间是否发生一点单一故障，可装置带声光指示或同时可切断供电的绝缘监视器，在发生一点单一故障后应及早排除，避免长时间带故障运行。

在 IT 系统中可采用电流保护器、剩余电流保护器或故障电压保护器等作保护。

四、IT、TT、TN 系统字母代号的意义

第一个字母表示电源侧的接地状态，即

　　　　I——所有带电部分与地绝缘，或一点经阻抗接地；

　　　　T——一点直接接地。

第二个字母表示负载侧的接地状态，即设备外露可导电部分对地的关系，即：

　　　　T——负载设备的外露可导电部分对地直接电气连接，与电力系统的任何接地点无关；

　　　　N——外露可导电部分与电力系统的接地点直接电气连

接(在交流电力系统中,接地点通常就是中性点)。

对 TN 系统,如果后面还有字母时,这些字母表示中性线与保护线的组合,即:

S——中性线和保护线是分开的,并将前者称为 N 线,后者称为 PE 线;

C——中性线和保护线是合一的,称为 PEN 线。

§16-2　接地的作用和接地接零设备

电气设备的任何部分与大地作良好的电气连接,称为接地;埋入地中与土壤作良好接触的金属导体,称为接地体或接地极。连接于接地体与电气设备之间的金属导体,称为接地线,接地线与接地体合称为接地装置。

按其接地作用不同,分为工作接地、保护接地、重复接地、防静电接地和防雷接地。

将电气设备正常情况下与带电部分绝缘的金属外壳或构架,与中性点直接接地系统中的零线相连接,称为接零,或叫保护接零。

接地和接零的应用较为广泛,但作用共有两点:一是为了保证电气设备正常运行;二是为了安全,避免因电气设备绝缘损坏时使人遭受触电危险以及防止雷电、静电等对电气设备和生产场所的危害。

一、接地的类型和作用

(一)工作接地

将电力系统中的某一点,通常是中性点,直接或经特殊设备如消弧电阻线圈、击穿保险等与大地作金属连接,称为工作接地。电力系统中性点接地方式的选择,要综合考虑安全、可靠、方便和经济等几方面的问题。中性点接地的主要作用是：

1.降低人体接触电压

在中性点绝缘系统中，当发生单相接地故障时，如果人体又触及非故障相，人体所承受的接触电压为相电压的$\sqrt{3}$倍。

在中性点接地系统中，由于中性点接地电阻很小，在一相故障接地时，另外两相对地电压变化不大。如人体触及非故障相，人体承受的接触电压不再是相电压的$\sqrt{3}$倍，而是接近或等于相电压，减轻了触电伤害的后果。

2.迅速切断故障设备电源

在中性点绝缘系统中，当一相故障接地时，由于接地电流较小，保护装置不能迅速动作切断电源，故障时间持续较长，对人员和电气设备都极不安全。

在中性点接地系统中，当一相故障接地时，接地电流成为很大的单相短路电流，保护装置能迅速准确动作切断电源，从而保证了人体免于触电和避免设备故障扩大。

3.降低电气设备的绝缘要求

中性点对地绝缘系统中，单相接地故障会使其他两相对地电压升高至相电压的$\sqrt{3}$倍；而在中性点接地系统中，单相接地故障时其他两相对地电压增加很少，接近相电压，因此在中性点接地系统中，设备绝缘水平按相电压考虑而不必按相电压的$\sqrt{3}$倍考虑，降低了制造成本和建设费用。

(二)保护接地

保护接地是一种技术上的安全措施。所谓保护接地，就是将电气设备在正常情况下不带电的金属外壳部分与接地体之间作良好的金属连接。

1.保护接地的作用

当设备在运行中出现绝缘损坏故障，而使电气设备外壳意外带电时，有了保护接地，可使电流经接地体流入大地，将人员接触带电的金属外壳时可能产生的接触电压,控制在安全范围以内,保护人身安全。

2.保护接地的原理

在中性点不接地低压配电系统中,当某一相导体因绝缘破损而使设备外壳带电(即常说的"漏电")时,如果设备对地绝缘,接地短路电流为零,对设备运行没有影响。但如果人员触及了漏电设备外壳,相当于不接地系统中的单相触电,故障相有电流经人体、大地和各相对地绝缘阻抗形成回路。流过人体的电流大小与各相对地绝缘阻抗有关。低压配电系统中各相对地绝缘阻抗小于20kΩ时,即有电击危险。

如图 16-14 所示,电气设备的外壳有了保护接地装置后,发生碰壳短路故障时,故障相接地短路。由于中性点对地绝缘,一般情况下接地短路电流不大,低压配电系统单相接地短路电流不到 1A,漏电设备外壳对地电压决定于

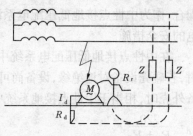

图 16-14　保护接地原理图

接地装置的接地电阻 R_d 的大小,即

$$U_d = I_d R_d = \frac{3 U_\phi R_d}{|3 R_d + Z|} \tag{16-7}$$

式中　I_d——系统单相接地短路电流;

　　　U_ϕ——系统相电压;

　　　Z——各相对地绝缘阻抗;

　　　R_d——保护接地装置接地电阻值。

当人体触及漏电设备外壳时,人相当于人体电阻 R_r 与 R_d 并联,因 $R_d \ll R_r$,R_r 的并入对 R_d 上的压降影响不大,人体承受的接触电压基本上等于(略小于)漏电设备对地电压,适当调整 R_d

的大小,就可以将这个电压控制在安全范围以内。当接地电阻很小时,大部分接地电流从接地装置流入大地,流过人体的电流接近零值,就能避免触电危险。

保护接地除了用于因绝缘损坏而使设备外壳意外带电的防护外,还广泛用于其他原因的意外带电防护,如在高压设备附近的金属栅栏,可因静电感应而带电,也必须有良好的接地。

(三)保护接零

在中性点直接接地的低压配电系统中,电力设备的外壳宜采用保护接零。保护接零是将电气设备在正常情况下不带电的金属外壳与低压电网的零线连接起来。保护接零与熔断器、脱扣器等配合,作为中性点接地低压配电系统中防止漏电设备造成人身触电的安全措施。

在中性点接地低压配电系统中,当发生单相绝缘损坏而碰壳时,若碰壳设备对地绝缘,设备尚可照常运行。人触及到这样的设备外壳时,相当于中性点接地系统中的单相触电,流过人体的电流

$$I_d = \frac{220}{R_r + R_0}。$$

一般固定安装的电气设备对地并不是绝缘的,例如预埋混凝土中的地脚螺丝,接地电阻大约在 $300 \sim 500\Omega$。当设备出现碰壳故障时,有接地电流流过。人若触及漏电的外壳,这个电流也是致命电流,对人体十分危险。如果将设备外壳加装保护接地,见图16-15。保护接地电阻尽量做小一些,则设备发生碰壳故障时,设备外壳对地电压 $U_d = \frac{220}{R_0 + R_d}R_d$。取 $R_0 = 4\Omega, R_d = 4\Omega$,则 $U_0 = 110V$,对人仍然是危险的。

在这种情况下,不计相线电阻,碰壳相中流过的接地短路电流 $I_d = \frac{220}{R_0 + R_d} = 27.5A$,这个短路电流可以使额定电流为 6A 以下的保险丝快速熔断。但对于额定电流较大的设备,保险丝不能熔

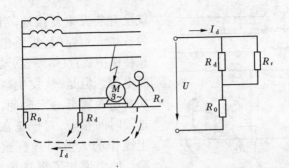

图 16-15　接地电网采用保护接地的危险及简化电路

断,故障将长期存在,造成人员触及设备时触电。

为了降低碰壳设备外壳对地电压,可以再考虑降低 R_d 的值。如果将设备对地电压降至 50V 以下,则 $R_d = \dfrac{50}{220-50} \times 4 \approx 1.2$ (Ω)。但在实际上,单台设备的接地电阻如要降到 4Ω 以下将耗费很多钢材,在经济上很不合算。因此,一般不采用降低接地电阻的办法来满足安全要求,而采用接零的办法。接零后增大碰壳时的短路电流,促使保护尽快动作(保险熔断)快速切断故障相电源。如图 16-16,若相—零回路阻抗为 2Ω,则短路电流可达 110A,可使配合接零的脱扣器或保险丝快速动作,切断故障电源,消除触电危险。

(四)重复接地

重复接地是指将零线上的一处或多处通过接地装置与大地再次连接,它是保护接零系统中必不可少的安全措施。重复接地的作用如下:

(1)重复接地可以降低漏电设备的对地电压。如果接零系

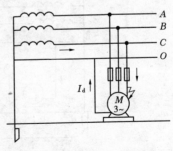

图 16-16　保护接零原理

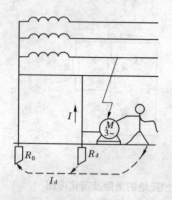

统没有装设重复接地,当发生设备碰壳短路时,短路电流应该使保护装置(熔断器)动作切断电源。但是,从发生碰壳到切断电源需要一定时间,尽管这段时间很短,对于正在设备上操作的人员同样有致命危险。如果增加了重复接地,在电源切断的一段时间内,相当于接零系统单纯搞保护接地,设备对地电压得以降低,从而

图 16-17　重复接地降低了触电危险

减轻了人员触电时的受伤害程度,降低了危险性(见图16-17)。

(2)减轻了零线断线时的触电危险。即使按照短路电流的要求设计零线,在运行中仍存在着零线断线危险,如外力冲撞、接头接触不良等原因。单纯采用保护接零的设备,在零线断线时,断线点以后的设备就失去了保护。如有一台设备发生碰壳故障,则后面的接零设备外壳全部带有危险的相电压。即使没有设备碰壳漏电,当三相负荷严重不平衡时,零线上也会带有危险的对地电压

图 16-18　无重复接地零线断线的危险

(见图 16-18)。采取重复接地后,相当于后段失零的设备单纯保护接地。这种情况尽管仍然是不安全的,但降低了触电者的接触电压,减轻了触电伤害程度。

(3)缩短碰壳或接地短路持续时间,由于重复接地和工作接地构成与零线的并联回路,因此,当发生碰壳接地时短路电流增大,加速了保护动作,缩短了碰壳故障存在时间。

(4)改善低压架空线路的防雷特性。架空线路上的零线重复接地,对雷电流起分流作用,有利于限制雷电过电压。

二、应采用接地、接零的设备

根据电压等级、运行方式及周围环境的要求,对下列的设备或元件应采取接地和接零:

(1)电机、变压器、开关及其他电气设备的底座和外壳;

(2)室内、外配电装置的金属架构及靠近带电部分的金属遮栏、金属门;

(3)室内、外配线的金属管;

(4)电气设备的传动装置,如开关的操作机构等;

(5)配电屏与控制操作台等的框架;

(6)电流互感器、电压互感器的二次线圈;

(7)电缆接头盒的外壳及电缆的金属外皮;

(8)架空线路的金属杆塔;

(9)民用电器的金属外壳。

§16-3　对零线装置的要求

对零线装置有以下几项要求:

(1)在三相四线制 380/220V 电源的中性点必须有良好的接地,接地电阻应在 4Ω 以下。除中性点有良好的接地外,还必须将零线重复接地。否则,零线万一断线,在零线回路上的接零设备中,只要有一台外壳带电,则全部设备的金属外壳都会呈现出对地电压,电压值大约等于相电压,这是比较危险的。

(2)零线上不能装熔丝和开关,防止零线回路断开时,零线上出现电压而引起触电事故。

(3)零线的截面在符合最小截面的要求下,应保证当任何一点发生短路时,其短路电流大于熔丝额定电流的 4 倍或自动开断电流的 1.5 倍。

(4)在同一低压电网中,不允许将一部分电气设备采用保护接地,另一部分电气设备采用保护接零。

(5)在接三眼插座时,不准将插座上接电源中性线的孔同接地线的孔串接。

(6)对零线的连接要求:零线连接线与设备的连接应用螺栓压紧,必要时要加弹簧垫圈。钢质零线或零线连接本身的连接要采用焊接。采用自然导体作零线时,对连接不可靠的地方,要另加跨接线。所有电气设备的接零线,均应以并联方式接在零线上,不允许串联。在有腐蚀性物质的环境中,为防止零线腐蚀,零线表面要涂防腐涂料。

§16-4　接地装置的安装及对接地电阻的要求

一、接地装置的安装

对接地装置安装有以下要求:

(1)在安装接地装置时,应尽量使接地网做到电位分布均匀,以降低接触电压和跨步电压。为保障电气工作人员的人身安全,应在建筑物出入口处的接地装置上加装帽檐式均压带,或采用铺设砾石、沥青路面等措施,使电位分布均匀。

(2)人工接地体的埋设,应注意不要埋在垃圾、炉渣和有强烈腐蚀性的土壤处。

人工接地体的埋设深度,一般不小于 $0.6\sim0.8$m。在耕地上埋设时,应适应增加深度;在土层厚度小的山区不应小于 0.3m。

垂直接地体的长度一般要求不小于 2.5m,水平接地体的长度以 $5\sim20$m 为宜。

垂直接地体的间距,一般要求不小于 5m,水平接地体的间距,可根据具体情况而定,但也不应小于 5m。埋入后的接地体周围要用新土夯实。

(3)接地线的接头和连接处应焊接,以保证有可结的电气性能,当采用搭焊时,其搭接长度,对于扁钢应为其宽度的 2 倍;对于圆钢应为其直径的 6 倍。为了便于测试电阻,接地体与接地干线的连接,应采用拆卸的螺栓连接点。

(4)对于自然接地体如水管或电缆等,若不能或不允许焊接时,应采用接线夹子,以保证连接的紧固。

(5)接地线一般采用圆钢或扁钢。只有移动式电气设备和采用钢导体在安装上有困难的电气设备,才用有色金属作为人工接地线。

(6)接地线必须有足够的尺寸。使用圆钢时,其直径不小于 6mm;使用扁钢时,其截面积不小于 24mm^2;使用铜线时,截面积不小于 4mm^2。接地线最好用中间没有接头的整线,铺设在易检查的地方。

(7)接地线与电缆或其他电力线交叉的地方,其间隔不小于 25mm;与管道、铁路等交叉的地方,为防止损坏,都应加保护钢管;穿越墙体、楼板时,必须预先装设钢管。

(8)在车间内部,如果用电设备很多,可以铺设接地干线。接地干线最好沿墙铺设。为保证安全,电气设备的接地支线应单独与干线相连,不许串联。接地干线与接地体最少要有两处以上连接。

二、对接地电阻的要求

（一）有避雷线的电力线路杆塔的接地

电力线路杆塔的接地装置，除了敷设人工接地体之外，杆塔混凝土也有一些自然接地的作用。不过只有在土壤电阻率（即 1cm³ 土壤的电阻值）$\rho \leqslant 300\Omega \cdot m$ 时，才有条件考虑自然接地的作用。因此，在设计线路接地装置时，对于 $\rho \leqslant 300\Omega \cdot m$ 的情况，就应考虑充分利用杆塔的自然接地，以便降低建设费用。

（二）各种电气设备的接地

（1）一般低压电气设备耐压水平应不低于 2 000V，所以大电流接地系统的接地电阻值按下式计算：

$$R \leqslant 2\,000/I \qquad (16-8)$$

式中　R——接地电阻，Ω；

　　　I——计算用的接地短路电流，A。

（2）小电流接地系统的接地电阻值计算。对于高压与低压电气设备共用的接地装置，要求电气设备对地电压不超过 120V，其接地电阻值可按下式计算：

$$R \leqslant 120/I \qquad (16-9)$$

式中　R——接地电阻，Ω；

　　　I——计算用的接地短路电流，A。

对于仅用于高压电气设备的接地装置，对地电压可放宽至 250V，其接地电阻值可按下式计算：

$$R \leqslant 250/I \qquad (16-10)$$

式中　R——接地电阻，Ω；

　　　I——计算用的接地短路电流，A。

由于高压中性点不接地的系统，单相接地电流通常不超过 30A，所以，$R \leqslant 4\Omega$ 是能满足安全要求的。

各类接地装置的接地电阻合格值见表 16-8。在运行中可根据表中要求的数值,对电气设备的接地装置进行检查。

表 16-8　　　　　各类接地装置的接地电阻合格值

种类	接地装置使用条件		接地电阻(Ω)	备 注
1kV及以上的电力设备	大电流接地系统		0.5	一般应符合 $R \leqslant 2\,000/I$,当 $I > 4\,000\mathrm{A}$ 时,可采用 $R \leqslant 0.5\Omega$
	小电流接地系统	高、低电气设备共用的接地装置	10	$R \leqslant 120/I$
		仅用于高压电气设备的接地装置		$R \leqslant 250/I$
	两火一地制		0.5	一般应符合 $R \leqslant 50/I^{*}$
低压电力设备	中性点直接接地与非直接接地系统	并联运行电气设备的总容量为 100kVA 以上时	4	
		并联运行电气设备的总容量不超过 100kVA 时重复接地	10	

注:R 为考虑到季节变化的最大接地电阻,Ω;I 为计算用的接地短路电流,A;I^{*} 为流经接地体的电流。

(三)各种防雷设备的接地

(1)独立避雷针接地装置的工频接地电阻值为 10Ω。

(2)变电所架构上允许装设的避雷针,其接地点除与主接地网相连接外,还应做集中接地装置,其接地电阻值为 10Ω。但避雷针的接地点与主变压器的接地点间,在地中沿接地体的长度必须大于 15m。

(3)电力线路架空避雷线的接地电阻值,根据土壤电阻率不同,分别为 $10\sim30\Omega$。

(4)变、配电所母线上的阀型避雷器的接地电阻值为 5Ω。

(5)变电所架空进线段上的管型避雷器的接地电阻值为 10Ω。

(6)低压进户线的绝缘子铁脚接地的接地电阻值为 30Ω。

(7)烟囱或水塔上避雷针的接地电阻值为 30Ω。

§16-5 接地电阻的测量

接地电阻一般采用接地摇表进行测量,其电极布置的方法分述如下。

一、发电厂和变电所接地网接地电阻的测量方法

电极的布置见图 16-19。电流极与接地网边缘之间的距离 d_{13},一般取接地网最大对角线长度 D 的 $4\sim5$ 倍,以使其间的电位分布出现一平缓区段。在一般情况下,电压极到接地网的距离 d_{12} 约为电流极到接地网的距离的 $50\%\sim60\%$。测量时,沿接地网和电流极的连线移动三次,每次移动距离为 d_{13} 的 5% 左右,如三次测得电阻值接近即可。

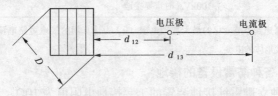

图 16-19 测量接地网接地电阻时电极的布置

如果 d_{13} 取 $4\sim5D$ 有困难,在土壤电阻率较均匀的地区,可取 $2D$,d_{12} 取 D;在土壤电阻率不均匀的地区或城区,d_{13} 可取 $3D$,d_{12} 取 $1.7D$。

电压极、电流极也可采用如图 16-20 的三角形布置方法。一般取 $d_{12} = d_{13} \geqslant 2D$，夹角 $\theta \approx 30°$。

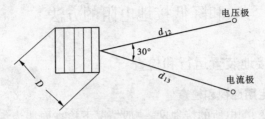

图 16-20　电压极和电流极三角形布置法

二、电力线路杆塔接地电阻的测量方法

电极的布置见图 16-21。d_{13} 一般取接地装置最长射线长度 L 的 4 倍，d_{12} 取 L 的 2.5 倍。

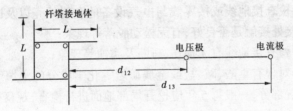

图 16-21　测杆塔接地电阻时电极的布置

三、测量注意事项

(1)测量时接地装置宜与避雷线断开；

(2)电流极、电压极应布置在与线路或地下金属管道垂直的方向上；

(3)应避免在雨后立即测量接地电阻；

(4)采用交流电流表—电压表法测量时，电极的布置宜采用图 16-21 的方式。

§16-6 接地装置的运行检查
和降低接地电阻的方法

一、接地装置运行和检查

(一)定期巡视和检查

对于变、配电所的接地网,一般情况下检查周期为每年一次;对于车间电气设备的接地线或接零线,每年至少应检查二次;对于各种防雷装置的接地引下线,每年在雷雨季节前应检查一次。通过巡视与检查发现的问题和缺陷应及时处理,以确保运行中的安全。

运行中的接地装置巡视与检查一般内容为:

(1)检查接地线或接零线与电气设备的金属外壳以及同接地网的连接处接触是否良好,有无松动脱落等现象;

(2)检查接地线有无损伤、碰断及腐蚀等现象;

(3)对含有重酸、碱、盐或金属矿岩等化学成分的土壤地带的接地装置部分,一般每5年应挖开局部地面进行检查,观察接地体受腐蚀的情况;

(4)对接地线地面下50cm以上部位,应挖开地面进行检查,观察其腐蚀程度;

(5)对于移动式电气设备的接地线,在每次使用前应检查其接地线情况,观察有无断股等现象;

(6)定期测量接地装置的接地电阻值,其数值应不大于表16-8中的规定。否则,应及时处理;

(7)测量接地电阻要在土壤电阻率最大的季节内进行,即夏季土壤最干燥时期和冬季土壤冰冻最甚时期。在这两个季节内测量接地电阻比较准确。

(二)日常维护工作

对接地装置除进行定期巡视检查外,还应加强日常维护工作。维护内容包括如下几方面:

(1)要经常观察人工接地体周围的环境情况,不应堆放具有强烈腐蚀性的化学物质;

(2)对于接地装置与公路、铁道或管道等交叉的地方,应设法采用保护措施,以防碰伤损坏接地线;

(3)接地装置在接地线引进建筑物的入口处,最好有明显标志,以便为运行维护工作提供方便;

(4)电气设备在每次大修后,应着重检查其接地线连接是否牢固;

(5)明敷的接地线表面所涂的标志漆应完好;

(6)当发现运行中接地装置的接地电阻不符合要求时,应采用降低接地电阻的措施。

二、降低接地电阻的方法

在电阻系统较高的土壤中,如在岩石、砂质及长期冰冻的土壤中,要满足规定的接地电阻是有困难的,为降低接地电阻,可以采取以下措施:

(1)换土处理。采用电阻系统低的土壤,如黏土、黑土和砂质黏土代替原来电阻系数较高的土壤,一般换掉接地体上部 1/3 的长度,周围 0.5m 以内的土壤。

(2)化学处理。一般采取在埋接地体的坑内填入化学降阻剂。常用的两种型号的化学降阻剂配方如表 16-9。

(3)对含砂土壤可增加接地体的埋设深度。深埋还可以不考虑土壤冻结和干枯所增加电阻系数的影响。

(4)对土壤进行人工处理,也可采用在土壤中加入适量食盐。实验表明,加入适量食盐,可降低电阻,增加导电率。

表 16-9 　　　　　　　　　　**化学降阻剂的配方**

木 质 素 型		石 膏 型	
原　料	数　量(kg)	原　料	数　量(kg)
木质素磺酸钙水溶液	5(40%浓度)	半水石膏	7
三氯化铁	0.8	二水石膏	1.3
重铬酸钠	0.6	高岭土	2.6
氯化钠	1.5	硫酸钠	1.3
水	1.8	聚乙烯醇	14(5%水溶液)

(5)对冻结土壤在进行人工处理后,还达不到要求,最好把接地体埋在建筑物的下面。

(6)也可采用将接地体引至土壤电阻率较低的地方或装设引外接地体的方法。

第十七章 防雷保护

雷是一种自然现象,雷击是一种自然灾害,当雷击电力设备、建筑物、电力线路时,会产生极高的电压和强大的电流,引起火灾和爆炸,有很大的破坏作用。会造成设备损坏、人畜伤亡、建筑物倒塌失火等灾害。

常用的防雷装置有避雷针、避雷线、避雷网、避雷带等,避雷器是防止雷电压侵入电气设备的保护措施。

§17-1 变电所的直击雷保护

变电所一般采用避雷针、避雷线、避雷网和避雷带防止直击雷破坏。避雷针用来保护露天变配电设备、建筑物和构筑物,使它们免受直接雷击;避雷线用来保护电力线,使其免受雷击;避雷网和避雷带主要用来保护建筑物,使其免受雷击。

一、避雷针的保护范围

(一)保护范围的计算

如图 17-1 所示,为单支避雷针的保护范围。避雷针对地面的保护半径为 $r = 1.5h$。从针的顶点向下,作与针成 45°角的斜线旋转一周形成的曲面内,构成锥形保护空间的上部;从距针底左右 $1.5h$ 处,与上述 45°角斜线的 $0.5h$ 高度处相交作连接线,交点以下的斜线旋转一周形成的曲面内构成了锥形保护空间的下部。如果用公式表达保护空间,则在被保护物高度 h_x 的水平面上,保护半径 r_x 为

$$当 h_x \geqslant h/2 时 \qquad r_x = (h - h_x)p = h_a p$$

当 $h_x < h/2$ 时 $\quad r_x = (1.5h - 2h_x)p$

式中 $\quad p$——与避雷针高度有关的系数。当 $h \leqslant 30m$ 时,$p=1$;当 $30m < h < 120m$ 时,$p=5.5/\sqrt{h}$。

只要被保护物处于上述计算 r_x 保护半径内,则可免遭雷击。

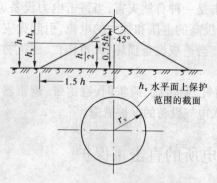

h—避雷针的高度;h_x—被保护物的高度;

h_a—避雷针的有效高度;

r_x—在 h_x 的高度上保护范围的半径

$$h_a = h - h_x$$

图 17-1 单支避雷针的保护范围

对于面积较大的被保护物可装设多支避雷针装置,多支避雷针组成的保护范围要比单支针的大得多。

两支和两支以上避雷针的保护范围,可参考有关手册。在山地和坡地,应考虑地形、地质、气象及雷电活动的复杂性,降低了避雷针的保护的有效性,因此避雷针的保护范围应适当缩小。

(二)避雷针的安装要求

(1)35kV 及以下高压配电装置架构或屋顶上不宜安装避雷针。而应单独装设支架。

(2)独立的避雷针(线)宜设独立的接地装置。在非高土壤电阻率地区,其接地电阻不宜超过 10Ω。当有困难时,该接地装置可与主接地网连接,但避雷针与主接地网的地下连接点,与 35kV 及以下设备与主接地网的地下连接点之间的距离沿接地体的长度不得小于 15m。

(3)为了保护人身安全,独立避雷针不应设在人畜经常来往的通道上,避雷针及其接地与道路及出入口间的距离不宜小于 3m。否则应采取均压措施,或铺设沥青或砾石路面。

(4)独立避雷针与配电装置部分,在空气中的距离一般不小于5m,当条件许可时,应尽量增大距离。

(5)为避免将雷害引入室内,严禁将照明线路、通讯线路、无线电天线等架在避雷针(钱)的构架上。

(三)避雷针的运行与维护

(1)检查避雷针导电部分的电气连接处是否紧密牢固,发现有接触不良或脱焊时应检修。

(2)检查避雷针本体是否有裂纹或锈蚀、歪斜等现象。检查避雷针埋入地下 50cm 深度以上的部分是否腐朽或锈蚀。

二、避雷线的保护范围

如图 17-2 所示,由避雷线向下作与其垂直面成 25°角的斜面,构成保护空间的上部;在 $h/2$ 处转折,与地面上离避雷线水平距离为 h 的直线相连的平面,构成保护空间的下部。如用公式表述;则有

当 $h_x \geqslant h/2$ 时

$$r_x = 0.47(h - h_x)p$$

当 $h_x < h/2$ 时

$$r_x = (h - 1.53h_x)p$$

p 为高度影响系数。

在 h_x 水平面上避雷线端部的保护半径,应按上式确定。两根及其以上避雷线的保护范围计算请参考

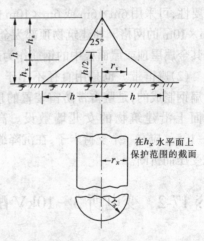

在 h_x 水平面上保护范围的截面

h—避雷线的高度;h_x—被保护物的高度;

h_a—避雷线的有效高度;

r_x—避雷线每侧保护范围的宽度

图 17-2 单根避雷线的保护范围

有关手册。

避雷线一般用截面不小于 35mm² 的镀锌钢绞线,架设在架空线路之上,以保护架空线路免遭雷击。由于避雷线既要架空又要接地,所以避雷线也叫架空地线。避雷线的作用原理与避雷针相同,只是保护范围小了一些。在安装避雷线时,要检查避雷线是否在每基杆塔有可靠接地,有无与避雷器的接地线共同接地。其接地电阻应在 10~30Ω。

三、避雷网和避雷带

(1)避雷网。是避雷网防雷装置的顶上部分,采用镀锌圆钢或扁钢在建筑物顶上制成的网格。若用圆钢,其最小直径为 8mm;若用扁钢,其最小尺寸为 12mm×4mm。对于工业建筑物,根据其重要性,可采用 6m×6m 或 6m×10m 的网格;对民用建筑,可采用 6m×10m 的网格。如建筑物顶部为金属或钢筋混凝土结构,应利用其金属屋顶或屋面板中的钢筋作为避雷网。

(2)避雷带。也是用直径不小于 8mm 的圆钢或 12m×4mm 的扁钢制成的,是避雷带防雷装置的顶上部分。避雷带一般都在屋面上沿建筑物的女儿墙敷设。高度为 100~150mm,每隔 1~1.5m 应有一个支持卡子,在沉降缝处应多留 100~200mm,以免受压而折断。

§17-2 变电所 3~10kV 配电装置的防雷保护

一、避雷器

避雷器是用来防护雷电产生的高电压,沿线路侵入变电所或其他建筑物内,避免高电压危害被保护设备的绝缘。

(一)避雷器的构造和工作原理

避雷器由火花间隙和阀型电阻片构成。当线路上没有过电压时,避雷器的火花间隙将线路与地隔开;当线路上出现过电压时,火花间隙被击穿,雷电流经阀型电阻片对地放电。当线路上过电压消失后,火花间隙把工频电流切断,恢复原来状态。

(二)避雷器的选用

避雷器的连接如图 17-3 所示,避雷器与被保护设备并联。6～10kV 配电变压器或柱上开关,采用 FS 型避雷器;变电所内部应采用 FZ 型阀型避雷器。

(三)避雷器的安装

(1)阀型避雷器通常安装在变电站的母线上。如果母线有可能分段运行,则每段母线上都必须装设一组避雷器。

(2)阀型避雷器要尽量靠近被保护的变压器安装处。对农村的配电变压器,避雷器与变压器的电气距离不能超过 5m。

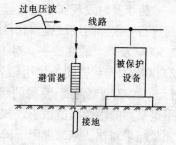

图 17-3　避雷器的连接图

(3)避雷器除与总接地网相连外,在它的附近还应加装集中接地装置,以便能更快释放雷电流。

(4)容量在 100kVA 以上的变压器接地电阻应小于 4Ω;容量在 100kVA 以下的变压器接地电阻应小于 10Ω。

(5)安装前必须对避雷器进行工频交流耐压试验、直流泄漏试验和测定绝缘电阻。达不到标准的,不能使用。

(6)安装时,应遵守关于线间距离的规定:3kV 时为 46cm;6kV 时为 69cm;10kV 时为 80cm。

(7)安装在变压器台上的避雷器,其上端引线最好接在跌落式熔断器的下端。当跌落式熔断器合上后,避雷器和变压器同时运行,打开跌落保险后,它们又同时退出运行。

(8)安装时,避雷器应保持垂直,引线要接牢。为防止松动,最好用弹簧垫圈或双螺母。

(四)阀型避雷器的运行维护

(1)检查瓷质套管是否完整,有无裂纹、破损以及闪络痕迹。

(2)瓷套管与法兰连接处和水泥接缝及上面的油漆是否脱落。

(3)避雷器内部有无响声;引线及接地引下线有无松动及烧伤现象;雷雨后检查动作记录器的动作情况。

(五)阀型避雷器的简单试验

为了及时发现阀型避雷器内部的缺陷,应在每年雷雨季节之前进行一次预防性试验。其目的是测定其绝缘电阻。测量时可用 2 500V 及以上的兆欧表。对 FS 型避雷器,其绝缘值一般要大于 2 000MΩ,当测得的绝缘电阻不低于 1 000MΩ 时,也可以正常运行。对 FZ 型避雷器,测得的绝缘电阻一般应大于 150MΩ。对阀型避雷器的绝缘阻值虽不作规定,但应与前一次测量结果和出厂测量结果对比。绝缘电阻下降的原因,一般是由于密封受到破坏受潮或火花间隙短路造成;绝缘电阻升高,一般是由于弹簧不紧,内部元件分离造成的。对 FZ 型避雷器,还可能是并联阻抗断裂或接触不良造成的。

二、放电记数器

为了判断避雷器是否动作,及记下避雷器动作的次数,一般在引下线上串接放电记数器。常用的放电记数器有 JS 型和 JLG 型。JS 型串有非线性电阻,会增加通过避雷器后的残压。对残压小的避雷器应采用 JLG 型放电记数器,它几乎没有残压,可以同所有的避雷器配合使用。

三、变电所 3～10kV 配电装置雷电入侵保护的措施

变电所 3～10kV 配电装置防止雷电侵入波的保护,可在每路出线和变电所每组母线上装阀型避雷器(如图 17-4)。对电缆出线的架空线路,将 FS 型避雷器接在架空线路终端的电缆盒附近,阀型避雷器装设集中接地装置,并和电缆的金属外皮连接。

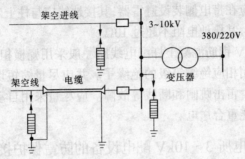

图 17-4 变电所 3～10kV 配电装置防雷电侵入波的保护接线

变电所内阀型避雷器除在其附近设集中接地装置外,也须以最短的距离与变电所的接地网连接。目前,变电所均采用 FZ 和 FS 型阀型避雷器,母线上用 FZ 型。在大容量变电所中,主变压器往往与 3～10kV 配电装置采用电缆段或母线桥相连接,若母线上的 FZ 型避雷器至主变压器的最大电气距离超过表 17-1 所示的规定时,在变压器附近应另外加装一组 FZ 型避雷器。

表 17-1 　　　　　阀型避雷器距主变压器的电气距离

雷季中经常运行的出线路数	1	2	3	4 及以上
避雷器至主变压器最大电气距离(m)	15	23	27	30

对于多雷地区的 3～10kV 配电变压器,为了防止低压侧雷电侵入波感应到高压侧,损坏变压器绝缘,以及防止高压侧遭受雷击,避雷器放电,其接地装置上的电压通过变压器低压绕组,又感应到高压侧的冲击波损坏变压器绝缘,低压侧也应装设一组 FS-0.5 型低压避雷器或压敏电阻。

3～10kV 柱上油开关和负荷开关、隔离开关,经常断路运行而又带电的,应在带电侧装设避雷器,其接地线应与柱上断路器等金属外壳连接,其接地电阻不超过 10Ω。

3～10kV 钢筋混凝土杆配电线路一般采用瓷横担,如采用铁横担,宜采用相应绝缘等级的绝缘子。并应尽量缩短切除故障的时间,以减少雷击跳闸和断线等故障。应尽量采用自动重合闸装置,跳闸后能重合送电。

四、变电所 3～10kV 配电设备的防雷保护接线

(一)配电变压器的保护

3～10kV 配电变压器应用阀型避雷器作保护,也可两相用阀型避雷器一相用间隙(同一配电网中间隙必须装在同一相导线上),或三相均用间隙保护。两线一地制电网不宜采用间隙保护。保护装置应尽量靠近变压器装设,其接地线应与变压器低压侧中性点以及金属外壳连接在一起接地,如图 17-5 所示。其接地电阻值对 100kVA 及以上的变压器应不大于 4Ω,对小于 100kVA 的变压器应不大于 10Ω。

多雷地区 3～10kVY,yn(Y/Y₀)和 Y,y(Y/Y)接线的配电变压器,宜在低压侧装一组避雷器或击穿保险器,以防止反变换波和低压侧雷电侵入波击穿高压侧绝缘。

(二)柱上油断路器的保护

柱上油断路器或负荷开关,应用阀型避雷器或间隙保护。对经常闭路运行的柱上油断路器,可只在电源侧安装避雷器。对经

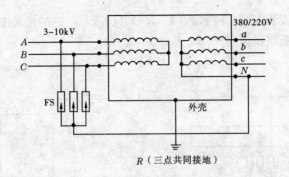

R（三点共同接地）

图 17-5 配电变压器的保护接线

常开路运行的柱上油断路器,则应在两侧安装避雷器,如图 17-6 所示。

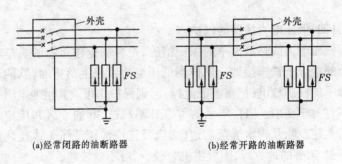

(a)经常闭路的油断路器 　　　　　(b)经常开路的油断路器

图 17-6 柱上油断路器的保护接线

避雷器应尽可能靠近油断路器安装,其接地线应和柱上油断路器金属外壳连在一起共同接地,它的接地电阻一般不大于 10Ω。

(三)电力电容器的保护

装在配电线路上的电力电容器,既是较贵重的电气设备,也是线路的绝缘弱点,应安装阀型避雷或间隙来保护,其接线方式和避雷器的安装方法,分别如图 17-7(a)、(b)所示。它的接地电阻值与柱上油断路器相同。

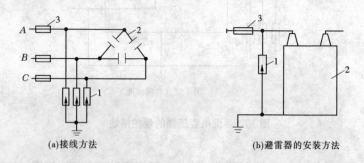

(a)接线方法

(b)避雷器的安装方法

1—阀型避雷器;2—电容器;3—熔断器

图 17-7　电力电容器的保护接线

(四)低压电力线路的保护

低压电力线路最简单的保护措施,是将临近建筑物的一基电杆上的绝缘子铁脚接地。这样当低压电力线路上落雷时,就能对绝缘子的铁脚放电,把雷电流泄掉,起到保护作用。其接地电阻一般不宜大于 30Ω。但在年平均雷电日不超过 30 的地区和接户线受高大建筑物及树木屏蔽的地区,以及接户线距低压干线接地点不超过 50m 的地方等,因着雷机会较少,可不做接地。

(五)电度表的保护

电度表最好用低压避雷器保护,也可以用间隙保护(包括锯齿形间隙)。用间隙时应串联熔丝,以便切断工频电弧,但在运行中要及时检查和更换已断熔丝。其保护接线(间隙用虚线表示)如图 17-8 所示。

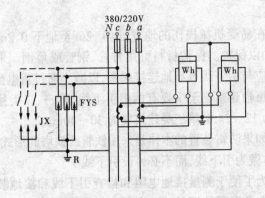

FYS—低压避雷器;JX—间隙;Wh—电度表;R—重复接地

图 17-8 电度表的保护接线

§17-3 防雷装置的引下线和独立接地装置

一套完整的防雷装置包括接闪器、引下线和接地装置。接闪器是防雷装置最高的部分,用来接受雷云放电。如避雷针、避雷线、避雷网、避雷带,实际上都是接闪器。引下线是防雷装置和接地装置的连接线。

一、防雷装置的引下线

引下线是防雷装置与接地装置的连接线,可将雷电流安全引入接地装置,使之尽快泄入大地。引下线应满足以下条件:

(1)引下线应满足机械强度、耐腐蚀和热稳定的要求。可采用直径不小于 8mm 的镀锌圆钢或截面不小于 12mm × 4mm 的扁钢。

(2)引下线应取最短的途径,要尽量避免弯曲。非弯曲不可时,其弯曲度软弯应大于 90°。

(3)引下线与墙应保持 15mm 的距离,各支持卡子的间距为

1.5~2m。

（4）在易受机械损伤的地方,地上 2m 至地下 0.2m 的一段引下线应加以保护。保护材料可用竹管、钢管或角钢。采用钢管或角钢时,应与引下线可靠地连接起来,以减小通过雷电流的电抗。

（5）每幢建筑物至少要有两根引下线,第一、二类建筑物引下线间距为 12~24m,第三类建筑物为 30~40m。

（6）如果防雷装置的本体是采用铁管或铁塔的形式,则可以利用其本体做为引下线,而不必另设引下线了。

（7）为了便于测量接地电阻和检查引下线和接地装置的连接情况,宜在各引下线距地面高约 1.8m 处设置断接卡。当引下线截面锈蚀达 30% 以上时,应及时予以更换。

二、防雷装置的独立接地装置

独立接地装置是防雷装置的地下部分,其作用是将雷流直接泄漏大地。防雷接地装置一般所用的材料尺寸要比其他接地装置的尺寸要大些,可用 50mm × 50mm × 5mm 的角钢或直径为 50mm,管壁 3.5mm 的钢管,或直径为 12mm 的圆钢做接地极,长度为 2~3m。接地极埋入地下后,埋设深度不应小于 0.6m,垂直接地体的长度不应小于 2.5m,垂直接地体之间的距离一般不小于 5m。独立避雷针的接地电阻不得大于 10Ω,避雷器的接地电阻不应大于 4Ω,对保护 100kVA 及以下变压器的避雷器的接地电阻可不大于 10Ω。

第十八章　电气事故及其预防和触电急救

§18-1　基本概念综述

一、人体阻抗

(一)定义

人体阻抗是包括皮肤、血液、肌肉、细胞组织及其结合部在内的含有电阻和电容的阻抗,其等效电路如图 18-1 所示。

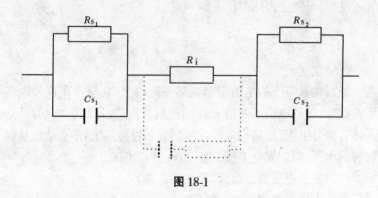

图 18-1

图中 R_{S_1}、R_{S_2} 是皮肤电阻;C_{S_1}、C_{S_2} 是皮肤电容,R_i 及其并联的虚线支路是体内阻抗。

(二)有关人体阻抗的几个问题

皮肤角质层电阻值很高,但由于容易受到破坏,一般在计算人体阻抗时不予考虑。C_{S_1}、C_{S_2}以及体内电容是很小的,对于工频电流,其作用是可忽略不计的,因此常称"人体阻抗"为"人体电阻"。皮肤阻抗在人体阻抗中占有较大的比例,皮肤破坏后,人体阻抗急剧下降,而且皮肤的状态对人体阻抗的影响也很大,人体在皮肤干燥和无损伤的情况下,人体阻抗可高达 4 万～40 万 Ω,若除去人体皮肤电阻可降至 $600～800\Omega$,当皮肤出汗潮湿或皮肤受到损伤时,人体电阻就会急剧下降。

关于人体阻抗还有一个问题是:随着接触电压的升高,人体阻抗将急剧降低。其原因是数十伏的电压即可击穿角质层,使人体阻抗大大降低;随着电流增加,皮肤局部发热增加,使出汗增多,人体阻抗也将下降。

除外,接触压力增加,接触面积增大也会降低人体阻抗。女性的人体阻抗比男性小,儿童的比成人小,环境温度高或空气中的氧气不足,都可能使人体阻抗下降。

二、安全电压

(一)定义

把加在人身上的电压限制在某一范围之内,使得在这种电压下,通过人体的电流不超过允许的范围,即当人体与电接触时,对人体各部分组织(皮肤、心脑、呼吸器官和神经系统)不会造成任何损害的电压,就叫安全电压,也叫安全特低电压。

(二)安全电压的限值(即最大允许值)

安全电压限值的规定,各国有所不同,如荷兰和瑞典为 24V;美国为 40V;法国交流为 24V,直流为 50V;我国标准规定交流(工频)限值为 50V,直流为 120V。我国标准还推荐:当接触面积大于 $1cm^2$,接触时间超过 1 秒时,干燥环境中工频电压为 33V;直流电压为 70V;潮湿环境中工频电压为 16V;直流电压为 35V。

(三)具体实际工作中的应用

我国规定工频电压 50V 的限值是根据人体允许电流 30mA 和人体电阻 1 700Ω 的条件确定的。

凡在特别危险环境中使用的携带式电动工具应采用 42V 安全电压;凡在有电击危险环境中使用的手持照明灯和局部照明灯应采用 36V 或 24V 安全电压;凡在金属容器内、隧道内、水井内以及行动不便的环境或特别潮湿的环境中应采用 12V 安全电压;水下作业等特殊场合应采用 6V 安全电压。当电气设备采用 24V 以上安全电压时,必须采用直接接触电击的防护措施。

三、电气间距与安全距离

(一)定义

为了防止触及或接近带电体,防止车辆等物体碰撞或过分接近带电体,防止电气短路事故和由此而引起火灾,在带电体与地面之间,带电体与带电体之间,带电体与其他设备和设施之间,均需保持一定的安全距离,这种安全距离就是电气间距,简称间距安全距离。

(二)几点说明

间距是将可能触及的带电体置于可能的触及的范围之外。其大小由电压高低、设备类型、环境条件和安装方式等因素决定,可分为变配电设备间距(见表 18-1)、线路间距(见表 18-2)、用电设备间距(见表 18-3)及检修间距(见表 18-4)等。

安全距离的间隙不仅应保证各种可能的最大工作电压或过电压的作用下,不发生闪络放电,还应保证工作人员在对设备进行检查维护和检修时的绝对安全。在超高压的电力系统中,还要考虑静电感应和高压电场的影响。为了确保工作人员和设备的安全,必须严格遵守安全规程规定的安全距离。

表 18-1

变配电设备间距

配电装置的最小安全净距(cm) 适用范围		额定电压(kV)										
		1 及以下	1~3	6	10	15	20	35	60	110	220	330
1. 带电部分至接地部分	屋内	2	7.5	10	12.5	15	18	30	55	85		
	屋外		20	20	20	30	30	40	65	90	180	260
2. 不同相的带电部分之间	屋内	2	7.5	10	12.5	15	18	30	55	90		
	屋外		20	20	20	30	30	40	65	100	200	280
3. 带电部分至无孔遮栏	屋内		10.5	13	15.5	18	21	33	58	88		
4. 带电部分至网状遮栏	屋内		17.5	20	22.5	25	28	40	65	95		
	屋外		30	30	30	40	40	50	70	100	190	270
5. 带电部分至栅栏	屋内		82.5	85	87.5	90	93	105	130	160		
	屋外		95	95	95	105	105	115	135	165	255	335
6. 无遮栏裸导线至地面(板)高度	屋内	230	237.5	240	243	245	248	260	285	315		
	屋外		270	270	270	280	280	290	310	340	430	510
7. 需要不同时检修的无遮栏裸导体之间的水平净距	屋内		187.5	190	193	195	198	210	235	265		
	屋外		220	220	220	230	230	240	260	290	380	460
8. 架空出线至地面	屋内	400	400	400	400	400	400	400	450	500		

注:3、8 两项只适用于屋内配电装置。

表18-2(a)　　线路间距（1）

最小垂直距离（m）

项目＼线路电压	地面 居民区	地面 非居民区	建筑物 最大弧垂	街道行道树之间 最大弧垂	铁路（至轨顶） 标准轨道	铁路（至轨顶） 窄轨	公路 至路面	电车道 至承力索或接触线	电车道 至路面	通航河道 至5年遇洪水位	通航河道 至最高航行水位的最高船帆杆	弱电线路 至被跨越导线	电压(kV) 至导线 1以下	6~10	35~110	154~220	330
高压	6.5	5.5	3	2	7.5	6	7	3/9		6/1		2	2	2	3	4	5
低压			2.5	1	7.5	6	6	3/9		6/1		1	1	2	3	4	5

最小水平距离（m）

项目＼线路电压	建筑物 最大风偏	街道行道树之间 最大风偏	铁路（至轨顶） 电杆外缘至轨道中心	公路 电杆中心至路面边缘	电车道 电杆中心至路面边缘	电车道 电杆外缘至轨道中心	通航河道 与位于小路平行的线路边导线至上缘	弱电线路	电压(kV) 至导线 1以下	6~10	35~110	154~220	330
高压	1.5	2	交叉：5.0 平行：杆高加3	0.5	0.5	3	高杆（塔）高度	在路径受限制地区，两线路边导线间	2.5	2.5	5	7	9
低压	1	1	交叉：5.0 平行：杆高加3	0.5	0.5	3	高杆（塔）高度		2.5	2.5	5	7	9

表 18-2(b)　　　　　　　线路间距(2)

最小线间距离(m)	线路电压	挡距(m)						
		40 及以下	50	60	70	80	90	100
	高压	0.6	0.65	0.7	0.75	0.85	0.9	1
	低压	0.3	0.4	0.45				
	低压接户线	自杆上引下				沿墙敷设		
		挡距 25 及以下 0.15		挡距 25 以上 0.2		6m 以下及 0.10		6m 以上 0.15

表 18-2(c)　　　　　　　线路间距(3)

配电线路挡距(m)	电压	地区	
		城镇	郊区
	低压	40~50	40~60

表 18-3(a)　用电设备间距(1)　绝缘电线至地面的最小距离　（单位:m）

配线方式	最小距离	
	室内	室外
水平敷设	2.5	2.7
垂直敷设	1.8	2.7

表 18-3(b)　用电设备间距(2)　室内、外配线的最小距离　（单位:m）

固定点间距	电线最小距离	
	室内配线	室外配线
1.5	35	100
1.5~3.0	50	100
3.0~6.0	70	100
76	100	150

表 18-3(c)　　用电设备间距(3)　　配线固定点的最大间距

配线方式	电线截面(mm^2)	固定间距(m)
直敷	10	200
资夹(塑料)	1~4	600
	6~10	800
鼓形绝缘子	1~4	1 500
	6~16	2 000
针式绝缘子	16~25	3 000

表 18-3(d)　　用电设备间距(4)　　绝缘电线至建筑物的最小距离

配线方式	最小距离(mm)
水平敷设时的垂直距离在阳台、平台上和跨越建筑物	2 500
在窗户上	300
在窗户下	800
垂直敷设时至阳台、窗户的水平距离	750
电线至墙壁和构架的距离(屋檐下除外)	50

表 18-3(e)　　用电设备间距(5)　　生活用电最小对地距离

项　目		最小对地距离(m)
室内吊灯		2.5
室内壁灯		2
室外灯头	场院	5
拉线开关	普通街边	6
其他开关	1.8	
插座	托儿所小学校居里	1.8
	工作场所	0.3

表 18-3(f)　　用电设备间距(6)　临时用电安全距离

项目	最小距离(m)
对地	3
挡距	25
线间距离	0.2
配电箱	1.5

表 18-4　　　　　　　检修设备间距

电压等级(kV)	10(及以下)	35	63(66)	110	220	330	500
人体与带电体的安全距离(m)	0.4	0.6	0.7	1	1.8(1.6)	2.6	3.6
设备不停电时的安全距离(m)	0.7	1	1.5		3	4	5
邻近或交叉其他电力线路工作的安全距离(m)	1	2.5	3		4	5	6
等电位作业人员对邻相导线的最小距离(m)	0.6	0.8	0.9	1.4	2.5	3.5	5
等电位作业人员与组合间距的最小距离(m)		0.7	0.8	1.2	2.1	3.1	4

§18-2　电气事故的种类及危害

　　众所周知,事故是由不同的能量和能量的不同转化形式造成的,电气事故就是指与电能相关联的事故,它是指由电能或电能的转化形式(比如热能等)造成的对人体的伤害和财产的损失。它包含触电事故、雷击事故、静电事故、电磁辐射事故以及电路故障等。现分别对各种电气事故予以说明。

一、触电事故

当人体触及带电体，电流流经人体与大地或其他导体形成闭合回路，这种情况就叫触电。若电流直接流过人体，即人体直接触电时，人体将受到不同程度的伤害，这种伤害称为"电击"；若电流转换为其他形式的能量（如化学效应、热效应等）作用于人体时，人体也将受到不同形式的伤害，这种伤害叫做"电伤"。

(一)电击

1. 直接接触电击和间接接触电击

按照发生电击时电气设备的状态，电击可分为直接接触电击和间接接触电击。直接接触电击是指触及线路和设备在役时的带电体而发生的电击，也称正常状态下的电击。间接接触电击指触及正常状态下不带电，而当线路设备故障时意外带电的导体而发生的电击（如触及漏电设备的外壳而发生的电击），也称故障状态下的电击。

2. 单双线电击和跨步电压电击

按照人体触及带电体的方式和电流流过人体的途径，电击可分为：单线电击、两线电击和跨步电压电击。

(1)单线电击（又叫单相触电）。人站在非绝缘的导体上，人体某一部位触及三相导线中的任何一相导线时，由加在人体上的接触电压造成的电击称为单线电击，单相电压的危险程度除与带电体电压高低、人体电阻、线路电容、鞋和地面状态等因素有关外，还与人体离接地点的距离以及配电网对地运行方式有关。一般情况下，接地电网中发生的单线电击比不接地电网的危险性大，这是因为接地电网发生单相电击时，人体处于线电压作用之下（电流经其他两相的对地电容、人体而形成闭合回路）。而后者中，人体处于相电压作用之下（电流只经此一相的对地电容、人体而形成闭合回路）。据统计人体发生单线电击的次数约占总触电次数的95%以上。因此,预防单线电击是安全用电的主要内容。

(2)两线电击(又叫双相触电)。人体与大地绝缘时,人体某两部位同时触及两根不同的相线或人体同时触及电气设备的不同相的两个带电部分时,其电流由一根相线经过人体到另一个相线,形成闭合回路。这种由接触电压造成的电击称为两线电击。此时人体直接处于线电压作用之下,比单线电击的危险性更大。应当指出,漏电保护装置对两线电击是不起作用的。

(3)跨步电压电击(又叫跨步电压触电)。人体进入地面带电的区域时(带电区域内地表各点呈现不同的电位),两脚间承受的电压称为跨步电压。由跨步电压造成的电击称为跨步电压电击。

当带电设备发生某相接地时或导线断落在地面,接地电流流入大地,电流自接地体向四周流散,于是,接地点周围的土壤中将产生电压降,接地点周围地表将带有不同的对地电压。接地体周围各点的对地电压与到接地体的距离成反比关系。即距接地体越近,对地电压越高,反之越低。因此,人站在接地点周围时,两脚如果同时踩在带有不同电位的地表面两点时,两脚之间将要承受一定的电压,遭受跨步电压电击。

跨步电压的大小受接地电流大小,鞋和地表特征,两脚之间的跨距、两脚的方位以及离接地点的远近很多因素的影响。由于对地电压曲线离开接地点向周围呈由陡而缓的下降特征,因此离接地点越远,承受的跨步电压就越小。当两脚与接地点等距离时,两脚之间是没有跨步电压的,所以离接地点越近,只是有可能承受而并不一定承受越大的跨步电压。由于跨步电压受很多因素的影响以及由于地面电位分布的复杂性,几个人在同一地带(接地体附近)遭到跨步电压电击可能出现完全不同的后果。特别指出,如果可能遇到这种跨步电压电击的危险场合,应当合拢双脚跳到距接地处 20m 之外,以保障人身安全。

(二)电伤

电伤是由电流的热效应、化学效应、机械效应以及在电流作用下，使人体组织破坏造成的伤害。触电伤亡事故中，纯电伤性质的及带有电伤性质的约占75%（电烧伤约占40%）。尽管大约85%以上的触电死亡事故是电造成的，但其中大约70%的含有电伤成分。

1. 电烧伤

电烧伤是由电流的热效应造成的伤害，分为电流灼伤和电弧烧伤。电流灼伤是人体与带电体接触，电流通过人体由电能转换成热能造成的伤害，一般发生在低压设备或低压线路上。电弧烧伤是由弧光放电造成的伤害，分为直接电弧烧伤和间接电弧烧伤，前者是带电体与人体之间发生电弧，有电流流过人体的烧伤；后者是电弧发生在人体附近对人体的烧伤（包含熔化了的炽热金属溅出而造成的烫伤）。

电弧温度高达8 000℃以上，可造成大面积大深度的烧伤，甚至烧焦、烧掉四肢及其他部位，电流通过人体，也可能烧焦机体组织。高压电弧的烧伤较低压电弧更严重；直流电弧的烧伤较工频交流电弧严重。发生直接电弧烧伤时，电流的进、出口烧伤最为严重，体内也会受到烧伤。与电击不同的是，电弧烧伤都会在人体表面留下明显的痕迹。

2. 皮肤金属化

皮肤金属化是在电弧高温的作用下，金属熔化、汽化，金属微粒渗入皮肤，使皮肤粗糙且紧张的伤害。

3. 电烙印

电烙印是在人体与带电体接触的部分留下的永久性斑痕，斑痕处的皮肤失去原有的弹性、色泽，表皮坏死，失去知觉。

4. 机械性损伤

机械性损伤是电流作用于人体时，由于中枢神经系统反射，肌肉强烈收缩,体内液体汽化等作用导致的机体组织断裂,骨折等伤害。

5. 电光眼

电光眼是发生电弧光放电时,由红外线、可见光、紫外线对眼睛的伤害。电光眼多表现为角膜炎或结膜炎。

尽管触电事故不等于电气事故,但触电事故是最常见的电气事故,而且大部分触电事故都是在用电过程中发生。因此,研究触电事故的预防措施是电气安全的重要课题。

二、雷击事故

雷击是由自然界中正、负电荷形式的能量造成的事故,雷电分为直击雷、感应雷和球雷。各种形式的雷击都会造成巨大的危害。

雷电放电具有电流大、电压高、冲击性强的特点,其能量释放出来有极大的破坏力。雷击既可能毁坏电力设备,又可能伤及人、畜,还可能引起火灾和爆炸,以及造成大规模的停电。因此,变(配)电所(站)、高电压等级线路等电力设施均需考虑防雷措施。变配电装置应采取直击雷防护措施;凡遭受雷电冲击波袭击可能导致严重后果的电力设施应采取雷电冲击波防护措施。

三、静电事故

静电事故是由相对静止的正、负电荷形式的能量造成的事故。静电是由不同物质的接触分离或互相磨擦而产生的,例如在生产工艺中的挤压、切割、搅拌和过滤,以及生活中的行走,起立,脱衣等,都会产生静电。

静电电场中储存的能量不大,不足以直接致命。但是静电电位高达数万伏乃至数十万伏,一旦发生放电,产生静电火花,就可能使人体受到电击的伤害。

防止静电危害的措施主要是减少静电的产生、设法导走或消散静电和防止静电放电等。其方法有接地法、中和法和防止人体带静电等。静电的危害分使人体受电击,影响产品质量和引起着火爆炸等。作为电气工作者,尤其是变(配)电所(站)职工,由于环境所限,工作期间最好不要穿化纤类衣服等。

四、电磁辐射事故

电磁辐射事故是电磁波形式的能量造成的事故。射频电磁波泛指频率在100Hz以上的电磁波。

高频电磁波照射使人体受到的伤害,人体主要表现为头晕、记忆力减退、睡眠不好、乏力等症状,还表现有头痛、多汗、食欲不振、心悸等症状。还有一些表现有脱发、手臂伸直时手指轻微颤抖、视力减退、男性性功能衰退、女性月经失调等症状。

超短波和微波电磁场的照射使人受到的伤害,除神经衰弱症状加重外,还表现为心血管系统症状,如心动过缓或心动过速、血压降低或血压增高、心悸、心区有压迫感、心区疼痛等。

微波电磁场可能损伤眼睛,导致白内障。

电磁波对人体的伤害具有滞后性和积累性的特点,并可能通过遗传影响后代。

射频危害还表现为感应放电,从而使设备尤其是高大设备,可能发生谐振,产生感应过电压,由于感应电压较高,增加人遭电击的可能。

高频电磁波还可能对无线电通讯、电子装置等产生一定的影响。

五、电路故障

电路故障是由电能传输、分配、转换过程中失去控制或电气元件损坏造成的事故。比如:断线、短路、接地、漏电、误合闸、电气设备损坏等都属于电路故障,电路故障不仅能危及电气线路或电气设备等,还有可能危及人的生命安全,造成设备和人身的重大损失。电气线路或电气设备故障可能发展成为事故,并影响到人身安全。例如,油断路器爆炸本身虽然是设备事故,但完全可以带来人身伤亡;电气设备故障接地或漏电虽然也属于设备事故,但却因此改变了配电网的正常运行状态或直接使外壳带电,从而留下隐患或构成电击的危险条件,等等。异常停电也可能带来极为严重的安全问题。因前面几章已介绍到电路故障问题,故本节不再说明。

§18-3　电流对人体的作用

电流对人体作用的规律,不但可用于定量地分析触电事故,而且还可以运用这些规律,科学地评价采取防触电措施和设施是否完善,评定一些安全电器产品和电气规范是否适用,是否合格等。

一、作用机理和征象

电流作用于人体,主要表现为生物学效应。除此之外,电流作用于人体还包含有热效应、化学效应和机械效应。

(一)电流的生物学效应

电流通过人体后作用于人体的生物效应主要表现为使人体产生异常的刺激和兴奋,人体组织发生变异,从而改变正常的生物状态。首先,电流通过肌肉组织,引起肌肉收缩。作用于心肌、细胞发生痉挛,使人感到呼吸困难,若时间较长,会发生憋气、窒息等。这时如不及时抢救,很可能呼吸中止、心脏停止跳动。需要指出的是,这时的心脏停止跳动,并非是由电流通过心脏引起的,而是由人体缺氧引起的。其次,电流通过中枢神经系统的征象是由细胞激动而产生的神经兴奋波,迅速地传到中枢神经系统后,中枢神经便发生不同的指令,使人体各部作相应的反应。很显然,一些没有电流通过的部位也可能受到刺激,发生强烈的反应,从而使人体的器官,尤其使重要器官的正常工作遭受破坏。

对在有生命的人而言的机体上,机体是肌肉的神经系统,存在有微弱的生物电。倘若人体意外地引入电流,生物电的正常规律将受到破坏,人体也将受到不同程度的伤害。

(二)电流的热效应

电流通过人体的热效应是:电流流经人体的大脑、心脏、神经、血管等器官,这些器官将因热量陡增而导致功能障碍。

(三)电流的化学效应

电流通过人体的化学效应是:引起机体内液体物质发生离解、分解,导致系统紊乱。

(四)电流的机械效应

电流通过人体的机械效应是:人体各种组织产生蒸汽,乃至发生剥离、断裂等。

除外,小电流通过人体还会使人体引起麻感、针刺感、压迫感、打击感、痉挛、疼痛、呼吸困难、血压异常、昏迷、心律不齐、窒息、心室剧烈颤动等征象。在这些征象中,使人致命的是引起心室剧烈颤动。当然,麻痹和中止呼吸、电休克虽然也可能导致死亡,但其危险性比引起心室剧动要小得多。在心室剧动状态下,血液实际上已经中止循环,如不及时抢救,心脏将会很快停止跳动。

在发生心室剧烈颤动时,呼吸可能持续2~3分钟。在有生命的肌体丧失知觉之前,有时还能叫喊几声,有的还能胡乱摇晃几步。但是由于心脏已进入心室剧烈颤动状态,血液实际上已停止循环,大脑和全身迅速缺氧,各种器官已部分或全部急剧恶化,如不及时抢救,会很快死亡。

电流作用于人体,还可能发生电休克。电休克是机体受到电流的强烈刺激而发生的强烈的神经系统反射所致。其征象是,使血液循环、呼吸及其他新陈代谢都发生障碍,以致神经系统受到抑制,出现血压急剧下降,脉搏减弱、呼吸衰竭,神志昏迷的现象。电休克状态可以延续数十分钟到数天。其后果可能是得到有效的治疗而痊愈,也可能由于重要生命机能完全丧失而死亡。

二、作用影响因素

不同的人于不同的时间、不同的地点与同一根带电导线接触,后果将是千差万别的,这是由于电流对人体的作用受很多因素的影响。

(一)电流大小的影响

通过人体的电流越大,热的生理反应和病理反应越明显,引起心室颤动所需的时间越短,致命的危险性越大。按照人体呈现的状态,可将预期通过人体的电流分为三个级别。

1.感知电流

在一定概率下,通过人体引起人有任何感觉的最小电流称该概率下的感知电流。由感知电流的概率曲线可知,概率为50%时,成人男子平均感知电流为1.1mA,成人女子约为0.7mA。直流电流的平均感知电流,男性为5.2mA,女性为3.5mA。

感知电流一般不会对人体构成伤害。

2.摆脱电流

当通过人体的电流超过感知电流时,肌肉收缩增加,刺痛感觉增强,感觉部位扩展。当电流增大到一定程度时,触电人将不能自行摆脱带电体,我们把触电时能自行摆脱的电流,称为摆脱电流。摆脱电流是人体可以忍受但一般尚不致造成后果的电流,其与个体生理特征、电极形状、电极尺寸等因素有关。一般来说,成年男子和成年女子的摆脱电流分别约为9mA和6mA,工频电流18~22mA为摆脱电流的上限。若电流超过摆脱电流以后,人会感到异常痛苦、恐惧和难以忍受,如时间过长,则可能昏迷、窒息,甚至死亡。

3．室颤电流

在较短时间内危及生命的最小电流称为室颤电流（又叫致命电流）。在小电流（不超过数百毫安）的作用下，电击致命的主要原因是电流引起心室颤动。因此，可以认为室颤电流是最小致命电流。

室颤电流和其限值除取决于电流持续时间、电流途径、电流种类等电气参数外，还决定于机体组织心脏功能等个体生理特征。

（二）电流持续时间的影响

电流持续时间是影响电击伤害程度的又一重要因素。人体通过电流的时间越长，人体电阻就越低，流过的电流就越大，后果就越严重。另外，人的心脏每收缩、扩张一次，中间约有 0.1 秒间歇，这 0.1 秒对电流最敏感。如果电流在这一瞬间通过心脏，即使电流很小也会引起心室颤动，因此，如果电流持续时间超过 0.1 秒，则必然会与心脏最敏感的间隙相重合而造成很大的危害，而且持续时间越长，中枢神经反射越强烈，电击危险性越大。

（三）电流途径的影响

电流途径与电击伤程度有直接关系。电流通过心脏会引起心室颤动乃至心脏停止跳动而导致死亡；电流通过中枢神经及有关部位，会引起中枢神经强烈失调而导致死亡；电流通过头部，严重损伤大脑，亦可能使人昏迷不醒而死亡；电流通过脊髓会使人截瘫；电流通过局部肢体亦可能引起中枢神经强烈反射而导致严重后果。

流过心脏的电流越多，电流路线越短的途径是电击危险性越大的途径。一般用心脏电流因数粗略衡量不同电流途径的危险程度。心脏电流因数是表明电流途径影响的无量纲系数。如通过人体左手至脚途径的电流 I_0，与通过人体某一途径的电流 I 引起心室颤动的危险性相同，则该途径的心脏电流因数为 $K = I_0/I$。据统计计算可以得出左手至前胸是最危险的电流途径；右手至前胸、单手至单脚、单手至双脚、双手至双脚等,也是很危险的电流途径;左脚至右脚的电流途径也是相当危险的,而且还可能会使人站立不稳而导致电流通过全身,大幅度增加电击的危险性。局部肢体电流途径的危险性较小,但可能会引起中枢神经系统反应强烈而造成严重后果或发生其他二次事故。

(四)电流种类的影响

不同种类的电流对人体伤害的构成不同,危险程度也不同,但各种电流对人体都有致命危险。

1.直流电流的作用

在接通和断开瞬间,直流平均感知电流约为 2mA。300mA 以上的直流电流将导致不能摆脱或数秒后或数分钟后才能摆脱带电体。电流持续时间超过心脏搏动周期时,直流室颤电流为交流的数倍;电流持续时间 200ms 以下时,直流室颤电流与交流大致相同。

2.电流频率的作用

100Hz 以上的电流,随其频率升高其感知电流、摆脱电流的限值也将增大;50Hz 的工频交流电,对设计电气设备比较合理,但是这种频率电流对人体触电伤害程度也最为严重;50Hz 以下的电流随着其频率的降低,其感知电流、摆脱电流的限值将增大。

3.冲击电流的作用

冲击电流指作用时间不超过 0.1~10mA 的电流,包括方脉冲波电流、正弦脉冲波电流和电容放电脉冲波电流。冲击电流对人体的作用有感知界限、疼痛界限和室颤界限没有摆脱界限。

(五)个体特征的影响

身体健康、肌肉发达者摆脱电流较大;室颤电流约与心脏质量成正比,所以患有心脏病、神经系统疾病、肺病的人电击后的危险性较健康人大。精神状态和心理因素对电击后果也有影响。另外生理因素对电击的程度也有影响,比如女性的感知电流和摆脱电流限值为男性的 2/3。皮肤的干燥程度对此也有很大影响,皮肤干燥的电阻大,通过的电流小;皮肤潮湿的电阻小,通过的电流相对地就大,危害也大。

§18-4 触电急救

触电急救的基本原则是动作迅速、方法正确。当通过人体的电流很小时,仅产生麻感,对机体影响不大。当通过人体的电流增大,但小于摆脱电流时,虽可能受到强烈打击,但尚能自己摆脱电源,伤害可能不严重。当通过人体的电流进一步增大,至接近或达到致命电流时,触电人会出现神经麻痹、呼吸中断、心脏停止跳动等征象,外表上呈现昏迷不醒的状态。这时,不应该认为是生物性死亡,而应该看作是诊断性死亡,并且迅速而持久地进行抢救。从触电 1 分钟开始救治者,90% 有良好效果;从触电 6 分钟开始救治者,10% 有良好效果;从触电 12 分钟开始救治者,救治的可能性很小。由此可知,动作迅速是非常重要的。

一、发生触电的原因

发生触电的原因主要有以下几点:

(1)人们在某种场合没有遵守安全工作规程,直接接触或过分靠近电气设备的带电部分。

(2)电气设备安装不合乎规程要求,带电体的对地距离不够。

(3)人体触及到因绝缘损坏而带电的电气设备外壳和与之相连接的金属构架,而这些外壳和支架的接地(或接零)又不合格。

(4)不懂电气技术和一知半解的人,到处乱接电线、电灯所造成的触电。

二、脱离电源

脱离电源就是要把触电者接触的那一部分带电设备的开关、刀闸或其他断路设备断开,或设法将触电者与带电设备脱离。人触电以后,可能由于痉挛,失去知觉或中枢神经失调而紧抓带电体,不能自行脱离电源。这时,使触电者尽快脱离电源是救活触电者的首要因素。在脱离电源中,救护人员既要求救人,也要注意保护自己。

帮助触电者脱离电源的方法有如下几种:

(1)如果触电地点附近有电源开关或电源插销,可立即拉开开关或拔出插销,以断开电源。应注意拉线开关和平开关一般只控制一根线,如错误地安装在工作零线上,则断开开关只能切断负荷而不能切断电源。

(2)如果触电地点附近没有电源开关或电源插销,可用有绝缘柄的电工钳或用有干燥木柄的斧头等切断电线,或用干木板等绝缘物插入触电者身下,以隔断电流。

(3)当电线搭落在触电者身上或被压在身下时,可用干燥的衣服、手套、绳索、木板、木棒等绝缘物作为工具,拉开触电者或拉开电线,使触电者脱离电源。

(4)如果触电者的衣服是干燥的,又没有紧缠在身上,可以用一只手抓住他的衣服拉离电源。但因触电者的身体是带电的,其鞋的绝缘也可能遭到破坏,救护人不得直接接触触电的皮肤,也不能抓他的鞋。

(5)如果事故发生在线路上,可以采用抛掷临时接地线使线路短路并接地,迫使速断保护装置动作,切断电源。注意抛掷临时接地线之前,其接地端必须可靠接地,一旦抛出,立即撒手;抛出的一端不可触及触电人及其他人。

(6)设法通知前级(上一级)停电。选用上列方法时,务必注意高压与低压的差别,例如,拉开高压开关必须佩戴绝缘手套等安全工具,并按照规定的顺序操作。各种方法的选用,应以快为原则,并应该注意以下几点:①救护人员不可直接用手或其他金属或潮湿物件作为救护工具,而必须使用和电压等级相同的绝缘工具;还应注意保持必要的安全距离。②注意防止触电者脱离电源后可能的摔伤,特别当触电者在高处的情况下,解脱电源后会自高处坠落,应考虑防摔措施;即使触电者在平地,也应该注意触电者倒下的方向,注意防摔。③当事故发生在夜间,在切断电源时,有时会使照明失电,应迅速解决临时照明问题,以利于抢救,决不能因照明问题而延误切除电源和进行急救。④触电者触及断落在地上的带电高压导线,如尚未确定线路是否有电,救护人员在未做好安全措施前,不能接近断线点至 8～10m 范围内,以防止跨步电压伤人。⑤实施紧急停电应考虑到事故扩大的可能性。

三、现场急救

(一)呼吸、心跳情况的判定

触电伤员如意识丧失,应在 10s 内用看、听、试的方法,判定伤员呼吸、心跳,看就是看伤员的胸部、腹部有无起伏动作;听即是用耳贴近伤员的口鼻处,听有无出气声音;试是试测口鼻有无呼气的气流。再用两手指轻试一侧(左或右)喉结旁陷处的颈动脉有无搏动。若看听试的结果是既无呼吸又无颈动脉搏动,可判定呼吸心跳停止。

(二)对症救护

对于需要救护者,应按下列情况分别处理:

(1)如果触电者伤势不重、神志清醒,但有些心慌、四肢发麻、全身无力或触电者曾一度昏迷,但已清醒过来,应使触电者安静休息,不要走动,注意观察,并请医生前来治疗或送往医院。

(2)如果触电者伤势较重,已经失去知觉,但心脏跳动和呼吸尚未中断,应使触电者安静地平卧,保持空气流通,解开其紧身衣服以利呼吸;如天气寒冷,应注意保温,并严密观察,迅速请医生治疗或送往医院。如果发现触电者呼吸困难、缓慢或发生痉挛,应做好心脏跳动或呼吸停止后立即进行下一步抢救的准备。

(3)如果触电者伤势严重,呼吸停止或心脏跳动停止,或二者都已停止,应立即旋行人工呼吸和胸外挤压急救,并速请医生治疗或送往医院。

应当注意,急救应尽快开始,不能等候医生的到来,既便是送往医院的途中,也不能中止急救。

(三)现场应用的主要方法是人工呼吸和心脏挤压法、口对口(鼻)人工呼吸法

人工呼吸法是在触电者呼吸停止后应用的急救方法。各种人工呼吸法中,以口对口(鼻)人工呼吸法效果最好,而且简单易学,容易掌握。

施行人工呼吸前,应迅速解开触电者身上妨碍呼吸的紧身衣服,取出口腔中妨碍呼吸的杂物以利呼吸道畅通。

施行口对口(鼻)人工呼吸时,应使触电者仰卧并使其头部充分后仰,大致上应使鼻孔朝上为好,以利于其呼吸道畅通,同时把口张开。

口对口(鼻)人工呼吸法操作步骤如下:

(1)使触电者鼻孔(或嘴唇)紧闭,救护人深吸一口气后自触电者的口(或鼻孔)向内吹气,时间约2秒钟;

(2)吹气完毕后,立即松开触电者的鼻孔(或嘴唇),同时松开触电者的口(或鼻孔),让他自行呼气,时间约3秒钟。

触电者如是儿童,只可小口吹气以防肺泡破裂。如发现触电者胃部充气膨胀,可一面用手加压于其上腹部,一面继续吹气和换气。一般情况应采用口对口人工呼吸,如果无法使触电者把口张开,可改用口对鼻人工呼吸法,此时要将伤员嘴唇紧闭,防止漏气。

除口对口（鼻）人工呼吸法外，还有两种人工呼吸法，即仰卧压背法和仰卧压胸法。与口对口（鼻）人工呼吸相比，这是两种比较落后的方法，因此多采用口对口（鼻）人工呼吸法。口对口（鼻）法不仅简单易行，而且便于与胸外心脏挤压法同时运用，收到较好效果。

（四）胸外心脏挤压法

胸外心脏挤压法是触电者心脏跳动停止后的急救方法。作胸外心脏挤压法时应使触电者仰在比较坚实的地方，姿势与口对口（鼻）人工呼吸法相同。操作方法如下：

（1）救护人位于触电者一侧，两手交心相叠，手掌根部置于正确的压点，即置于胸骨下 1/3～1/2 处。

（2）用力向下即向脊背方向挤压，压出心脏里的血液，对成人应压陷 3～5cm，每分钟挤压 60～70 次。

（3）挤压后迅速放松其胸部，让触电者胸部自动复原，心脏充满血液，放松时手掌不必离开触电者的胸部。

触电者如系儿童，只需用一只手挤压，用力轻一些以免损伤胸骨，而且每分钟宜挤压 100 次左右。

应当指出，心脏跳动和呼吸过程是相互联系的。心脏跳动停止了，呼吸也将停止；呼吸停止了，心脏跳动也持续不了多久，一旦呼吸和心脏跳动都停止了，应当同时进行口对口（鼻）人工呼吸和胸外心脏挤压，如果现场仅 1 人抢救，每按压 15 次后吹气 2 次（15∶2），反复进行；双人抢救时，每按压 5 次后由另一人吹气 1 次（5∶1）反复进行。

施行人工呼吸的胸外心脏挤压抢救应坚持不断，切不可轻率中止，运送医院途中也不能中止抢救。按压吹气 1 分钟后，应用看、听、试方法在 5～7 秒内完成对触电者呼吸和心跳是否恢复的再判定，若判定颈动脉已有搏动但无呼吸，则暂停胸外心脏挤压，而只需进行人工呼吸。如发现触电者皮肤由紫变红、瞳孔由大变小,则说明抢救收到了效果;如发现触电者嘴唇稍有开合,或眼皮活动,或喉头间有咽东西的动作,则应注意触电者的呼吸和心跳是否已经恢复,触电者自己能呼吸时,即可停止人工呼吸。如果人工呼吸停止后,触电者仍不能自己维持呼吸,则应立即再作人工呼吸。

四、急救用药要求

触电急救用药应注意以下两点:

(1)任何药物都不能代替人工呼吸和胸外心脏挤压抢救。人工呼吸和胸外心脏挤压是基本的急救方法,是第一位的急救方法。

(2)应慎重使用肾上腺激素,肾上腺激素有使停止跳动的心脏恢复跳动的作用,即使出现心室颤动,也可以使细的颤动转变为粗的颤动而有利于除颤。另一方面,肾上腺激素可能使衰弱的、跳动不正常的心脏变为心室颤动,并由此导致心脏停止跳动而死亡。因此,对于用心电图仪观察有心脏跳动的触电者不得使用肾上腺激素,只有在触电者已经经过人工呼吸和胸外心脏挤压的急救,用心电图仪鉴定心脏确已停止跳动,又备有心脏除颤装置的条件下,才考虑注射肾上腺激素。

此外,对于与触电同时发生的外伤,应分别酌情处理。对于不危及生命的轻度外伤,可放在触电急救后处理;对于严重的外伤,应与人工呼吸和胸外心脏挤压同时处理,进行创伤急救。再简要介绍创伤急救的基本要求:①创伤急救原则上是先抢救,后固定,再搬运,并注意采取措施,防止伤情加重或伤口感染,需要送医院救治的,应立即做好保护措施后送往医院医疗。②抢救前先使伤员(触电者)平躺,判断全身体情况和受伤程度,如有无出血、骨折和休克等。③外部出血时应立即采取止血措施,防止失血过多而休克。外观无伤,但呈休克状态、神志不清或昏迷者,可能是胸腹部、内脏或脑部受伤。④为防止伤口感染,应用清洁布覆盖伤口。

救护人员不得用手直接接触伤口,更不得在伤口内填塞任何东西或随便用药。⑤搬运时应使触电者平躺在担架上,腰部束在担架上,防止其跌下。从低处到高处抬运时头部应朝下,搬运中要严密观察触电者,防止伤情突变。

第十九章　安全管理措施

电力企业安全管理工作是一项综合性强、长期艰巨的工作，既有组织管理的一面也有工程技术的一面，更有自始至终硬起手腕一抓到底的一面。工程技术与组织管理自始至终硬起手腕相辅相成，并有着十分密切联系。

触电事故的原因很多，归根到底是由于不安全行为和不安全状态造成的。比如，由于电气设备或电力线路的选用、质量或安装不符合要求，会造成触电事故；由于电气设备运行管理不当，使绝缘损坏而漏电，又没有切实有效的安全措施，也会造成触电事故；由于制度不完善、错误操作或违章作业，也会造成触电事故；由于缺少安全技术措施或安全技术措施运用不正确，由于思想麻痹，粗枝大叶，凭想当然处理线路、设备故障等也会导致触电事故。凡此种种均由安全组织措施不健全、安全技术措施不完善和组织措施、技术措施落实不到位所致。没有严格的组织措施，技术措施得不到可靠的保证；没有完善的技术措施，组织措施只是不能解决问题的空洞条文；即便有再好不过的组织措施和技术措施，却不去认认真真地抓落实，这措施仅是一个摆设物。因此，必须重视电力安全管理的综合措施，做好电力安全工作。

电力安全管理的工作是一项复杂的工作，其内容很多，本章主要介绍线路、变电所的保证安全的组织措施、技术措施，另外也介绍电气安全用具的有关问题、低压工作的安全措施、安全检查和教育。

§19-1　保证安全的组织措施

保证安全的组织措施可概括为四个部分:工作票制度,工作许可证制度,工作监护制度,工作间断、转移和终结制度,本节对各个部分的介绍分线路和变电所两个部分。

一、工作票制度

无论是电力线路还是变电站,其工作票都有三种形式:第一种工作票(停电作业工作票)、第二种工作票(不停电作业工作票)、口头或电话命令。

(一)线路部分

在停电线路(或在双回线路中的一回停电线路)上或在全部或部分停电的配电变压器台架上或配电变压器室内的工作应填写第一种工作票(见附文19-A)

附文19-A　电力线路第一种工作票

1. 工区、所(工段)名称:＿＿＿＿＿＿＿＿＿＿＿＿＿＿＿＿＿＿＿

2. 工作负责人姓名:＿＿＿＿＿＿＿＿＿＿＿＿＿＿＿＿＿＿＿＿＿＿

3. 工作班人名:＿＿＿＿＿＿＿＿＿＿＿＿＿＿＿＿＿＿＿＿＿＿＿＿

4. 停电线路名称(双回线路应注明双重称号)＿＿＿＿＿＿＿＿＿＿＿

＿＿＿＿＿＿＿＿＿＿＿＿＿＿＿＿＿＿＿＿＿

5. 工作地段(注明分、支路名称,线路的起止杆号):＿＿＿＿＿＿＿＿

＿＿＿＿＿＿＿＿＿＿＿＿＿＿＿＿＿＿＿＿＿

6. 工作任务:＿＿＿＿＿＿＿＿＿＿＿＿＿＿＿＿＿＿＿＿＿＿＿＿＿

7. 应采取的安全措施包括拉开的隔离开关(刀闸)、断路器(开关)、应停电的范围:＿＿＿＿＿＿＿＿＿＿＿,应保留的带电线路或带电设备:＿＿＿＿＿

＿＿＿＿＿＿＿＿＿＿

应接地线:

线路名称及杆号			
接地线编号			

8. 计划工作时间:自_____年___月___日___时___分

至_____年___月___日___时___分

9. 许可开始工作的命令:

许可的命令方式	许可人	许可工作的时间
		年　月　日　时　分

10. 工作终结的报告:_____年___月___日时分

工作负责人签名:_____供电值班签名:_____

11. 备注:

在带电线路上或带电线路杆塔上或在运行中的配电变压器台上或配电变压器室内的工作应填写第二种工作票(见附文19-B)

附文 19-B　电力线路第二种工作票

1. 工区、所(工段)名称:_____

2. 工作负责人姓名:_____

3. 工作班人员:_____共_____人

4. 工作的线路或设备名称_____

工作范围:_____

工作任务:_____

5. 计划工作时间:自_____年___月___日___时___分

至_____年___月___日___时___分

6. 执行本工作应采取的安全措施:_____

7. 通知调度:(工区值班人员)

工作开始时间_____年___月___日___时___分

工作完成时间_____年___月___日___时___分

工作票签发人_____工作负责人:_____

测量接地电阻,涂写杆塔号、悬挂警告牌、修剪树枝、检查杆根地锚,杆塔基础上工作,低压带电工作和单一电源低压分支线的停电工作等,按口头和电话命令执行。

一个工作负责人只能发给一张工作票。第一种工作票,每张只能用一条线路或同杆架设且停送电时间相同的几条线路。第二种工作票,对同一电压等级、同类型工作,可在数条线路上共用一张工作票。在工作期间,工作票应始终保留在工作负责人手中,工作终结后交签发人保存。

(二)变电所部分

在高压设备或高压线路上工作需要全部停电或部分停电者,以及在高压室内的二次回路和照明等回路上的工作,需要高压设备停电或需要采取安全措施者,应填用第一种工作票(见附文19-C)。

附文 19-C 变电所第一种工作票

1. 工作负责人(监护人):＿＿＿＿＿＿＿＿班组＿＿＿＿＿＿＿＿＿＿＿＿

2. 工作班人员:＿＿＿＿＿＿共＿＿＿＿＿＿人

3. 工作内容和工作地点:＿＿＿＿＿＿＿＿＿＿＿＿＿＿＿＿＿＿＿＿＿

＿＿＿＿＿＿＿＿＿＿＿＿＿＿＿＿＿＿＿＿＿

4. 计划工作时间:自＿＿＿＿年＿＿月＿＿日＿＿时＿＿分
　　　　　　　　至＿＿＿＿年＿＿月＿＿日＿＿时＿＿分

5. 安全措施:

下列由工作票签发人填写	下列由工作许可人(值班员)填写
应拉开断路器(开关)和隔离开关(刀闸),包括填写前已拉开断路器(开关)和隔离开关(刀闸)(注明编号)	已拉开断路器(开关)和隔离开关(刀闸)(注明编号)
应装接地线(注明确实地点)	已装接地线(注明接地线编号和装设地点)
应装遮栏、应挂标示牌	已设遮栏、已挂标示牌(注明地点) 工作地点保留带电部分和补充安全措施

工作票签发人签名：	工作许可人签名：
收到工作票时间：___年_月_日_时_分	值班负责人签名：
值班负责人签名：	

值班长签名：

6. 许可开始工作时间：_____年____月____日____时____分

　　工作许可人签名：_____工作负责人签名：_____

7. 工作负责人变动：

　　原工作负责人_____离去，变更_____为工作负责人

　　变动时间_____年____月____日____时____分

　　工作票签发人签名：_____

8. 工作延期，有效期延长到：_____年____月____日____时____分

　　工作负责人签名：_____值长或值班负责人签名：_____

9. 工作终结：_____

　　工作班人员已全部撤离，现场已清理完毕。

　　全部工作于_____年____月____日____时____分结束

　　工作负责人签名：_____工作许可人签名：_____

　　接地线共_____组已拆除

　　　　　　　　　　　　　　值班负责人签名：_____

10. 备注：_____

　　在带电作业或带电设备外壳上的工作，在控制盘、低压配电盘、配电箱、电源干线上的工作，以及在无需高压设备停电的二次回路上的工作等情况下，应填写第二种工作票(见附文 19-D)。

附文 19-D　变电所第二种工作票

1. 工作负责人(监护人)：_____班组_____

　　工作班人员：_____

2. 工作任务：_____

3. 计划工作时间：自_____年____月____日____时____分

　　　　　　　　　至_____年____月____日____时____分

4. 工作条件(停电或不停电)：_____

5. 注意事项(安全措施)：_____

6. 许可开始工作时间：_____年___月___日___时___分

    工作许可人(值班员)签名：_____

    工作负责人签名：_____

7. 工作终结时间：_____年___月___日___时___分

    工作负责人签名：_____

    工作许可人(值班员)签名：_____

8. 备注：_____

    其他的工作可用口头或电话命令。

    在变电所工作票制度中，一个工作负责人只能发给一张工作票。工作票上所列的工作地点，以一个电气连接部分为限。如施工设备同属一个电压等级，位于同一楼层，同时停送电且不会触及带电导体时，则允许在几个电气连接部分共用一张工作票。在几个电气连接部分上依次进行不停电的同一类型的工作，可以发给一张第二种工作票。

    不管是线路部分还是变电所部分，一定要根据不同的检修任务或安装任务，设备条件和管理机构，选用或制定适当格式的工作票。例如：检修线路的工作票与检修设备的工作票就小有区别。但是不论哪种工作票，都必须以保证检修或安装工作的安全为原则。

    工作票签发人应由熟悉情况的生产领导人、技术人员或经主管生产领导批准的人员担任。工作票签发人必须对工作人员的安全负责，应在工作票中注明应拉开关、应装设临时接地线及其他所有应采取的安全措施。工作负责人应在工作票上填写检修项目、计划工作时间等有关内容。

二、工作许可制度

    线路停电检修，值班调度员(工作许可人)必须在变电所将线路可能受电的各方面都拉闸停电，并挂好接地线做好记录后，方可发出许可工作的命令。许可工作命令必须通知到工作负责人。严禁约时停、送电。对于带电工作的第二种工作票,不需要履行工作许可手续。

变电站的值班人员(工作许可人)在完成施工现场的安全措施后还应同工作负责人到现场一起检查停电范围和安全措施,并指明带电部位,说明有关安全注意事项,移交工作现场,双方签名后才许可工作。工作中任何一方不得擅自变更安全措施,如有特殊情况需要变更时,应事先取得对方的同意。

三、工作监护制度

完成工作许可手续后,工作负责人(监护人)应向工作班人员交待现场安全措施、带电部位和其他注意事项。工作负责人必须始终在工作现场,对工作班人员的安全应认真监护,及时纠正不安全的动作,对有触电危险、施工复杂容易发生事故的工作,应增设专人监护。工作负责人在全部停电时,可以参加工作班工作;在部分停电时,只有在安全措施可靠,人员集中在一个工作地点,不致误碰导电部分的情况下,方能参加工作。若工作负责人必须离开工作现场时,应临时指定负责人,并通知全体工作人员和工作许可人,离开前和返回前要履行交接手续。

变电所的值班员如发现工作人员违反安全规程或任何危及工作人员安全的情况,应向工作负责人提出改正意见,必要时暂停工作,并立即报告上级。

四、工作间断、转移和终结制度

(一)线路部分

在工作中遇雷雨、大风或其他任何威胁到工作人员的安全时,工作负责人可根据情况,临时停止工作。白天工作间断时,工作地点的全部接地线仍保留不动;每日收工时如果要将工作地点所装的接地线拆除，次日重新验电装设方可执行。如工作班要暂时离开工作地点，则必须采取安全措施和派人看守，恢复工作前，应检查接地线等各项安全措施的完整性。

完工后，工作负责人必须检查线路状况以及杆塔上、导线上及瓷瓶上有无遗留工具、材料等。在查明全部工作人员确已撤离杆塔后再命令拆除接地线。拆除接地线后不准任何人再登杆进行工作。

工作终结后，工作负责人应报告工作许可人，工作许可人在接到所有工作负责人的完工报告后，并确知工作已经完毕，所有工作人员已由线路上撤离，接地线已经拆除，并与记录核对无误后方可下令拆除变电所线路侧的安全措施，向线路恢复送电。

(二)变电所部分

工作间断时，工作人员应从现场撤出，所有安全措施保持不动，工作票仍由工作负责人执存，间断后继续工作，无需通过工作许可人。每日收工，应清扫工作地点，开放已封闭的通道，并将工作票交回值班员。次日复工时，就得到值班员许可，取回工作票，工作负责人必须重新认真检查安全措施，方可工作。在未办理工作票终结手续前，值班员不准将施工设备合闸送电。在工作间断期间，若有紧急需要，值班员可在工作票未交回的情况下合闸送电，但应得到工作负责人的送电答复后执行。

在同一电气连接部分用同一个工作票依次在几个工作地点转移工作时，全部安全措施由值班员在开工前一次做完，不需再办理转移手续，但工作负责人在转移工作地点时，应向工作人员交待带电范围、安全措施和注意事项。

全部工作完毕后，工作班应清扫、整理现场，工作负责人应清点人数，带领撤出现场，将工作票交给工作许可人，双方签名后检修工作才算结束。值班人员在送电前还应仔细检查现场，并通知有关单位。同时，应拆除所有接地线、临时遮栏和标示牌，恢复常设遮栏,在得到值班调度员或值班负责人的许可命令后,方可合闸送电。

特别指出,已结束的工作票,值班员应保存三个月。

§19-2 保证安全的技术措施

保证安全的技术措施,本节从线路和变电所这两个部分分别进行叙述。先分别简要介绍一下这两部分的保证安全的技术措施,对于电力线路部分,其保证安全的技术措施有停电、验电、挂接地线等;变电所部分,其保证安全的技术措施有停电、验电、装设地线、悬挂标示牌和装设遮栏等。

一、线路部分

(一)停电

进行线路作业前,应作好下列停电措施:断开变电所(包括用户)线路断路器和隔离开关;断开需要工作操作的线路各端断路器、隔离开关和可熔保险;断开危及线路停电作业,且不能采取安全措施的交叉跨越,平行和同杆线路的断路器和隔离开关;断开有可能返回低压电源的断路器和隔离开关。

值班人员应检查断开后的断路器、隔离开关是否在断开位置;断路器、隔离开关的操作机构应加锁;跌落熔断器的熔断管应摘下;并应在断路器或隔离开关操作机构上悬挂"线路有人工作,禁止合闸"的标示牌。

(二)验电

在停电线路工作地段装设接地线前,要先验电,验明线路确无电压后才能装设接地线。验电时要用合格的相应电压等级的专用验电器,验电时,应戴绝缘手套,并应派专人监护。线路的验电应逐相进行。对于联络用的断路器或隔离开关,应在其两侧验电;对同杆塔架设的多层电力线路进行验电时,先验低压,后验高压,先验下层,后验上层。

(三)挂接地线

线路经过验明确实无电压后,各工作班应立即在工作地段两端挂接地线,凡有可能送电到停电线路的分支线也要挂接地线。对于有感应电压反映在停电线路上的线路也应加挂接地线;同时,在拆除接地线时,防止感应电压触电。

同杆塔架设的多层电力线路在挂接地线时,应先挂低压,后挂高压,先挂下层,后挂上层。

挂接地线时,应先接接地端,后接导线端,拆接地线时程序与此相反。接地线连接要可靠,不可缠绕;必须用规范的成套接地线,严禁使用其他导线作接地线,装拆接地线时,工作人员应使用绝缘棒或戴绝缘手套,工作人员不得触摸接地线。

二、变电所部分

在全部停电或部分停电的电气设备上工作,应采取下列步骤以保证安全。

(一)停电

检修工作中,如人体与其他带电设备之间的距离 10kV 及以下者小于 0.35m,20~30kV 者小于 0.6m 时,该设备应当停电;如距离大于上述数值,但分别小于 0.7m 和 1m,则应设遮栏,否则也应停电。对于 60~110kV 者小于 1.5m,220kV 者小于 3m,330kV 者小于 4m,500kV 者小于 5m 时都应停电。停电时,应注意所有能给检修部位送电的线路均应停电,并采取防止误合闸的措施,(例如将刀闸操作把手锁住,悬挂标示牌等),而且每处至少应有一个明显可见的断开点,对于多回路的控制线路,应注意防止其他方面突然来电,特别应注意防止低压方面的反送电。对于变压器高、低压两侧均需停电者,停电时应先停低压侧,后停高压侧,送电时应先送高压侧,后送低压侧。对带电部分在工作人员后面或两侧无可靠安全措施的设备也必须停电。

(二)验电

对已停电的线路或设备,不论其经常接入的电压表或其他信号是否指示无电,均应进行验电。验电时,应按电压等级选用合格的验电器,验电前,应先在有电部位检测验电器是否良好。高压验电器不应直接接触带电体,而只能逐渐接近带电体,至指示为止。验电时,应当按照由近及远、由下至上、先低压后高压的顺序逐相逐端验试,不可遗漏,验电时应注意防止短路。

(三)装设临时接地线

为了防止意外送电和二次系统意外的外送电,以及为了消除其他方面的反送电,应在被检修部分外端装设临时接地线。装设临时接地线必须是在验明无电后才能装设。临时接地线的装、拆顺序必须正确,装设时先接接地端,后接导体端,拆除时应先拆导体端,后拆接地端。所有可能给检修部位送电的引入导体均应装设临时接地线。临时接地线的装设必须由两人进行。一个人值班则只允许使用接地刀闸接地,或使用绝缘棒和接地刀闸。接地线应用多股软裸铜线,其截面面积应符合短路电流的要求,但不得小于 $25mm^2$。每次装设以前应经过详细检查,禁止使用不符合规定的导线作接地之用。

每组接地线均应编号,并存放在固定地点,存放位置亦应编号,接地线号码必须与存放位置号码一致。装设拆除接地线应做好记录,交接班时应交待清楚。

(四)悬挂标示牌和装设遮栏

标示牌的作用是提醒人们注意安全,防止出现不安全行为。例如:

(1)在一经合闸即可给被检修部位送电的开关和刀闸上应挂上"有人工作,禁止合闸"的标示牌;

（2）如果线路上有人工作,应在线路开关和刀闸操作把手上悬挂"禁止合闸,线路有人工作"的标示牌,标示牌的悬挂和拆除,应按调度员的命令执行;

（3）在临近带电部位的遮栏上悬挂"止步,高压危险"的标示牌;在工作地点应悬挂"在此工作"的标示牌;

（4）在工作人员上下铁架的梯子上悬挂"从此上下"的标示牌;在邻近其他可能误登的带电架构上,悬挂"禁止攀登,高压危险"的标示牌。

在部分停电检修时,应将带电部分遮拦起来,以保证检修人员的安全。临时遮栏可用干燥木材、橡胶或其他坚韧绝缘材料制成,装设应牢固。

特别说明:严禁工作人员在工作中转移或拆除遮栏、接地线和标示牌。

§19-3　电气安全用具

电气安全用具是防止触电、坠落、灼伤等危险,保障工作人员安全的电工专用工具和用具。包括起绝缘作用、验电作用、测量作用的绝缘安全工具,登高作业的登高安全用具,以及检修工作中应用的临时接地线、遮栏、标示牌等检修安全用具。

一、分类与作用

（一）绝缘安全用具

绝缘安全用具分为基本安全用具和辅助安全用具。基本安全用具是指绝缘强度能长时间承受电气设备的工作电压,能直接来操作电气设备的用具如绝缘杆、绝缘夹钳等。辅助安全用具是指绝缘强度不足以承受电气设备的工作电压,只能起到加强基本安全作用的用具,如绝缘鞋、绝缘手套等。

1. 绝缘杆和绝缘夹钳

绝缘杆和绝缘夹钳都是基本安全用具。绝缘杆和绝缘夹钳都是由工作部分、绝缘部分和握手部分组成。绝缘部分和握手部分用浸过绝缘漆的木材、硬塑料、胶木或玻璃钢制成,其间有护环分开。

不同工作部分的绝缘杆可用来操作不同的电气设备和拆卸临时接地线,以及进行测量和试验等工作。绝缘夹钳主要用来拆除和安装熔断器及其他类似工作。

绝缘杆和绝缘夹钳的绝缘部分和握手部分的最小安全尺寸,见表 19-1 所列数值。

表 19-1　　　　　　绝缘杆和绝缘夹钳的最小长度　　　（单位:m）

电压(kV)		设备用		户外设备和架空线路用		注:绝缘杆工作部分铸钩的长度在满足工作需要量情况下,不宜超过 8cm
		绝缘部分	握手部分	绝缘部分	握手部分	
10 及以下	绝缘杆	0.7	0.3	1.1	0.4	
	绝缘夹钳	0.45	0.15	0.75	0.2	
35 及以下	绝缘杆	1.1	0.4	1.4	0.6	
	绝缘夹钳	0.75	0.2	1.2	0.2	

2. 绝缘手套和绝缘鞋

绝缘手套和绝缘鞋为辅助安全用具,绝缘部分都用具有良好绝缘作用的橡胶制成。但在低压工作中,绝缘手套又可作为低压工作的基本安全用具,绝缘鞋作为防护跨步电压的基本安全用具。

3. 绝缘垫和绝缘站台

绝缘垫和绝缘站台只作为辅助安全用具。

绝缘垫用厚度 5mm 以上,表面有防滑条纹的橡胶制成。其最小尺寸不宜小于 0.8m×0.8m。一般用来铺在配电装配处的地面上,以增强工作人员对地绝缘,防止接触电压和跨步电压对人体的伤害。

绝缘站台用木板或木条制成,相邻板条之间的距离不得大于2.5m,以免鞋跟陷入;站台上不得有金属零件;台面板用支持绝缘子与地面绝缘,支持绝缘子高度不得小于10cm;台面板边缘不得伸出绝缘子以外,以免站台翻倒,人员摔倒。绝缘站台最小尺寸不宜小于0.8m×0.8m,但为了便于移动和检查,最大尺寸也不宜大于1.5m×1.5m。

(二)携带式电压指示器和电流指示器

1.携带式电压指示器

携带式电压指示器也叫验电器,分为高压和低压两种,用来检验导体是否有电。

验电器分新式、老式两种。老式验电器都靠灯发光指示有电。新式高压验电器带声、光双重指示。

高压验电器的最小尺寸,见表19-2。

表19-2 　　　　　　　　高压验电器的最小尺寸　　　　　　(单位:mm)

电压(kV)	绝缘部分	握手部分	全长(不包括钩子)
10 及以下	320	110	680
35 及以下	510	120	1 060

2.携带式电流指示器

携带式电流指示器通常叫做钳表或钳形电流表,有高压钳表和低压钳表之分,用来在不断开线路的情况下测量线路电流。低压钳表除用来测量电流外,还可用于测量电压。

使用钳表时,应注意保持人体与带电体有足够的距离。对于高压,不得用手直接拿着钳表进行测量,而必须配戴安全用具,并接上相应等级的绝缘杆之后再进行测量。在潮湿和雷雨天气,禁止在户外用钳表进行测量。

(三)登高安全用具

登高安全用具包括梯子、高凳、脚扣、登高板、安全腰带等。

梯子和登高板、高凳一般用木料制成,为了加强绝缘和防滑,梯脚和高凳脚,宜加橡胶垫。

梯子分八字梯和靠梯两种。为了避免靠梯翻倒,靠梯梯脚与墙之间的距离不应小于梯长的1/4;为了避免滑落,其间的距离不得大于梯子的1/2。为了限制八字梯的开脚度,其两侧之间应加拉链或拉绳。在泥土地面上使用的梯子,梯脚应加铁尖。

脚扣是登杆用具,分木杆用脚扣和混凝土杆用脚扣两种,其主要部分用钢材制成。木杆用脚扣的半圆环和根部均有突出的小齿,以刺入木杆起防滑作用。混凝土杆用脚扣的半圆球和根部装有橡胶套或橡胶垫起防滑作用。

登高板也是登高安全用具,主要由坚硬的木板和结实、柔软的绳子组成。

安全腰带是防止坠落的安全用具,用皮革、帆布或化纤材料制成。安全腰带有两根带子,大的绕在电杆或其他牢固的物件上,起防止坠落作用,小的系在腰部偏下部位起人体固定作用。安全腰带的宽度不应小于60mm。绕电杆带的单根拉力不应小于2 206N(约合225kgf,1kgf就是1kg的物体所受的重力)。

(四)临时接地线、遮栏和标牌

临时接地线,用来防止突然来电,也用来防止邻近线路的感应电,同时也用来放尽线路或设备上残留电荷。

临时接地线主要由软导线和接线夹组成。软导线应采用截面面积25mm^{2}以上的裸铜线,临时接地线的接线夹必须坚固,各部分连接必须牢固。

遮栏主要用来防止工作人员无意碰到或过分接近带电体,也用作检修安全距离不够时的安全隔离装置。遮栏用干燥的木材或其他绝缘材料制成。在过道和入口等处可采用栅栏。遮栏和栅栏必须安装牢固,并不得影响工作。遮栏高度及其与带电体的距离应符合屏护的安全要求。

标示牌用绝缘材料制成,其作用是警告工作人员不得过分接近带电部分,指明工作人员准确的工作地点,提醒工作人员应当注意的问题,以及禁止向某段线路送电等。标示牌种类很多,如"止步,高压危险"、"在此工作"、"已接地"、"有人工作,禁止合闸"等。

二、安全用具的使用和试验

安全用具是直接保护人身安全的,必须保持良好的性能和状态。为此,必须正确使用和保管安全用具,并经常及定期的检查和试验。

(一)安全用具的使用和保养

操作不同电压的设备,必须使用相应电压等级的安全用具。操作高压跌落式熔断器或其他高压开关时,必须使用相应电压等级的绝缘杆,并戴绝缘手套进行;如雨雪天气在户外操作,必须戴绝缘手套,穿绝缘鞋或站在绝缘台上操作;更换熔断器的熔体时,应戴护目眼镜和绝缘手套,必要时还应使用绝缘夹钳;空中作业时,应使用合格的登高用具,安全腰带,并戴上安全帽。

每次使用安全用具前必须认真检查。检查安全用具规格是否与线路条件相符,安全用具有无破损,有无变形,绝缘件表面有无裂纹,啮痕,是否脏污,是否受潮,各部连接是否可靠等。使用前应将安全用具擦拭干净。

安全用具使用完毕也应擦拭干净,妥善保养、保管,并注意防止受潮,脏污或破坏。绝缘杆应放在专用木架上,而不应斜靠在墙上或平放在地上;绝缘手套,绝缘鞋应放在箱、柜内,而不应放在过冷、过热、阳光曝晒或有酸、碱、油的地方,以防胶质老化,并不应与坚硬、带刺或脏污物体放在一起或压以重物;验电器应放在盒内,并置于干燥之处。

(二)安全用具试验

安全用具的试验包括耐压试验和泄漏电流试验。除几种辅助安全用具要求作两种试验外,一般只要求作耐压试验。使用中安全用具的试验内容、标准、周期可参考表 19-3。登高作业安全用具的试验主要是拉力试验。其试验标准列入表 19-4。试验周期均为半年,试验时间为 5 分钟,登高作业安全用具外表检查每月进行一次。

表 19-3 安全用具试验标准

名称	电压(kV)	试验标准			试验周期(年)
		耐压试验电压(kV)	耐压试验持续时间(s)	泄漏电流(mA)	
绝缘杆绝缘夹钳	35kV 以下	3 倍额定电压,且≥40	300	–	1
绝缘挡板绝缘罩	35	80	300	–	1
绝缘手套	高压	8	60	≤9	0.5
	低压	2.5	60	≤2.5	0.5
绝缘靴	高压	15	60	≤7.5	0.5
绝缘鞋	1 及以下	3.5	60	≤2	0.5
绝缘垫	1 以上	15	以 2～3cm/s 的速度拉过	≤15	2
	1 及以下	5		≤5	
绝缘站台	各种电压	45	120	–	3
绝缘柄工具	低压	3	60	–	0.5
高压验电器	10 及以下	40	300		0.5
	35 及以下	105			

表 19-4

登高作业安全用具试验标准

名称	安全腰带		腰绳	登板	脚扣	梯子
试验静拉力（N）	大带	小带	2 206	2 206	1 471	1 765（荷重）
	2 206	1 471				

§19-4　低压电气工作的安全措施

为加强农村低压电网的安全管理,严肃安全作业制度,保障从事农村低压电气工作人员的安全和健康,特把"低压电气工作的安全措施"这部分作为一节,分三个部分来说明。

一、低压电气设备上工作的安全措施

低压电气设备上工作的安全措施同变电所部分的安全措施一样,是从两个方面来规定的。一方面是组织措施;另一方面是技术措施。下面就从这两个方面加以阐述。

(一)保证安全的组织措施

在低压电气设备上工作,保证安全的组织措施有六个方面:

1．工作票制度

执行工作票制度的工作,是指运行设备停电检修工作,其工作内容有:低压线路的检修、试验;配电变压器低压侧配电盘的大修或更换;配电变压器至配电室的架空导线、电缆的大修或更换;配电室配电盘上的空气开关或电磁开关、三级刀开关、漏电保护器和计量装置的大修或更换。

工作票签发人、工作负责人、工作许可人,必须熟悉现场设备和系统接线,工作票签发人应经县电力部门考核批准。工作票签发人和工作负责人必须熟悉参加工作人员的技术水平和精神状态。工作负责人和工作许可人一般由两人分别担任,特殊情况下可由一人兼任。但工作票签发人不得兼任工作许可人或工作负责人。详见附文台架式配电变压器工作票。

工作负责人填写工作票前须到现场和工作许可人共同制定安全技术、组织措施、填写完工作票,应及时交乡(镇)供电所;工作票签发人接到工作票,应认真审查,必要时要到现场进行核查,然后才能签发,工作许可人接到工作票,应按工作票所列项目完成各项安全措施。开工前,应到现场向工作负责人及工作人员逐项交待已完成的安全措施,对临近工作地点的带电设备部位,应特别交待清楚。

2.安全措施票制度

执行安全措施票制度的工作是指设备停电后进行的一般工作,其内容有:线路清扫,电杆、构架刷漆以及一般维护工作;在干线或分支线上连接、撤除接户线和临时用电引下线的工作;在配电盘上进行的工作票制度工作以外的检修、试验工作;在线路拉线上进行一般的维护工作等。

安全措施票由工作负责人填写,工作许可人审查,其余的内容及注意事项同工作票制度是相同的,请参考工作票制度部分内容。

3.工作监护制度和现场看守制度

工作监护人由工作负责人担任,当施工现场用一张工作票或安全措施票分组到不同的地点工作时,各小组监护人可由工作负责人临时指定。工作监护人必须始终在工作现场,对工作人员的工作认真监护,及时纠正违反安全的行为。

为确保施工安全,工作负责人可委派一人或数人在指定地点负责看守任务。看守人员要坚守工作岗位,不得擅离职守,只有得到工作负责人下达"已完成看守任务"命令时,方可离开看守岗位。

4.工作间断制度

在工作中如遇雷、雨、大风或其他情况并威胁工作人员的安全时,工作负责人或监护人,可根据情况临时停止工作。工作间断时,工作地点的全部措施仍应保留不变。工作人员离开工作地点时,要检查安全措施,必要时应派专人看守。在工作间断时间,任何人不得私自进入现场进行工作或查取任何物件。

恢复工作前,应重新检查各项安全措施是否正确完整,然后由工作负责人再次向全体工作人员说明,方可进行工作。

5.工作终结、验收和恢复送电制度

全部工作完毕后,工作人员应清扫、整理现场,并对所进行工作进行竣工检查。验收合格后,工作负责人方可命令所有工作人员撤离工作地点,向工作许可人报告全部检修工作结束。

工作许可人接到工作结束的报告后,应会同工作负责人到现场检查验收任务完成情况及有无遗留的缺陷、物件等。待工作许可人拆除所有接地线,给检修设备合闸送电、设备运行正常,在工作票或安全措施票上填明工作终结时间,双方签字,工作票或安全措施票方可告终结。

(二)保证安全工作的技术措施

在全部停电或部分停电的电气设备上工作时,必须完成以下技术措施:停电、验电、挂接地线、装设遮栏和悬挂标示牌等。

1.停电

在低压电气设备上工作时,需停电的设备有施工和检修、试验的设备;工作人员在工作中,正常活动范围边沿与设备带电部位的安全距离小于下列数值时的设备:10kV 及以下 0.7m,20～35kV 为 1.0m;在停电检修线路的工作中,如与另一带电线路交叉或接近,其安全距离小于下列数值时,则另一带电回路也应停电:10kV 及以下 1.00m,20～35kV 为 2.50m;带电部分在工作人员后面或两侧无可靠安全措施的设备。

施工、检修与试验,必须把需要停电的各方面电源完全断开。若两台配、变低压侧共用一个接地引下线时,其中一台低压出线端停电检修,另一台配变也必须停电。另外,断开开关的操作电源的开关操作把手必须制动。

2. 验电

在停电设备的各个电源端或停电设备的进出线处,必须用合格的验电笔进行验电。验电前必须先验证电笔是否完好,然后才能在验电设备上 A、B、C 三相和中性线上,逐项验明是否有无电压。

检修开关、刀开关或熔断器时,应在断口两侧验电。杆上电力线路验电时,应先验下层,后验上层;先验距人体较近的导线,后验距人体较远的导线。

3. 挂接地线

挂接地线是为防止工作地点突然来电而采取的可靠技术措施,同时也是为消除停电设备上存在的残余电荷或感应电荷的有效措施。其有关内容请参阅本章第二节。

4. 悬挂标示牌和装设遮栏

装设临时遮栏距低压带电部分的距离不应小于本节停电措施中所规定的数值。遮栏的高度户外应不低于 1.5m,户内应不小于 1.2m。其余内容请参阅本章第二节。

二、低压线路上带电工作的安全措施

在低压线路上带电工作应特别注意以下几个方面。

1. 在带电线路电杆上的工作

在带电线路电杆上的工作,只允许在带电线路的下方,处理水泥杆裂纹、加固拉线、除掉鸟窝、紧固螺丝、查看导线金属和绝缘子的工作。作业人员活动范围及其所携带的工具、材料等与低压带电导线的最小距离不得小于本节带电部分的规定。在带电电杆上进行拉线加固工作,只允许调整拉线的下把花篮螺丝及绑扎或补强工作,不得将连接处松开。

2. 邻近或交叉其他电力线路的工作

与新架或停电检修的线路(指放线、撤线或紧线、松线、落线的工作)邻近或交叉的强电、弱电线路,均应采取停电或其他安全措施。为了防止新架或停电检修线路的导线产生跳动,或因过牵引引起的导线突然脱落、滑跑、断线而发生意外,应用绳索将停电检修的线路牵拉牢固。为防止登杆作业人员错误登杆而造成人触电事故,检修线路邻近的带电线路的电杆上,须挂标示牌和派专人看守。

3. 同杆架设多回线路中的停电检修工作

在同杆架设的多回线路中,其中任一回路检修,其他所有的线路都必须停电,并应挂接地线。停电检修的每一回线路应具有双重称号,即:线路名称、左线或右线、上线或下线的称号。工作票中应填写线路的双重称号。

线路接地线,应牢固可靠,为防止工作地段失去接地线保护,断开引线时,应在断开的引线两侧挂接地线。

三、移动电器具的安全使用

移动式电气设备包括蛙夯、振捣器、水磨石平机、电焊机等电气设备。按电击防护条件,电气设备分为0类、0Ⅰ类、Ⅰ类、Ⅱ类和Ⅲ类设备。0类、0Ⅰ类、Ⅰ类设备都是仅有工作绝缘(基本绝缘)的设备,而且都可以带有带Ⅱ类设备或Ⅲ类设备的部件。所不同的是0类设备外壳上和内部不带电导体上都没有接地端子(保护导体接线端子);0Ⅰ类设备的外壳上有接地端子。Ⅰ类设备外壳上没有接地端子,但内部都有接地端子,自设备内引出带有保护插头的电源线。移动电器具设备大部分是0Ⅰ类和Ⅰ类设备。移动电器具是电击事故较多的用电设备。其事故原因有:①由于这些工具和设备是在人的紧握之下运行的,人与工具之间的电阻小,一旦工具带电,将有较大电流通过人体,容易造成严重后果;②这些工具和设备有很大的移动性,其电源容易受拉、磨而漏电,电源线连接处容易脱落而使金属外壳带电,导致触电事故;③这些工具和设备没有固定的工位,运行时振动大,而且可能在恶劣的条件下的运行,本身容易损坏而使金属外壳带电,导致触电事故。

使用移动电器具应当注意以下安全要求:

(1)工具或设备的铭牌、性能参数应当与使用条件相适应。

(2)工具或设备的防护罩、防护盖、手柄防护装置等不得有损伤、变形或松动。

(3)电源开关不得失灵、不得破损、安装必须牢固、接线不得松动。

(4)电源线应采用橡皮绝缘软电缆,单相用三芯电缆,三相用四芯电缆。电缆不得有破损或龟裂、中间不得有接头。

(5)Ⅰ类设备应有良好的接零或接地措施,且保护零线应与工作零线分开,保护零线(或地线)应采用截面面积 $0.75\sim1.5\mathrm{mm}^2$ 以上的多股软铜线。

(6)根据需要装设漏电保护装置。

(7)用毕及时切断电源,并妥善保管。

附文　台架式配电变压器工作票

1. 工区(所):_____ 班组_____

2. 工作负责人(姓名):_____

　工作班成员(姓名):_____共_____人

3. 工作线路名称、工作地段杆号及变压器名称编号:_____

4. 工作任务:_____

5. 计划工作时间:自_____年___月___日___时___分

　　　　　　　　至_____年___月___日___时___分

6. 安全措施:

---

(1)断开工作变压器的高、低压开关(含跌落保险及熔断);

(2)工作变压器进行验电,无电后在变压器高、低压侧各装设一组地线;

(3)严禁攀登带电杆,不准超出工作范围;

(4)补充措施。

---

7. 工作票签发人签名：_____ 签发时间____年___月___日

8. 许可开始工作时间_____年___月___日___时___分

　　供电值班签名：_____工作负责人签名：_____

9. _____变压器自_____年___月___日___时___分
　　　　　　　　　　至_____年___月___日___时___分停电
　　_____变压器自_____年___月___日___时___分
　　　　　　　　　　至_____年___月___日___时___分停电

10. 工作票结束时间：_____年___月___日___时___分
　　工作负责人签名：_____供电值班签名：_____

11. 备注：_____

§19-5　安全教育和安全检查

安全教育和安全检查做为安全管理措施的内容之一,在整个农电管理工作中起着相当重要的作用。用电工作者只有接受良好严格的教育,才能懂得用电基本知识,掌握安全用电的基本方法和与安全用电相关联的安全规程,从而安全有效地工作。但是,因为人有惰性、麻痹、疲劳等因素的存在,设备有质量破损、老化等因素的存在,有必要在安全管理中不失时机地开展不同形式的检查,在检查中,找出不足,改进工作,从而更进一步促进安全管理工作。

一、安全教育

安全教育是我们的永恒主题,尤其是从事用电工作人员。安全教育的目的是提高对安全工作重要性的认识,强化安全意识,真正树立"安全第一,预防为主"的思想,同时,使用电人员知晓用电知识,用正确的方法处理和解决用电工作中的问题。

用电安全教育的内容颇多。对普通职工来说,要求懂得安全用电的一般知识,基本操作方法;对不熟悉用电工作的职工,在进行严格的安全教育培训中,必须要求把用电的基本知识、用电设备的性能,各种电气操作的安全规程牢牢掌握;对于有一定工作经验而又能独立工作的电气人员,要求懂得电气装置在安装、使用、维护、检修过程中的操作程序,安全规程和安全要求,并能掌握触电急救和电气灭火的一些基本方法;对于从事这些工作的领导干部,除了要求熟练掌握用电设备、变配电设备安装、使用、维护、检修和电气操作过程中的程序,安全规程及相关联的规程、安全要领外,还要求能指导职工按设备操作程序、安全规程正确操作。

用电安全教育的形式多种多样,最基本的应属职工的自我加压学习,通过自学,主观增强了安全意识,实际工作中就会自觉地照章办事。实行定期不定期的岗位安全培训也不失为安全教育的好形式。职工的岗位不可能是一成不变的,岗位变化必须赋予新的安全教育内容,同时,随着新技术的应用推广,即便是原岗位与安全相关联的内容也会有变化。在岗位安全教育中,运用正反典型(案例)、走出去、请进来学习等方法也会收到很好的效果。

二、安全检查

安全生产是电力企业的头等大事,也是开展其他工作的基础。实践证明,定期、不定期地开展安全检查是巩固和发展安全局面行之有效的好办法。

(一)建立安全组织

建立安全组织是开展安全检查的前提和保证。没有一个严密的、有战斗力的领导组织,各项安全检查就只会停留在表面,落不到实处,及时发现和处理生产中存在的各种安全隐患更是无从谈起,必将危及电力企业的正常运行。

安全组织由各级各单位行政正职、主抓安全和生产的领导及生产科室的技术人员组成,行政正职负总责,以保证其严肃性、有效性、专业性。

(二)落实安全责任

要搞好安全生产必须充分发动广大职工,调动广大职工安全生产的积极性,将安全责任落实到每个人身上,实现"人人肩上有重担,个个身上有指标",将安全责任落实到每个人身上的目标,在电力企业的内部形成"横向到边,纵向到底"的安全工作网络;"全员参与,各负其责"的安全目标网络;"安全风险抵押与重奖重罚"的制约、监督、激励网络。例如,农电体制改革后,农村台区的管理也纳入到县局管理范围内。在安全检查中发现问题时,便可由该台区电工负责处理,问题较大时,可请电工班、供电所帮助处理。这样,电工对电工班负责,电工班对供电所负责,供电所对县供电公司负责,安全责任明确,从而避免了安全检查流于形式的弊病。

(三)制定奖惩制度

安全检查重在落实,制定有效的奖惩制度,无疑将加大落实的力度。制定奖惩制度要依据上级部门的有关规定,结合电力企业内部各自情况,制定出切实可行的奖惩制度并实施奖惩,以调动职工安全工作的积极性。例如在县级供电企业内部按照"三级"安全网络要求,实行按岗位、按比例交纳安全风险抵押金,并建立专账和根据岗位安全责任的大小、事故性质及造成损失多少制定责任追究制等,不失为一种较好的尝试。

(四)开展安全检查

安全检查可分为日常检查和季节性检查。日常检查一般是根据当前出现的较为突出且具有普遍性的安全问题而组织的检查。季节性检查主要是每年春季安全大检查和秋(冬)季安全大检查。

季节性大检查以"四查"为主要检查内容。"四查"即查领导、查思想、查纪律、查制度。春季安全大检查在"四查"基础上,重点检查是否按计划完成电气设备绝缘试验;电气设备绝缘是否老化、受潮或破损,绝缘电阻是否合格;防雷设施、避雷器是否完好地投入运行;安全距离是否足够;保护接地式保护接零是否正确可靠;

保护装置是否符合安全要求,电气连接部位是否完好;电气设备和电气线路温度是否过高;熔断器熔体的选用及其他过电流保护的整定是否正确;职工是否参加安规考试,是否合格等。秋(冬)季安全大检查主要是在"四查"基础上,开展以设备查评、"三防"(防火、防冻、防小动物)为重点的安全大检查。具体内容有:生产场所门窗有无封闭;线路杆塔基础有无防冰措施;变电站屋外开关操作机械有无防冰措施;生产及生活区域内取暖设备的防火器材是否充足有效;有无防止小动物进入高压室、设备区的器具、药物等。春季安全大检查、秋(冬)安全大检查均可采取自查、抽查、复查相结合的形式。自查阶级由各单位组织内部人员对本辖区的线路、设备进行全面检查,做到"自查自纠",及时有效地消除隐患。在自查基础上由上级主管部门对其进行抽查,目的是督促落实整改,并进行必要的技术指导。复查是为了检查整改效果,不留死角,保证季节性安全检查的实际效果。

安全检查中需要注意三个方面:首先,要端正态度,安全检查就是要挑毛病,查问题。所以检查人员要本着实事求是的态度,坚持原则,一丝不苟,不讲情面,敢于说真话,讲实话。其次,安全检查贵在持之以恒,一抓到底,不能检查时紧一紧,过后就搁置不管,缺乏连续性。最后,安全检查重在落实,发现问题要及时处理,不留尾巴,也只有真正地落到实处了,安全检查才具有实际价值,电力企业的安全生产才会有保障。

第二十章　变配电所设备的运行管理

变配电所是电力系统中变换电压和接受、分配电能的场所。变配电所一般由下列设备组成,电力变压器、配电装置、继电保护装置、自动信号显示装置、整流设备及直流系统、测量装置及其附属设备等。其中配电设备是指接受和分配电能的电气装置,它由母线、绝缘子、断路器、隔离开关。互感器、电力电容器、避雷器、熔断器、操作机构、测量仪表及其辅助设备组成。本章仅从以下三个方面进行阐述:变配电所的倒闸操作、变配电所的事故及处理、变配电所的运行管理制度。

§20-1　变配电所的倒闸操作

运行中的电气设备有运行、热备用、冷备用和检修四种不同的运行状态。要将电气设备由一种状态转换到另一种状态,就需要进行系列的倒闸操作。倒闸操作就是指运行中的电气设备,会因检修、调整、试验、消除缺陷以及改变一次回路的运行接线或新设备投入等工作,需要运行人员进行运行方式的变换而投入、断开、倒换电气设备的一系列操作。它是一项重要而复杂的操作,关系电力系统的设备、供电和人身的安全。要特别防止误入带电间隔、误拉合开关、带负荷拉合隔离开关、带电挂接地线(包括接地刀闸)、带地线合闸等恶性事故(合称"五防"),以及非同期合闸和错停负荷等。除了上述一次回路的操作外,还有许多单独进行的二次回路设备的操作,如改变继电保护的运行方式及其定值等。

一、倒闸操作对运行操作的人员的要求

1.充分明确操作的职责

只有值班长或正值才能够接受调度命令或担任倒闸操作中的监护人;副值无权接受调度命令,只能担任倒闸操作中的操作人;实习人员一般不介入操作中的实质性工作。操作中由正值监护,副值操作,实习人员担任操作时,应有两人监护,严禁单人操作。

操作人不能依赖监护人,应对操作内容充分明了后核实操作。倒闸操作时,不进行交接班,不做与操作无关的事。如遇事故发生,应沉着冷静,分析判断清楚,正确处理事故。

2.熟悉调度知识

各级调度部门是各级电压电网运行的统一指挥中心,调度员和值班员在运行值班时,是上下级命令和被命令的关系,凡属相应调度部门所管辖的一、二次设备的启停,均应按其调度命令执行,遇有怀疑,可提出质疑,如确属危及人身、设备安全,可拒绝执行。相互联系操作时,应报清站名,互通姓名、内容和时间,并使用调度术语和设备的调度编号命名。电气设备的调度编号与命令,统一由各级调度部门确定,现场不许自行改动。

3.充分了解当时的运行方式

如一次回路的运行接线,电源和负荷的分布、继电器保护和自动装置的投运情况,并与调度核对无误。

4.细致核查操作的设备

操作人不能凭记忆操作,应仔细核对设备的编号、名称,无误后方可进行操作。

现场一、二次设备应有醒目的标示,如命名、编号、铭牌、转动方向、切换位置指示、相别颜色、一次系统模拟图板、二次保护配置图等。

5.严格遵守执行操作的调度命令

应有明确的调度命令,合格的操作票或经有关领导准许的操作才能执行操作。

6.使用合格的安全用具

验电笔、绝缘棒、绝缘靴、绝缘手套等的试验日期和外观检查应合格,操作中使用的仪表如钳形电流表、万用表、兆欧表等应保证其正确性和安全性。特别要注意使用合格而且合适的安全用具,确保自己的人身安全。

7.严格执行检修转运行前的一系列规定

严格执行检修转运行前的倒闸操作规定、有关工作票,拆除安全措施,如拉开接地刀闸,拆除接地线及标示牌等,设备的调整试验数据应合格,并有工作负责人在有关记录簿上写入"可以投入运行"的结论,检查被操作设备是否处于正常位置。

二、倒闸操作的必要步骤

1.受令

值班员接受调度的操作任务或命令时,应明确操作目的和意图。

2.填写操作票

填写操作票应按照调度员发布的任务或命令,参照典型操作票核对模拟图逐项填写操作项目,并应考虑系统变动后的运行方式与继电保护的运行方式及整定值是否配合。填写操作票的顺序不可颠倒,字迹应清楚,不得涂改,不得使用铅笔填写。最后,由监护人和操作人在操作票上共同签名。

3.审票

操作票必须由第二人审核。操作人填写好操作票后,先由自己核对,再交监护人审票。对上一班预填的操作票,即使不在本班执行,也需要根据规定进行审票。审票人发现错误应由操作人重新填写。

4.高声唱票,逐项操作和销号

实际操作前,操作人、监护人应先在模拟图上预操作,再次对倒闸操作票进行核对,然后作业人员携带验电、操作工具,安全用具,钥匙等进入工作地点。监护人高声唱票,操作人用手指点被操作设备的名称及编号,并高声复诵,监护人监视操作人,均确认后,发布执行命令,操作人进行作业。执行完一个项目,应在该项后面打上"√",表示已操作完毕,其后依次进行。

5.检查

检查操作设备的机械指示,信号指示灯、表计变化及联锁装置等情况是否正常,以确定设备实际的分、合位置。

6.操作汇报

操作结束后,应检查所有操作步骤是否全部执行,然后由监护人在操作票上填写操作结束时间,并向电力调度或工作票执行人汇报操作结束。

三、主要电气设备的正确操作

(一)断路器的操作

(1)在一般情况下,断路器不允许带电手动合闸。这是因为手动合闸速度慢,易产生电弧。但特殊情况例外。

(2)遥控操作断路器时,扳动控制开关不要用力过猛,以免损坏控制开关;也不要返回太快,以防断路器来不及合闸。

(3)断路器经操作后,应检查与其有关的信号及测量仪表的指示,以判别断路动作的正确性,但不能只从信号灯及测量仪表的指示来判断断路器实际的分、合位置,还应到现场检查断路器的机械位置指示器来确定其实际的分、合位置。要防止假合闸、假跳闸、非全相合闸,以及喷油、爆炸等情况。

合闸时,应注意本回路电流表的指示,当出现短路故障强烈冲击时,或非全相合闸时,应立即用控制开关将合上的开关断,不必等继电保护动作跳闸。对合闸电流较大的开关,合闸后,应注意直流盘上的合闸电流表即时返回到零,防止直流合闸接触器打不开,而烧坏断路器的合闸线圈。对 10kV 及以下的手动操作开关,合闸时,应用杠杆把合闸机构迅速压到底,但在最后行程时不宜过猛。没有自由脱扣的断路器,禁止用手试送。操作人与开关之间应有金属隔板或墙。

(二)隔离开关的操作

(1)在手动合隔离开关时,必须迅速果断,但在合到底时不能用力过猛,以防合过头及损坏支持瓷瓶,合闸中如发生电弧,应迅速合上,禁止再拉开,防止电弧对设备更大的损坏。隔离开关一经合上,禁止再拉开,这时只能先用断路器切断该回路,然后才允许将误合的隔离开关拉开。

(2)拉隔离开关时,开始应缓慢而谨慎,动触头刚离开静触头时,应迅速果断拉开,以便于消弧,这时如发生意外电弧,已拉开时不能再合上,未拉开时立即合好,检查原因,但切断某些允许的小电流例外,此时,应迅速拉开隔离开关,已利于消弧。如错拉了隔离开关,不允许再合上。

(3)隔离开关操作后,必须检查其开、合的位置。因为有时由于操作机构有毛病或调整得不好,可能出现操作后未全拉开或全合上的现象。

(4)非三相连动的单相隔离开关,一般用绝缘杆操作。用单相隔离开关进行操作允许拉开小电流或解环时,应先拉中间位置的一相,次拉下风侧(水平布置)或上侧(上下布置),最后拉上风侧或下侧。合闸操作时的顺序与拉闸时相反。

(三)高压熔断器的操作

用绝缘杆单相操作,不允许带负荷拉合。装卸高压熔断器时,应戴护目镜和绝缘手套,必要时使用绝缘钳,并站绝缘台或绝缘垫上。

拉闸时,为防止电弧短路,应先拉中间相,然后拉次下风侧,最后拉第三相。合闸时相反。

需注意,如带负荷误拉第一相时,不会发生强烈电弧,但拉第三相则有强烈电弧,若拉开第一相,发现是误操作时,应合上已拉开的第一相熔断器。

四、变配电所常见的倒闸操作

(一)馈出线路的倒闸操作

1.送电操作

馈出线路送电操作的正确顺序应从母线侧开始,即在检查断路器确在断开位置后,先合上母线侧隔离开关 G_M,后合上负荷侧隔离开关 G_L,再合上断路器 DL(如图 20-1)。

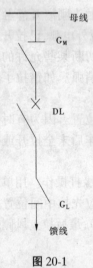

图 20-1

2.停电操作

停电操作的顺序和送电时相反,应先从负荷侧开始,即先断开断路器,并检查断路器 DL 在断开位置后,再拉开负荷侧隔离开关 G_L,最后拉开母线侧隔离开关 G_M。

(二)变压器的倒闸操作

1.35/10kV 变压器的倒闸操作

如图 20-2 所示主变 T 投入运行时,应先合上 35kV 侧隔离开关 G_{M1},再合断路器 DL_1,使变压器充电;再断 G_{M2}。然后再合上 10kV 侧的隔离开关 G_{M2},最后合断路器 DL_2。当主变 T 退出运行时,先断 DL_2,再断 G_{M2},然后断开 35kV 侧 DL_1,最后断开 G_{M1}。

因为从电源侧逐级送电,如发生故障便于按送电范围检查,判断和处理。

2. 一般变压器的倒闸操作

变压器输入回路中装有断路器时，一定要使用断路器进行拉、合闸，不得使用隔离开关。合闸时一般先从电源侧进行，以便在变压器内部有故障时，可立即跳闸切断电源。当几台变压器合用一台断路器时，任何一台变压器在带负荷状态下进行操作都必须使用断路器。高压侧装有隔离开关，低压侧装有空气开关的变压器，拉闸时应先断开低压空气开关，合闸时应先合隔离开关。而负荷电流须用低压侧空气开关进行拉合闸。

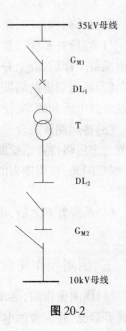

图 20-2

(三)母线的倒闸操作

(1)在双母线中进行倒母线操作的顺序:应先母联隔离开关及母联断路器,然后逐一合上备用母线上的隔离开关,再逐一拉开工作母线上的隔离开关。

(2)热备用设备进行倒母线操作时,应先拉后合。以防止发生通过两组母线隔离开关合环的误操作事故。

(3)当运行中的双母线需停一组时,要防止由电压互感器低压侧倒充电。母线送操作有母差保护的,须用装有母差保护的母线充电合闸。倒母线后,要注意将线路所用的电压互感器电源做相应的切换。

(四)电力系统的并列操作

两个系统并列应符合并列条件,即:相序必须一致,频率必须相同,电压应尽量相等。其中频率误差不得超过 ±0.5Hz,电压的最大误差,35kV 及以上不得超过 10%,10kV 及以下的不得超过 5%。

系统并列操作时,采用手动准周期装置,其顺序为:

(1)当待并系统已加电压,合上母线隔离开关,做好并列前的各项准备工作后,合上并列点的周期开关,使同期母线带电。

(2)将周期屏的周期开关合至"粗调"位置,进行粗调,调节待并系统的电压和频率,使其与系统的电压和频率相等。

(3)将周期开关合至"细调"位置,根据周期表,进行更精细的调节。之后将待并系统断路器控制开关手柄置于"预备合闸"的位置,绿灯闪光,在周期表的指针接近红线前迅速将手柄打到"合闸"位置。

(4)系统并列之后,将并列点及周期屏的开关手柄转至断开位置。

五、倒闸操作注意事项

(1)倒闸操作前,必须了解系统的运行方式,继电保护及自动装置等情况,并应考虑电源及负荷的合理分布以及系统运行方式的调整情况。

(2)在电气设备送电前,必须收回并检查有关工作票,拆除安全措施,如拉开接地隔离开关或拆除临时接地线及警告牌,检查隔离开关和断路器是否断开。

(3)备用电源有自动投入装置及重合闸装置,必须在所属主设备停运前退出运行;在所属主设备送电后,再投入运行。

(4)在进行电源切换或倒母线电源时,必须先切换备用电源自动投入装置。操作完毕后,再进行调整。倒母线时应注意将电源分布平衡,并尽量减少母联的电流,以免因设备过负荷而跳闸。

(5)在一些情况下,应将断路器的操作电源切断(即取下直流操作保险),比如:断路器在检修,二次回路及保护装置上有人工作,为防止带负荷拉合隔离开关等。

(6)倒闸操作必须由两人进行,其中对设备熟悉者作监护。倒闸操作时,不进行交接班。雷雨天,禁止进行户外电气设备的倒闸操作。

六、不用操作票的倒闸操作

(1)处理事故的倒闸操作,在情况紧急时,可先行操作,事后向上级汇报,并作记录。

(2)单项设备的倒闸操作,如操作一个隔离开关时,不填写操作票。

(3)拆装一组临时接地封线时,可不填操作票。

(4)在控制盘上遥控操作断路器或隔离开关时,可不填写工作票。

(5)为已损坏的设备脱离电源、隔离时,不填工作票,但应尽快报告调度作记录。此类操作还有:当母线失压,断开连接在母线上的断路器,出现危及人身安全或设备安全情况时,对设备停电、通信中断进行事故处理等。

(6)还有不需要调度命令,不填操作票,由正值发令,副值操作,操作完后作好记录的。如:非调度管辖的设备,按规定由值班员操作的设备。

§20-2   变配电所的事故处理

为保证供电设备和人身的安全,应贯彻预防为主的原则,开展事故预想活动,将事故消灭在萌芽状态。加大技术培训力度,谙熟变配电所常见的事故种类,掌握处理各种事故的最基本方法。落实各种反事故措施,进行反事故演习,提高处理事故的应变水平。若发生事故,应及时地报告调度及有关领导,并尽一切努力进行处理,限制事故扩大,尽快恢复供电。

一、事故处理的一般原则

发生事故时，配电值班员应留在自己的岗位上，同时必须沉着、迅速、准确、精力集中地进行处理，不应慌张或未经慎重考虑即行处理，以免扩大事故，并尽量使未发生事故的设备保持正常运行。

(1)处理事故时，首先要设法保证直流操作电源和变配电所用电。

(2)用一切可能的方法保持正常设备的继续运行，对重要用户应保证不停电，对已停电的用户应迅速地恢复供电。

(3)改变变配电所的运行方式，使其恢复正常。

(4)处理事故时，除领导和有关人员外，其他外来人员应立即退出事故现场。

(5)在事故处理过程中，配电值班员除积极处理外，还应有明确分工，并将事故发生和处理的经过，详细地记录在事故登记簿内。

(6)如遇交接班时发生事故，则应由准备交班的配电值班员处理，准备接班的配电值班员做助手，待恢复正常后，再进行交班，若一时不能恢复，应得到领导同意后才可交接班。

(7)对解救触电人员，扑灭火灾、挽救危急设备，配电值班员有权先处理，然后再报告调度。

(8)电力调度员是事故处理的指挥者，当设备发生事故时，配电值班员应将事故情况简单而准确地报告电力调度员，并与调度员保持密切联系，以迅速地执行命令，同时要做好录音和记录。

二、电力系统电压消失的故障处理(即突然断电的故障处理)

(1)线路短路断路器失灵未跳闸而引起母线电压消失，这时，应将故障线路手动切断后,恢复向其他线路送电。

(2)母线短路或由母线到断路器间的引线段发生短路造成失压,这时的征象除了配电屏表计有短路现象外,在故障地点还会有爆炸声、冒烟或起火等现象,并可能使连接在故障母线上的主变断路器跳闸,并出现闪光、喇叭声响等信号,此时,应切除故障母线,投入备用母线。

(3)母线电压消失的原因不能迅速找出,但估计故障点可能在母线上时,这时应退出故障母线,投入备用母线。

(4)若故障在送电线上,而将故障线路切除后还没有消除故障时,则应在接到调度命令后,把一切断路器和终端送电线路的断路器断开,检查消失电压的母线及其连接送电线路的断路器。如此时送电线路的断路器已断开,则应检查该断路器有无电压。待有了电压后再进行合闸,与母线相连。

(5)因电源中断造成本所母线失压时,本站断路器、保护及自动装置、电气设备均无异常现象,此时应拉开母线上的全部断路器,汇报调度,询问原因,等待来电。

(6)若由母线差动保护误动引起母线失压,应先将母线上的控制开关把手复位,并退出母线差动保护,选用一电源对母线充电,当充电正常后,即可恢复正常运行方式。

三、线路故障跳闸处理

1.单电源的断路器跳闸时处理

(1)解除音响和光字牌、掉牌信号,并作好记录。

(2)检查该回路一次设备状况,是不是具备送电条件,并汇报调度员。

(3)如无故障现象,可退出重合闸,待征得调度员同意后,值班员就可试送一次。试送成功,可恢复重合闸,并报调度;试送失败,应通知查线。

2.双回平行线路其中一回路的断路器跳闸处理

(1)无重合闸或重合闸未动作时,应停用双回线路电流平衡保护或方向横差保护,汇报调度,经其同意后进行试送。

(2)当有重合闸而重合失败或试送无效时,不再送电,应通知查线,寻找原因。

3.双电源的断路器跳闸时(并列线路)处理

(1)立即检查继电保护及重合闸装置的动作情况,报告调度,听候处理,值班员不得随意试送。

(2)如有同期或无压重合闸的断路器跳闸时,在重合闸未动作前,值班员不得随意操作其控制开关,而应报告调度,听候处理。

四、变电所主变故障跳闸处理

1.变压器轻瓦斯保护动作处理

若气体继电器存有气体,应用专用取样器收集,同时取油样,一并作色谱分析;余下没有送检的气体,可作色、味、可燃性试验;若无气体,亦应取油样,作色谱分析。

通知继电保护人员检查二次回路,是否有因绝缘击穿等引起轻瓦斯保护误动。

根据气体分析,若属内部故障,应汇报上级,将变压器撤出运行,进行处理。若是由于带电滤油、加油而引起的,则主变可继续运行。

2.变压器重瓦斯保护动作处理

若判明是内部故障应报告上级,并取油样化验,进行色谱分析,检查油的闪点。若油的闪点比过去降低5℃以上,则说明变压器内部有故障,必须停下处理,严禁冒然送电。若内部无故障,系瓦斯保护误动作,则可在排除故障后送电。

3.变压器自动跳闸处理

报告调度员,如有备用变压器,投入备用。

对变压器及其回路进行检查,如非变压器内部故障,可经调度同意后投运。但若差动保护动作,应经有关技术领导批准,方可投运,否则,应进行内部检查试验。

4.变压器定时限过流保护动作时处理

首先应解除音响,若是因某路出线故障引起的越级跳闸,则应拉开该出线断路器,将变压器投入。送电如查不出具体线路,则把低压侧线路全部切掉,然后逐级路投运,当试送某一线路时又引起越级跳闸,则应停用。若发现变压器本体有明显的故障征象时,则不可合闸送电,而应汇报上级,听候处理。

5.主变压器漏油时着火时处理

变压器漏油时应迅速采取措施,阻止漏油;变压器着火时,首先应切断电源,然后再用灭火机或砂子灭火,严禁用水灭火,并注意防止火灾扩大。

6.主变压器油温过高时处理

变压器油温有一定限度,当超过这个最高限度时是危险的,应立即采取措施,将变压器停下进行检修。

五、单相接地故障处理

当发生接地时,值班员应根据当时的具体情况穿上绝缘靴,详细检查所内设备,停止有关工作组的工作,工作人员离开现场,并及时向有关部门和调度汇报。接地点查出后,对一般非重要用户的线路应切除后进行检查处理,如果接地点在带有重要用户的线路上,而又无法由其他电源程序供电时,应通知用户做好停电准备后,再切除进行检修。

六、误操作事故处理

(一)误拉断路器

(1)若误拉同期线路的断路器,禁止将该断路器直接合上,否则,可能造成非同期合闸。应该按同期合上该断路器。

(2)若误拉直接线路的断路器,为了减少损失,允许立即合上该断路器,但若用户要求该线路断路器跳闸后间隔一定时间才允许合上时,则应遵守其规定。

(二)误操作隔离开关

(1)误合隔离开关,即使合错,也不准将隔离开关再拉开,若误合隔离开关后,造成电气设备损坏时,应先拉其断路器,然后将其拉开。

(2)误拉隔离开关在闸刀刚离刀嘴时,便发出电弧,这时应立即合上隔离开关,可以消灭电弧,避免事故。如果隔离开关已全部拉开,则不允许将误拉的隔离开关再合上。应先拉其同侧的断路器,再合上该隔离开关,然后按误拉断路器的处理方法送电。

如果是单相隔离开关,操作一相后发现错位,对其他两侧不应该继续操作,应该拉开其断路器之后,方能合上或拉开其他两相隔离开关,以便恢复送电或停电。

(三)带接地线合闸

带接地线合闸包括带电挂接地线和带地线送电两种情况。

带电挂地线是指尚未停电时将其接地。此时运行人员应将设备停电,验明该设备无电压后,然后悬挂地线。

带地线送电是指设备的接地线并未拆除时,对其送电,运行人员应拆除接地线,并检查一次设备无异常现象,方可送电。

(四)交流二次回路误操作

1. 交流二次电流回路开路

由于交流二次电流回路未短接或跨接,当运行人员拆除交流电流回路或者拔出电流继电器时,会造成其开路,此时看见二次端子有弧光时,应立即将二次交流电流回路或继电器复原。

2. 交流二次电压回路短路

运行人员在二次电压回路上工作,造成短路应立即用失压后会误动的保护及自动装置,消除短路故障,将二次电压恢复正常后,投入停用的保护及自动装置。

七、变电所其他电气设备故障处理

(一)母线故障处理

(1)当母线断路器跳闸时,应先检查导线,消除故障后才能送电;

(2)若母线是因后备保护动作而跳闸时,此时,应该判明故障元件并消除故障后,再恢复母线送电;

(3)若母线断路器(装有重合闸装置)自动重合闸失败后,应立即倒换至备用母线供电。

(二)隔离开关的故障处理

(1)双母线系统中,若一组母线的隔离开关发热时,应将此隔离开关切换到另一组母线上,若是单母线系统,则应减负荷或是隔离开关退出运行。如果发热温度剧烈上升,则应按规定断开相应的断路器。

(2)线路隔离开关接触部分发热时,和单母系统处理相同,但也可继续运行该隔离开关,注意要加强监视。

(3)隔离开关拉不开时,若是系统操作机构被冻结,应轻摇找出抵抗力位置;若抵抗力是刀闸接触装置,则只有变更设备的运行方式。

(三)电容器的故障处理

(1)若发现电容器外壳膨胀或漏油,套管破裂发生闪络有火花时,电容器内部声音异常;外壳温度高于55℃,温片脱落时;电力电容器发生爆炸,接头严重过热或熔化。以上情形均应断开电源,拉开隔离开关,然后对故障电容器进行拆除或更换。

(2)电容器的保险熔断后,应向调度汇报,取得同意后拉开电容器的断路器,对电容器进行检修。

(3)电容器的断路器自动跳闸后,不得强行合闸,应检查分析保护动作的原因,对电容器的相关设备进行检查,若查不出原因,则需拆掉电容器进行试验。在未查明原因之前,不得再合断路器。

(4)变配电所全部停电时对电容器的处理。变配电所全部停电时,应将所有线路断路器断开,将电容器的断路器也断开。待变配电所恢复供电后,根据母线电压的高低和电网无功功率的情况决定是否投入电容器。

(四)变配电所用变压器的故障处理

发现下列情况,应紧急断开变压器各侧电源:

(1)内部有强烈不均匀噪音,且有火花放电声;

(2)储油柜或防爆管漏油;

(3)套管炸裂,闪络放电严重;

(4)油位计和气体继电器中看不到油位;

(5)正常负荷情况下,温度骤升,超过允许值;

(6)变压器失火。

若当备用电源自动切换时所内变压器失电,应检查切换是否良好;应断开变压器的高低压侧的隔离开关,对其进行检查,若切换良好则应投入备用变压器,以保持供电。

若工作的变压器高压保险熔断,应投入备用变压器,然后拉开工作变压器两侧的隔离开关,对其相关联设备进行检查,确定事故原因。

若所用电故障影响主要的油循环或风扇电动机运转,应汇报调度,压缩主变负荷。

(五)避雷器的故障处理

若发现避雷器瓷瓶、套管破裂或爆炸;雷击放电后,连接引线严重烧伤或烧断时,应立即切断避雷器与电源的连接。

若避雷器直接连接于母线,故障后应立即汇报调度听候处理。

(六)直流系统故障及处理

1.直流系统中两点接地故障及处理

应首先检查是哪一极接地,分析接地性质,判断其发生的原因。根据实际情况进行回路的分、合试验,试验一般应以先信号和照明部分,后操作部分;先室外部分,后室内部分为原则。当发现某一专用直流回路有接地时,应及时找出接地点,尽快消除。

2.直流母线电压过低的故障处理

先检查交流电压数值,再检查熔断器是否熔断。若熔断器熔断,可换上同容量的熔断器试送一次,若再熔断,应停用硅整流器并检查处理。若属于变压器输出电压过低,可适当调节变压器分接头位置,再检查硅元件。

3.快速熔断器熔断时的处理

快速熔断器熔断后,首先检查直流二次线圈有无短路现象。如发现有短路点,应先排除故障,再换上同容量的熔断器试送。

若找不出原因,可先换上同容量熔断试送一次,如果再熔断,则须查明原因后进行处理。

(七)电压互感器的故障处理

(1)若发现一、二次侧熔断器连续熔断二、三次者,电压互感器发热过高,甚至冒烟起火者;电压互感器内部有噼啪声或其他噪声;线圈与外壳之间或引线与外壳之间有火花放电者,配电值班员应立即将故障的电压互感器退出运行。

(2)电压互感器二次回路短路故障时,应首先切除自动装置,防止误动作。退出电压互感器,进行维修。

(3)电压互感器一次侧保险熔断时相应拉开电压互感器的隔离开关,详细检查其外部有无故障现象,同时检查二次保险。若无故障征象,则换好保险后再投入。如合上保险又熔断,则应退出检查,并汇报给上级。

(4)电压互感器二次侧保险熔断时,必须检查处理好后才可投人。

(5)电压互感器单相接地故障时,此时,中性点的合成电压将为 3 倍的相电压,如果运行时间超过 4 小时,就可能将绝缘击穿,造成短路故障,所以发现后应立即查找,迅速处理,并向调度汇报。

(八)电流互感器的故障处理

互感器常见故障有:①有过热现象;②内部有异味或冒烟;③内部有放电现象,声音异常或引线与外壳之间有火花放电;④主绝缘发生击穿,并造成单相接地故障;⑤一次或二次线圈的匝间或层间发生短路;⑥充油式电流互感器漏油;⑦二次回路发生断线故障。

当出现以上故障时,值班人员应汇报上级,并切断电源进行处理,如果是盘后或接线端子的紧固件松动,可站在绝缘垫上,并戴上绝缘手套,用有绝缘柄的工具,动作果断、迅速地拧紧紧固元件,如果不能处理,则应汇报调度将电流互感器停用后进行处理。

§20-3　运行管理

一、变配电运行管理的基本内容

(1)健全运行人员岗位责任制,使人人明确自己的职责,权限和工作内容。

(2)健全变电运行管理制度,如交接班、巡视检查、运行维护等制度,使管理正规化和标准化。

(3)加强运行设备管理,贯彻设备验收制度、缺陷管理制度。

(4)加强技术管理。

(5)加强安全管理。

(6)加强职工培训。

(7)加强政治思想工作,关心职工生活,搞好文明生产,充分发挥运行人员积极性。

二、变配电站运行管理标准化

变配电站运行管理标准化的内容包括三大类标准：技术标准、管理标准和工作标准。

技术标准又分为国家标准、行业标准和企业标准三类，电力企业现行技术标准就是行业标准和企业标准的结合物。

工作标准可参看《变电运行人员岗位规范》以及供电企业制定的《变电站站长工作规范》、《值班长工作规范》、《值班员工作规范》、《副值班员工作规范》等。

变电站管理标准主要包括以下几个方面：

(1)运行管理方面。值班及交接班、巡视检查、倒闸操作、设备维护、运行分析制度等。

(2)设备管理方面。设备专责分工制度，设备验收制度、设备缺陷管理制度，设备定期试验和轮换制度、设备评级管理办法等。

(3)技术管理方面。技术资料管理制度，变电站应具备的规程：图纸、图表、台账、记录簿、技术培训制度等。

(4)安全管理方面。安全责任制、安全活动制、安全教育、安全技术制度等。

三、变配电所的运行制度

变配电所的运行工作是保证向用户安全、可靠、经济、合理供电的主要环节。现结合多年来行之有效的规章制度，介绍一些变电运行制度。

(一)交接班制度

交接班工作必须严肃、认真地进行。交班人员要为接班人员创造有利的工作条件，树立一班保三班思想。交接班制度的内容和要求如下：

(1)值班人员在班前和值班时间内严禁饮酒,并应提前做好交接班前的准备工作。值班人员应按交接班制度中规定的交班方式、交接时间、交接程序、交接内容等进行交接。未办完交接手续,交班人员不得擅离工作岗位。

(2)在进行重大操作或事故处理时,不得进行交接班。在交接过程中,如发生事故或重大操作未完时,应由交班的值班负责人组织处理,接班者应协助处理。待事故处理、倒闸操作完毕或告一段落后,经双方值班负责人同意方可进行交接班。交接班签字后发生事故时,应由接班人员组织处理,交班人员应协助处理。

(3)交班前值班长应组织全体人员进行本值工作小结,并将交接班事项填写在值班工作日记中,接班人员应认真听取交班人员的介绍,并会同交班人员到现场进行核对检查,交接班工作必须做到交、接两清。双方一致认为交接清楚问题后在记录簿上签名,交接班工作即告完成。

(4)接班后,值班长应组织全班人员开好碰头会,根据系统设备运行、检修及在天气变化等情况,提出本值运行中应注意的事项和事故预想。

(二)变电所巡回检查制度

巡回检查是保证设备正常安全运行的有效制度。巡回检查制度应根据实际情况明确地规定检查项目、周期和路线,并做好必要的标志,巡查路径应经上级领导批准。

电气设备的巡查,可分为定期巡查、特殊巡查、夜间熄灯巡视和监督性巡查。

1.定期巡查

(1)交接班时的巡视,由接班人会同交班人对电气设备的巡查。

(2)值班期间的巡查,是指运行值班人员在值班期间,按规定时间对电气设备进行的巡查。

2. 特殊性巡查

指在出现下列情况之一时所增加的巡视：

(1)气温骤变时；

(2)浓雾或大风、雷雨、冰雹或降雪之后；

(3)设备过负荷或带缺陷运行时；

(4)设备发生了事故或异常、开关切断过的短路故障或有穿越性故障之后；

(5)变电站担负特别重要的供电任务时。

3. 夜间熄灯巡视

主要是在设备重负荷运行或在浓雾天气时进行,巡视的目的主要是检查设备接头有无过热、发红、打火现象,绝缘子表面有无闪络、放弧等现象发生。

4. 监督性巡查

由站长、技术负责人或上级领导组织进行,目的是了解设备的运行情况,检查指导运行人员的工作,对有疑问的缺陷进行会诊分析。这种巡视应形成制度,每月至少一次。

每次巡查后,应将查得的缺陷立即记入设备缺陷记录簿中,巡视者应对记录负完全责任。巡视高压配电装置一般应两人一起巡视。要注意人体与带电设备(导体)之间的安全距离。

(三)设备验收制度

凡新建、扩建、大小修、预试的一、二次变电设备,必须按有关规程和技术标准经过验收合格,手续齐全,方能投入系统运行。

对于修试的设备先由修试人员自行检验,填写检修、试验记录表,然后由运行验收人携带工作票与修试负责人到现场共同验收,验收合格,双方签字;不合标准重新处理后再验收。对新建、扩建工程的验收,应检查各设备的技术记录的质量标准是否合格,图纸资料是否齐全,设备现场是否具备投入条件,存在的问题及改进措施。验收无疑后方可办理完工手续。对站内的防火措施,治安保卫的条件等也应进行验收。

(四)设备缺陷管理制度

设备缺陷管理制度是要求全面掌握设备的健康状况,以便及时发现设备缺陷,认真分析产生缺陷的原因,掌握设备的运行规律,努力做到防患于未然。

(五)变电所的定期试验切换制度

为了保证设备的完好性和备用设备在故障时能真正的起到备用作用,必须对备用的变压器、直流电源、事故照明、消防设备等进行定期切换使用。对纵差动和高频保护通道、特殊型号距离保护的阻抗元件、重合闸、各种事故信号等也必须进行定期试验。

(六)变电所运行分析制度

运行分析工作主要对变电设备运行工作状态进行分析,摸索规律,找出薄弱环节,有针对性的制定防止事故措施。运行分析工作一般分为三种形式,即岗位分析、定期分析、专题分析。

岗位分析是指运行人员在值班工作中,应系统、完整、及时地把巡视检查工作观察到的情况、出现的异常情况,进行综合分析,采取相应措施,并做好记录。

定期分析一般是每月一次,分析本所安全运行、经济运行、运行管理,找出影响安全、经济运行的因素,可能存在的问题。

专题分析可不定期进行,针对影响安全经济运行的较大专题,进行深入分析研究,制定措施。

每次分析工作后都要注意资料积累,将每次分析的题目(内容)、结果,记入"运行分析记录簿"内。

除上述几种制度之外,还有运行维护工作制度、培训制度等。

四、运行管理

变电站的设备不少是露天布置,会经常受到大自然气候变化和周围环境的影响,这就要求运行管理要注意掌握季节特点和环境变化,适时采取措施。如春季,设备积尘和多雾,鸟做窝繁殖,树木开始生长,要注意防污闪,防害,防树木碰砸导线等;春季是供电企业预防性试验、大修和基建施工繁忙季节,操作频繁,停电作业多,要注意防止发生人身事故。夏季是高温、雷电、大风、暴雨多发季节,要注意防暑、防雷、防设备进水受潮、防房屋漏雨和杆塔设备基础下沉,防设备过热。冬季,气温低,空气干燥,负荷大,要做好防冻、防火、防接头发热等。各地季节情况各有差异,应根据实际情况各有侧重。

有关运行管理方面的制度,在前一小节中已经提到,在此不再重复。

特别有一点值得注意,为了开展安全活动,交流经验,促进运行管理,有关安全监督管理职能部门要根据季节特点及可能出现的隐患开展有针对性的安检活动。变配电所间每年也应进行不低于两次的互查。例如:安全方面、设备完好与文明生产方面、运行管理方面、劳动纪律方面以及政治思想方面,以此提高运行管理水平,值班人员的操作水平等。

五、技术管理

1. 变电站技术管理的主要内容

(1)建立技术管理制度,明确专人负责或兼管人员;

(2)备齐本站应具备的有关规程、制度、规定、导则和技术标准,使工作有所遵循;

(3)建立健全设备技术档案;

(4)做好技术资料的建立、健全、收集、整理、登记、造册,以便于指导工作;

(5)根据现场生产实际的需要,及时报请主管单位组织修编现场运行规程;

(6)组织运行人员学习各种规章制度,熟悉并理解条文的内容,提高执行规程的自觉性。

2.变电站应具备的规程制度

(1)电力法;

(2)电业安全工作规程;

(3)发电机运行规程;

(4)电力变压器运行规程;

(5)电力电缆运行规程;

(6)蓄电池运行规程;

(7)电气事故处理规程;

(8)电业生产事故调查规程;

(9)电气设备预防性试验规程;

(10)电气装置安装工程施工及试验规范;

(11)继电保护及安全自动装置运行条例;

(12)电业生产人员培训制度;

(13)变电站运行管理制度;

(14)有关设备检修工艺导则;

(15)各种反事故技术措施;

(16)变电站现场运行规程;

(17)地区电力系统调度规程;

(18)供电设备评收标准;

(19)高压断路器运行规程;

(20)电力安全生产工作条例;

(21)电力系统安全稳定导则;

(22)中华人民共和国消防条例;

(23)SF_6气体监督导则。还应具备由网局、省局、本单位制定的有关规程制度,如《调度现场规程》、《变电运行现场规程》、《变电运行管理制度》、《变电设备评级办法和标准》等。

3. 技术图纸

(1)一次系统结线图:

(2)全所平、断面图;

(3)继电保护及自动装置原理展开图和安装图;

(4)所用电系统结线图;

(5)正常和事故照明结线图;

(6)压缩空气系统图;

(7)调相机油、水系统或静补装置水冷系统图;

(8)电缆敷设图像电缆芯数、截面、走向;

(9)接地装置布置图;

(10)直击雷保护范围图;

(11)地下隐蔽工程图;

(12)直流系统图。

4. 变电站的指示图表

(1)电气一次主接线模拟图纸;

(2)设备的主要运行参数;

(3)继电保护及自动装置定值表;

(4)变电站设备年度大小修预防性试验进度表;

(5)变电站定期维护周期表;

(6)变电站月份维护工作计划;

(7)变电站设备评级标示图表;

(8)主变压器分接头指示表;

(9)消弧线圈分接头指示表;

(10)设备单元回路的最小元件允许载流量;

(11)有权发布调度操作命令人员名单;

(12)有权签发工作票的人员名单;

(13)有权担任监护及操作人员名单;

(14)安全记录指示牌;

(15)定期巡视路线图；

(16)设备专责分工表；

(17)卫生专责分工表；

(18)紧急事故拉闸顺序表；

(19)事故处理紧急电话号码表。

5.设备技术档案

(1)设备铭牌,技术参数记录簿；

(2)设备制造铭牌、技术参数记录簿；

(3)安装、调试记录,交接试验报告；

(4)设备改进、大小修施工记录；

(5)历次大修和定期预防性试验报告；

(6)设备运行记事(障碍、事故、缺陷)及专题分析报告；

(7)设备改进、移动记录。

6.工作记录簿

(1)运行工作记录簿；

(2)设备缺陷记录簿；

(3)断路器故障跳闸记录簿；

(4)设备检修、试验记录簿；

(5)继电保护及自动装置记录簿；

(6)蓄电池调整及充放电记录簿；

(7)避雷器动作记录簿；

(8)事故、障碍及异常运行记录簿；

(9)运行分析记录簿；

(10)安全活动记录簿；

(11)操作记录簿；

(12)事故预想记录簿；

(13)反事故演习记录簿；

(14)负荷记录；

(15)设备巡视检查记录；

(16)上级指示记录；

(17)变电站入门登记；

(18)防小动物检查记录。

7.技术资料的管理

变电站技术资料管理是一项重要基础管理,应十分重视:

(1)要明确专人或兼管,资料要集中存在专用柜中,钥匙移交,制定借阅手续,以防损坏,丢失。

(2)要分门别类建立技术资料清册,分档图纸应有图纸目录,存放整齐,便于查找核对。

(3)要定期清理核对技术资料是否齐全、正确。

(4)各种原始记录、台账、卡片的填写,要及时、准确、清楚,格式和内容力求做到规范化、科学化。

8.变电站技术培训

技术培训能有效地提高运行人员技术业务素质,在技术培训中应贯彻国电公司《电业生产人员培训制度》的要求,经过培训使变电运行人员,达到"三熟三能"的要求。"三熟"是指熟悉设备、系统和基础原理,熟悉操作和事故处理,熟悉本岗位的规程制度;"三能"是指能正确地进行操作和分析运行状况,能及时地发现故障和排除故障,能掌握一般的维修技能。

培训可通过组织技术学习、技术问答栏、事故预想、反事故演习、考问讲解等形式进行,以岗位培训、岗位练兵为主,按照面向生产、联系实际、按需培训、讲求实效的原则,坚持干什么学什么、练什么,缺什么补什么。

六、设备管理

设备完好是确保电网安全运行的物质基础之一。加强设备管理要坚持以维护为主、检修为辅的原则,搞好设备维护保养工作,使设备经常处于技术完善、工况良好的状态。要实行设备管理专责制,加强设备缺陷管理,搞好评级工作,是设备维护保养必不可少的工作内容。

评级主要是根据设备的健康水平,如设备存在缺陷、预防性试验的结果、继电保护和二次回路的情况,综合评定。评级一般分为三类。其中一类设备是:设备状况全面良好,能达到铭牌参数或设计能力,能安全可靠地运行,且外观整洁,检修、试验无超期现象,技术资料齐全。二类设备是指:设备状况基本良好,存在一般性设备缺陷,但仍能按铭牌参数或设计能力安全运行,外观基本整洁,主要技术资料齐全。三类设备是指:有重大缺陷,不能按额定参数或设计能力运行,不能保证安全运行。

为了便于统计、衡量、比较,供电设备要按配电回路组合划分单元。每个单元的等级一般应按单元中完好性最低的元件确定。各部门可根据自己的具体情况制定详尽标准,但要求不能低于国家电力公司标准,且划分的单元也应按国家电力公司颁布的规定统计。

(1)变压器以每一台(包括附属设备)为一单元。三台单相变压器为三个单元;

(2)调相机(包括附属设备)为一单元;

(3)以断路器为主要元件的回路,应包括从母线隔离开关下接线端起所连接的互感器、小母线、电抗器、电容器、避雷器、电缆等。三圈变压器三侧均有断路器者,将其断路器划分三个单元;

(4)母线单元包括母线隔离开关、电压互感器、母线避雷器及构架;

(5)电力电容器以组为单元;

(6)变配电所所用变压器以台为单元;

(7)整个直流设备为一个单元;

(8)消弧线圈以台为单元;

(9)所有的避雷针和接地网为一个单元;

(10)全部照明设备为一个单元;

(11)全所公用的继电保护、自动控制、信号装置和控制屏为一个单元;

(12)除基础、构架外,全所的建筑、电缆沟等为一个单元,基础、构架是随其主体设备划分单元的。

七、安全管理

"安全第一"是电业生产的基本方针,在生产、基建和经营等一切活动中应始终把安全放在第一位,并为此而进行有效的管理。

变电站安全管理实行安全责任制,变电站站长在安全生产中负重要责任,对本站的安全生产具有决定权,值班长在本班安全生产管理中,具有和站长类似的职责权利,站长不在时当值值长可代任站长职务。

变电站的安全活动是班组进行自我安全教育的一种好形式,可通过安全日活动、班前班后会、事故分析会、安全培训等形式对全站成员进行经常性的和系统性的安全思想教育、安全技术知识教育,从而提高人员安全生产的责任感和自觉性。

八、变配电所设备的交接试验及预防性试验

为了检查变配电设备的质量状态,发现设备隐患,确保安全运行,在电气设备投入运行前,应做验收交接试验,运行还应定期进行预防性试验。

1.变压器的试验

变压器的试验可分为5个部分,绝缘电阻试验,线圈连同套管的泄漏电流试验,线圈连同套管的介质损失角的测量,线圈直流电阻的测量,油中溶解气相色谱分析。前四部分的试验周期是在小修或大修时,一定要试验,而对预防性实验除泄漏电流试验三年一

次外其余均应每年一次。对于相色谱分析,电压 35kV,容量 5 600 kVA 及以上每年至少一次外,其他为必要时才进行分析。

2.断路器试验

断路器的试验有:

(1)测量绝缘电阻,试验周期:交接时,大、中、小修时试验;

(2)泄漏电流试验,试验周期:交接时,大、中、小修时一定要做,预防性试验三年一次。试验电压为直流 20kV,泄漏电流一般不大于 10μA;

(3)介质损角的测量,试验周期:交接时,大修时一定要做,预防性试验二年一次;

(4)接触电阻的测量,试验周期:交接时,大、中、小修一定要做,预防性试验三年一次;

(5)测量合闸和分闸时间;

(6)测量各相触头开合的周期性和分、合闸行程;

(7)交流耐压试验,其试验周期:交接时,大、中、小修时一定要做,预防性试验一年一次。

3.避雷器的试验

避雷器的试验参见下表。

类　名	测量绝缘电阻	测量泄漏电流	测量工频击穿电压	检查串联组合元件的非线性系数差值
试验周期及注意事项	交接时,每年雷雨季节前,解体大修后	FS型运行绝缘电阻测量值低于 2 000MΩ 时试验	工频放电电压应取三次测量平均值每次间隔不少于 10秒	非线性系数应在 0.3～0.5 之间

4. 电容器的试验

电容器的试验包括:测量绝缘电阻、测量电容、交流耐压试验、冲击合闸试验。

5. 电力电缆的试验

电力电缆的试验项目有:测量绝缘电阻、直流耐压和泄漏电流试验,检查电缆线路的相位,试验结果的分析。

6. 电流互感器的试验

其内容包括:线圈绝缘电阻的试验,接线组别或极性试验,比差和角差试验,伏安特性试验,变比试验。

7. 二次回路试验

其内容有:绝缘电阻试验、交流耐压试验、导通试验。

8. 电压互感器试验

试验包括:绝缘电阻、接线组别和极性、变比、零序回路端电压测量,比差和角差、耐压等试验。

各类试验的标准或参数要求可参照其主品说明书。